池田修の夢十夜

IKEDA Osamu

Recollections: Ten Nights' Dreams

2021年11月25日

日記を書こうと思う。これまでトライしたことがないけど。
今日は、とにかく調子がよくない。早く帰って眠りたい。
部屋を片付けて、洗濯をして、ゆっくり眠りたい。
いくつかのことを防備。
高橋さんの映像のスケジュール
ガリバーの動員
市原のツアー　奥野さん土曜日3時ごろくるって。
歴史的建造物の実験→梶山さんに
中川から写真をゲット
フランスの展示会、栗林さんの展示の写真
それにしてもいくらでもでてくる
そう、最も重要なことは、スタッフアルバイト　の決定と契約。
今後何をおこなっていくか。
池田修の本。
いつになったらつくれることか。
おもしろいものにしたいな。
目次
夢十夜から
都市に棲むから
個人作家に対するコメント
（丸山純子、坂上チユキ、ほーさん、松田るみ、

今日はもうしごとやめ。
細淵の誘いにのって、外にでるか。

1

横濱夢十夜
Yokohama Dreaming

RealTokyo連載（2007〜2009）
BankART1929代表のTOKYO仕掛人日記
「横濱夢十夜」より転載

第1夜｜港町ヨコハマの文化づくり拠点から

2007年11月28日

野毛山動物園に行く夢をみた。レッサーパンダが死んだからだ。ここは開園以来、入場無料で続いてきた、いわゆる「いまどき」ではないが知る人ぞ知る動物園。無料だからということもないと思うが、あまり目玉になるような動物はおらず、大型の象やシロクマ、キリンなども、死んでしまうとしばらく補充されなくてケージだけが寂しくあるというのが現状だ。作家の磯崎道佳さんはそんな背景もふまえてか、この動物園で死んでしまった大型動物を、巨大ソファにもなる「ぞうきんぞう」や「ぞうきんしろくま」として生まれ変わらせ作品化している（地域の子供たちと一緒に、ぞうきんで動物を作るプロジェクト）。これらは2005年の横浜トリエンナーレと連動してBankARTが実施した『BankART Life』展のときにも出品してもらった。そんなちょっと寂しい、都市の中で忘れられている存在のような野毛山動物園の唯一（?）の人気者、レッサーパンダのモモタロウが倒れたというニュースには、一段ともの悲しい気持ちにさせられた。不幸見たさ、寂しさ見たさというとひんしゅくを買ってしまいそうだが、モモタロウのいなくなった動物園を訪ねてみたかったのだ。

動物園に行った理由はもうひとつあった。園長の竹内昌弘さんに会うためだ。竹内さんは昨年まで横浜市の緑政局にいて、緒賀道夫さんたちが提案した「藝術麦酒」プロジェクトを応援して下さった人だ。市の水源地である山梨県道志村の水と横浜市産の麦を使ってビールをつくり、そのネーミングとラベルデザインのコンペを行なった。その際に、市内で長い年月栽培していなかった麦を、竹内さんが農家の人たちを口説いて作付けまでもっていってくれた。また『食と現代美術part2』展のときに出版した『美食同源』には、農業専用地区という横浜市独自の地産地消（地域生産地域消費）につながる都市農政についての論考もいただいている。今年度、野毛山動物園に異動されたおりには、わざわざBankARTまで挨拶にいらしてくれた。そんな竹内さんがどうされているかも気になって、野毛山の坂をゆっくり上ってみたのだ。

話はそれるが、以前自分はこの役所独特の「3年経つと異動」というシステムにどうも納得がいかなかった。いろいろ理由はあるにせよ、せっかく築いてきた人間関係や仕組みや共有経験を簡単に反古にするのはひどいものだと思っていた。でもこうしてBankARTの活動の縁で数年間横浜市とつきあってみると、このシステムはたんぽぽの種子のように、広く遠くへDNAを伝えることが

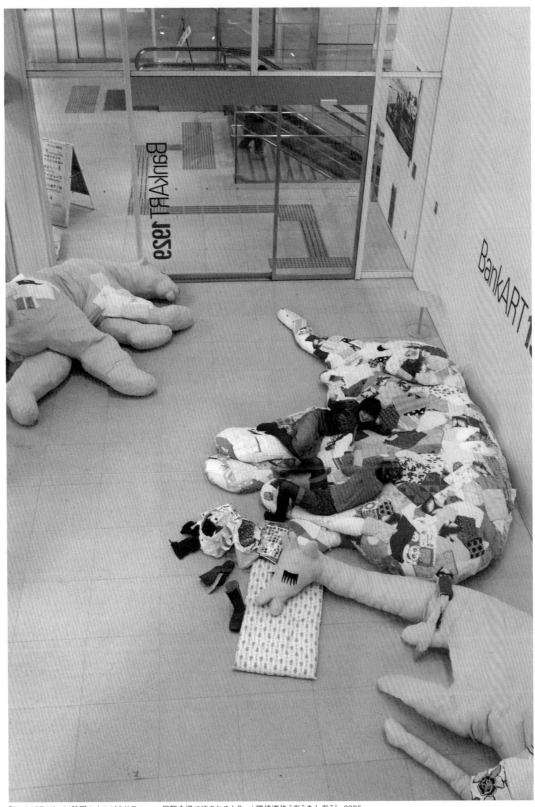

「BankART Life 24時間のホスピタリティー 〜展覧会場で泊まれるか?〜」磯崎道佳《ぞうきんぞう》 2005

できるうまい仕組みであることが、だんだんわかってきた。確かにこれまで培ってきたことを失うことも事実だが、一方培ったものが他の場所で芽を出す仕組みでもあるのだ。それに、農政から動物園へとジャンプしたからといって、人間そのものの見方や性質が変わるわけではない。どこにいようとも竹内さんは竹内さんだ。普通につきあえばいいだけなのだ。話を戻すと、そんなこともあり、竹内さんに会いたくて園長室を訪ねた。

野毛山動物園の近くには、BankARTの『大野一雄フェスティバル』の関連プログラムで最近よくお世話になっている前川國男による名建築、神奈川県立青少年センターや、横浜の頭脳とも言える中央図書館がある。BankARTとは兄妹関係にあたるパフォーマンス系の施設で、相馬千秋ディレクター率いる「急な坂スタジオ」は、旧老松会館という結婚式場を転用して活発な活動を始めている。それから今年の秋、総合学習でBankARTを舞台に中学生9人が5日間熱心に職業体験してくれた老松中学校もある。知る人ぞ知る、横浜の丘の上の豊かな文化ゾーンだ。

変わらない竹内さんと普通の話をして、平日はあまり人気（ひとけ）のない、いつもどおりの動物園をにやりとしながら後にして、野毛の赤い提灯街に下りていった。そんな横浜の夢をみた。

横浜ビール『Peruri Yokohama』のラベル

大野一雄フェスティバル2007

「BankART Life 24時間のホスピタリティー ～展覧会場で泊まれるか?～」昭和40年会《すけすけ荘》 2005

「BankART Life 24時間のホスピタリティー ～展覧会場で泊まれるか?～」岡﨑乾二郎《甲羅ホテル》 2005

第2夜│夢のような、ホントのようなお話

2007年12月28日

波がいっちまった。ちぐさが死んだ。ばらそうが死んだ。けんぞうも消えた。け んぞうは、いつも歪んだ顔でこう話していた。「俺はジミ・ヘンドリックスでは ない。ギターは弾かない、やめたんだ。くっていけないもんな」と歌ったのは みゆきだ。一体何がおこったのか? キャベツ畑? マンション街?
夢をみた。大きな繁華街がある日突然なくなってしまう夢をみた。古くから続 いたジャズ喫茶やバラの絵が飾ってあったオーシャンバー、怖くて優しいお婆 さんの居酒屋、朝までやっていたおでん屋等が次々と店じまい。街には空っ風 が吹きはじめ、周りの店も次々と閉店。人気(ひとけ)がなくなり、常連の灰色 のサラリーマンたちも姿をみせなくなる。クレーンギドラが小さな居酒屋群を 食い散らかし、大きな空き地をひとつ、ふたつ、みっっと生みだしていく。大震 災跡のような荒れ果てた俯瞰映像が続く。琵琶法師がべんべんとやりだす。 誰もいなくなった廃墟の街。この風景は?

最近、人が増えはじめているというので足を運んでみる。そんなに代わり映え しないが、よく見ると空き地にキャベツがにょきにょきと生えている。人参も小 松菜もトマトもある。さらに近づくと何やらみんなでがやがや話し合っている のが聞こえてくる。「ここは独立国だ!」「重要なことはとどくことだ」「いや街 がまずきれいになることです」「いや違う。昔のような居酒屋がいい。人なんか こなくてもいい」「でも、ギャラリーとかケーキ屋とかあって若い娘とかがくると いいと思うけどな」「あまい! 絶対高級マンション街。やっぱり青山代官山六本 木」……と言いたい放題。議長らしいキャベツの姿をした「のげら」が困ってい るとパセリとセージとローズマリーとタイムが小さな声でささやく。「どうした ら皆で仲良くできるのか………」

そこら中の空き地で、ひそひそがやがやと、にわか井戸端会議が始まる。それ を聞きつけて、市(いち)がたっていると思ってたくさんの人が集まりだす。化 学反応はどんどん加速する。路上で色とりどりの野菜を売る人、横浜の郊外 野菜を使ったレストラン、お洒落な古家具屋、若者や中高年向けのブティック がオープン。若いアーティストも自分たちの脚で空き家を見つけて何かやりは じめる。そんな動きにつられて、店仕舞をした居酒屋も少しずつ再開。娘たち を連れた初老のサラリーマンが姿を見せ始める。どの店も大きなお金はかけ ていないけれど、オープンであたたかく、明るく、やさしい。どこも変わってい

「食と現代美術 part2−横濱芸術のれん街」石内都×バラ荘　2006

「食と現代美術 part2−横濱芸術のれん街」高橋永二郎×荒井屋　2006

ないはずなのになんだか少し様子が違う。

もっと真実の日常を獲得したい。やさしくて辛くて大きい。

こわれつつあるものをもっともっとこわすこと。

捨ててあるものをもっともっと捨ててしまおうとすること。

なくなっていくことの構築性。

きちんとしたゲリラ。ひっくりかえす力。

並べること、売ること、なくなること。また並べること、売ること、なくなること。その日その日がスピード感の中で進んでいく。けっして目茶苦茶している わけではなく、整理整頓だって、毎日掃除もきちんとしているのに、ごちゃごちゃしている。置くところだって決まっているし、ルールだってとてもしっかりしている。だけどなんだかはみ出して、ぶつかったりしている。ざわざわしていて、なくなって、そしてやってくる。

そんな横浜の夢をみた。

＊この街にときどき姿をあらわす「のげら」について

「のげら」とは古い街が再開発される際に現れる猫（空間）の総称である。基本的に姿、形はない。新しいものと古いものの間に鋭く貫入したかと思うと、ここあそこの屋根の上で眠っていたりする。内部と外部を自由に行き来し、あらゆる次元を飛び越えて、時空を移動する。狸のようでもあり、実際の猫のようでもあり、家や船のようでもあるが、決して具体的な形はとらない。ときおり抽象的な（猫と抽はなんだか似ているな）思考を行い、哲学的に振舞うこともあるが、そう見られることも決して好まない。「のげら」は具体的な形と抽象的な思考（空間）の間を往き来する。

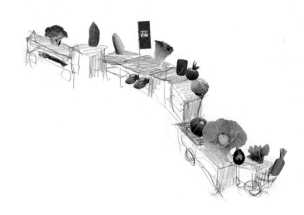

「食と現代美術 part2−BankART Market」 2006

第3夜｜何かに誠実である、ということ。

2008年1月28日

夢をみた。スタッフのみんなにぼやく夢をみた。忙しいからできないのか?
不誠実になるのか? できないから、不誠実だから、忙しいのか?
こんなことを問うてみたところで、結論など出やしない。
20年ほど前になるけど、PHスタジオが担当したインテリアの仕事で、建築家
の原広司氏に、磨りガラスの裏面の家具の背面が一箇所だけ白く塗られてい
ないのを指摘されて、「建築家は誠実でなければいけない」というような意味
のことを云われたのを思い出す。原先生といえば、僕たちは『集落の教え』の
中で育った世代だけれど、真っ先に思い出すのはこのことだ。集落の教えで
はなく、原広司の教えだ。建築家は誠実でなければいけない。なぜなら、人
の財産(人生)を預かり、還す仕事だから。

北川フラム氏にも、たくさんのことを教えられた。例えば、ヒルサイドギャラ
リーの企画を担当し始めたとき、展覧会のオープニングパーティを、よかれと
思い土曜日に開催してしまったときのこと。仕事として参加できない人を呼ん
でどうするのだ。土曜日は背広族が私服でしか参加できない。そんな簡単な
ことも理解できていなかった。まだある。パーティでボーイを雇わなくて、自分
でワインをついでまわったとき。若い作家だから、そこまでやらなくてもと思っ
ていたけれど、2万円の経費も出せないなら、池田君はオープニングで何を売
ろうとしているの?

川俣正さんもたくさんある。四国の松山でのプロジェクトで合宿しているとき
のこと。遅くまで作業とミーティングしていて疲れて就寝する段になって、彼は
東京に明日提出しなければいけない書類が残っているといって、手灯りの机
の前で作業を始めた。何をするかと思ったら、封筒に宛名を記して、机の前に
おもむろに貼り付けて、「よーし」のひとこと。あとは知らないけれど、朝には
その封筒はなかった。川俣さんの個展のセッティングを担当しているときのこ
と。いつもどおり急にやってきて猛スピードで展示を行い、別の仕事に出て行
く。そしてまた夜遅くやってきて、「池田くんあと2ミリ上にあげて」、とか「あと
4ミリ左に移動して」とやりだす。こっちはずっとやっているのだからくたくたな
のだけれど、まあそんなことは当たり前のこと。なぜなら、前よりずっとよくな
るから!

僕の周りの人は、確かにみんないい仕事をして現在その世界を代表する人になっていったけれど、こういったエピソードは、この3人以外にも数多くのクリエイターたちとの出会いの中にある。クリエイターが立っている位置、表現されたもの、こと、言説。仕事をする度にびくびく、どきどき、リスペクトしている。

僕たちBankARTメンバーは、他の美術館の学芸員と比べても学歴もキャリアもない、でこぼこのチーム。だけどなんとか日本の芸術界を変えようとしている。どうかみなさん、学んでください。どうか吸収していってください。反応してください。それといつも言ってるけど、はき出さないと何も入ってこないよ。水泳の息継ぎだって、水中ではき出さないと何も入ってこない。月に一度ぐらいは自分のお尻を拭く時間をとって、徹夜でも何でもして、やりきってください。ぼーっとした連続した労働の中で、問題の中心が見えてくる！ どうか皆さんそんな大きな海で泳いでいることを感じてください。
その一員であることを理解してください。
そんな横浜の、海に反射した広い明るい冬空に向かってぼやく夢をみた。

BankART Studio NYK

川俣正＋PHスタジオ「工事中」＠ヒルサイドテラス　1984

第4夜│森に住む人と都市に住む人との物語

2008年2月27日

船が山にのぼる夢をみた。というのは嘘で、船は山にのぼった。これはPHスタジオという、最近まったくといっていいほど活動をしていないが、本当は結構おもしろいチームが発案したプロジェクトだ。プランはこうだ。

ダム工事に伴い、およそ200haの森林が水没、30～40万本の木が伐採される。それらの木（森）を引っ越しさせるのがこのプロジェクトのテーマ。伐採される木を使って60m大の筏状の船をつくる。もちろんそれは人力では移動不可能。ダム完成時に行なわれる湛水実験（水位をダム本体の最も高い位置まで上げ、再び常時満水位まで下げる）時に、船を湖に沈んでいる山の上まで移動し待機。水位の下降に従って山のてっぺんに不時着させるという仕組み。

広島県北東部の3町と国土交通省に招待されての1994年の初提案、1996年の再提案を経て、1998年からは独自のプロジェクトとして展開。芸術文化振興基金やアサヒビール、資生堂などから毎年助成や協賛を受け、また行政チーム、地元住民、国交省の協力を仰ぎながら12年の歳月を経て2006年に完成をみた。プランは単純だが、スケールが大きいのでそれほど簡単に事は進まない。そこで彼らは「ムーミン谷の冬」のように、毎年プロジェクトを物語のように展開し続けた。物語と言えばていがいいが、自転車操業プロジェクトだ。「船をつくる話1998」「船をつくる話1999—木を集める」「船をつくる話2000—船の上の家」「船をつくる話2001—ふねをつくる」「船をつくる話2002—続ふねをつくる」「船をつくる話2003—まっているあいだ」「船をつくる話2003—まっているあいだⅡ」「船をつくる話2005—水の上」「船をつくる話2006—船、山にのぼる」。このタイトルだけでもわかるように彼らは、このダムに沈む集落に毎年通い続け物語を生成し続けた。

12年に及ぶロングプロジェクトだから、はなせば長い話がたくさんあるが、その中からふたつだけエピソードを。PH単独のプロジェクトになった1998年。現地でプラン展示をおこなったが、地元の人たちは誰も見にきてくれない。仕方がないので、彼らはチラシをもって集落を1軒1軒訪ねて歩く。それでもほとんどきてくれない。展覧会もおしまいのころ、1枚のチラシが公民館にはってある。「鍋を囲んで船をつくる話」。彼らの状況をみるにみかねてか、月に一度おこなわれる地元の集会に招待してくれたのだ。もうひとつ。1本の老木、通称「えみきの木」が水没予定地に取り残されたままになっていた。地域の象徴と

「船をつくる話1999—木を集める」

「船をつくる話2002—続ふねをつくる」

も言えるこの木は推定樹齢400年。移植費用の3000万という額の大きさと生存率の10%という低さから、国土交通省の補償の対象にならず、住民は半ばあきらめかけていたのだが、PHに協力していた人たちが中心になって「えみき爺さんをつれていこう」と地元住民に呼びかけ、募金し、自分たちの強い意志と手でこの巨木の引越を完遂させた。

今回、ドキュメンタリー映画の本田孝義監督が、PHのこのプロジェクトと住民たちの「えみき爺さんプロジェクト」のふたつの引っ越しを描いた80分の『船、山にのぼる』という映画を完成させた。プロジェクトの全貌紹介はこれから渋谷のユーロスペースで上映される映画に委ねるとして、彼らは一体このプロジェクトで何をしたかったのか？
いつもはのらりくらりしていて、あまりはっきりしない彼らだが、あるインタビューで次のように答えている。「自分たちがみたものをきちんと伝えたかった。ダム建設は国土交通省と一地域の問題ではない。肯定も否定もしたくない。そこに住む人と都市に住む人との共有の問題。私たちはこのプロジェクトでの労働と日常を通して、そのポジションをとり続けてきたつもりだ」
現在、船は生活再建地「のぞみが丘」とともに湖の上に移動し、山の上に鎮座している。今後の船の行方は、国交省との約束としては解体撤去が原則だが、地域の人たちは「そのままおいとけ。崩れてそこから新しい芽がふいてきたら、それが本当の森の引越よ」と言ってくれているらしい。夢のようなありがたい話だ。

2006年3月10日国交省のボートで船を牽引

2006年、船は山にのぼった。うしろの集落はダムに沈んだ町に住んでいた人々が移り住んだ生活再建地「のぞみが丘」

第5夜│きちんとしたゲリラ

2008年3月25日

正面にネクタイ、背中にTシャツを着ている夢をみた。

AをAという言葉だけで説明することはできない。「豆腐は豆腐だ。だから豆腐だろ」といくら話しても相手には伝わらない。別の言葉が必要だ。その差異に、悲劇と創造性が宿る。

二重人格。私たちのようなアートコーディネーター、アドミニストレーター、キュレーター、プロデューサーという肩書きを持つ人がなんとも胡散臭いのも、このあたりの事情からきている。私たちの仕事は、正面でネクタイをしめていて、背中ではTシャツを着ているようなものだ。アーティストの「世にまだ出現していない理解の困難な未知なる表現」を一般の人々に伝えようとするのだから、ある種の二枚舌にならざるをえない。でもこの二枚舌はけっこう本質的なものだ。例えば、食器についた油を洗剤がどのように落とすか。洗剤は、油に近い分子と水に近い分子が対になった分子構造をしている。お皿についている油たちに、「君たちは僕の仲間だよ」といって安心させて近づきくっつく。ところがどっこい、歌舞伎役者のように、くるっと一回転し、「ばーか、俺は水の友達なんだ」と水の中に潜り込んでしまう。これが洗剤の汚れを落とすメカニズムだ。この二枚舌すなわち二重人格こそが、情報を伝える本質だと言える。これはもちろん、一般的なDNAの二重らせん構造を基にした遺伝・情報伝達のシステムでもあるわけだ。

20年近く前、PHスタジオの活動の中でこんな文章を記したことがある。「きちんとしたゲリラ」のこと。

「過激なことや、へんなことをするときは、できる限りきちんとしていた方がいい。その方がより長くいき続けられるからだ。権威に向かってものをいうときも、ぼろは着てても背筋を伸ばして大きな声で言いたいものだ。重要なことはとどくことだ。この百年間、『アジア』と『地方の知性』と『自然』からエネルギーを奪い取ることで成立してきた私たち（都市）自身を覚醒させるためには、私たち自身がより深く都市に入り込み、思考し、勇気をもって発言していくことだ。自分の体を少しばかり変形し、敵意を歓待に変え、都市の経験を蓄積していくこと、そして、きちんとしたゲリラを続けることだ」

この思いはBankART1929の活動がスタートしてからもあまり変わっていな

国道16号線（撮影：池田修）

「Landmark ProjectⅡ」丸山純子《無音花畑》@BankART Studio NYK 3F　2006

い。媚びてはいけない。けんか別れをしてもいけない。どう付き合うか、どう付き合わないかが重要。「きちんと」と「ゲリラ」の同時実現は常に困難が伴うが、社会（日常）とアート（未知なる存在）の往来は私たちの活動を支える楽しい旅であり、真骨頂だ。

『Landmark Project』もそんな試みのひとつで、眠っている、あるいは放棄されている未知なる空間の可能性を探っていくプロジェクトだ。BankART Studio NYKの3Fでの、牛島達治さんによる無用な機械たちや丸山純子さんの無音花。オフニブロールによる、1929ホールの内外を活用した映像インスタレーション。岡部友彦さんたちの『寿』プロジェクトのDVD化による推進、等々。これらの作品はすべて既存の時間や歴史や空間の可能性をするどく切り開いたものだ。この春には再び『Landmark Project 3〜国道16号線を越えろ！〜野毛にいこう』と題して、古くから続く横浜の大きな飲食店街、野毛地区に焦点をあてたプロジェクトを展開する。東横線横浜駅〜桜木町駅廃線に伴い大きなダメージを受けているが、今なおジャズ喫茶などが点在し、横浜らしい雰囲気が残る野毛地区本体。ホームレスや放置自転車を撤退させるための、金網で囲まれたボイド。空き店舗がやたらに多い駅ビルの地下街。ピンク街の一角にぽっかりと存在する白いペンシルビル。これらのシークエンスにアーティストたちはどのようにたち向かっていくのか？
いずれにせよここでも「きちんと」した「ゲリラ」が必要なわけで、私たちは正面にネクタイ、背中にTシャツという夢を見続けることになるのだ。

『寿』DVD。横浜寿町でリノベーションに挑戦する若手
建築家たちのプロジェクトを映像で紹介する。

「Landmark Project」牛島達治 @BankART Studio NYK 3F　2005

「Landmark Project」Off Nibroll @BankART1929 Yokohama　2005

第6夜｜Landmark Project III
「国道16号線を越えろ！←野毛にいこう」の夢解説

2008年5月26日

山に登る夢をみた。それほど高くもない山だ。緑もあるようだが、色が薄く周りに空間がとれない。小石を踏みしめる音と自分の革靴のステップだけが繰り返される。どこにいこうとしているのかは判然としない。

緑のケージが突然現れる。まるで街の中の動物園のようだ。楽園のようにワニやオウムが生息している。ここだけが、原色で解像度が高い。映し出されるように緑が生い茂っている。

夜も早いというのに腹を出してごーごーいびきをかいて眠っているたくさんの若者がいる。襲われないか、風邪をひかないか少し心配だが、声をかける勇気もなく、温度がわからないので毛布をかけてあげていいのか決められない。どうかもう少し遅く眠って。

眠りたい。歩いているのがすこぶるしんどい。歩きながら眠っている。羊が1匹、羊が2匹、羊が10匹、羊が100匹と国道を横切っていく。

愛おしい女の子がうつむきかげんで掃除をしている。自分が悪かったのかなと思う。自分が山を登り続けるから女の子は涙を流しているのだと。こんなことなら坂を転げ落ちていくほうが――。と、立ち止まると羊が自分の身体に入り込み飛散していく。鳥葬のように身体を食し、青空へと飛び立っていく。こっちは薄暗いのにあっちは晴れている。どこまでいったのか。

うつむきかげんで進んでいくと、閉まっていた店が次々と開店しはじめているのに気づく。そこは古き良き親父達のパラダイス飲食街だ。のどが乾いたので、商品が出てこなさそうなお酒の自販機に200円コインを入れる。一杯飲むが、親父達に声はかけられそうもない。

死んだごきぶりが映像の前に立ちはだかり画面に大きな影を落としている。ゴキさんは「死んでから4年目」と自己申告してきた。店主が4年前にこの喫茶店を捨てて逃げてしまい、食べ物がなくなって死んでしまったという。死んでしまった今は元気でやっているという。閉店した喫茶店には乾いた幽霊（映像）が揺らいでいる。

地球を2秒ほどで一周して戻ってくると、女の子は泣くのをやめてこういった。「16号線を越えて、野毛にいってください」と。尖った山の上に野いちごがたくさんある素敵な展望台とバーがあると教えてくれたが、今は見送ることにしてまっすぐに進む。

「Landmark Project III 国道16号線を越えろ！←野毛にいこう」は、横浜で古くから続く飲食店街・野毛地区の、眠れる空間の可能性を開くプロジェクト。桜木町駅前に張り巡らされたケージ群、駅ビル「ぴおシティ」の空きスペース、また日ノ出町駅近く、大岡川沿いに登場したBankART関連の新施設「野毛マリヤビル ホワイト」などを舞台に、さまざまな表現行為がなされた。

駅前ビル「びおシティ」の空き店舗（元喫茶店内）を使った泉太郎の展示

川に飛び出した大きな大きな楼閣が続く。本物なのか？ たくさんの宴が続いているようで立ち寄ってみたいが、ちょっと怖いのでそのまま進む。

きらきら光るピンク色の摩天楼の前を通り抜けるとその向こうに、いこうとしていたような気がする峠が見える。きれいな服を売っているお店、キューティな鏡の空間、眠ってしまいそうなほこら、明るい広場を通り抜けると、そこはトマト・なす・ブロッコリー等の野菜畑。
今日はこれから何をしようか？ どこにいこうか？
ここからは、赤い電車と川と街が見える。近くて遠い横濱の山に登る夢。

電車の窓からみえた
日の出町をとおりすぎるあたりで
建物の窓心から招いてた
裸の女の人が

京急に 乗ろう

京浜急行電鉄

KEIKYU

すけすけ生春巻き　当時18才の女子美大生による伝説の自主日刊誌の巻頭広告

駅前ビル「ぴおシティ」の空きスペースを使った高橋啓祐の展示《public＝un+public 羊編》＠ぴおシティB2ギャラリー

「野毛マリヤビル ホワイト」の屋上/カブ（深沢アート研究所）（同建物内にニブロールのショップ＆アトリエ・スタジオなどが展開）

第7夜｜10年後の夢

2008年8月5日

ある横浜市広報関係の取材で、10年後のBankART1929の夢は？などという考えてもみなかった質問があったので気になって眠れなくなった。これまで、次から次へと新しい事件が起こり、その対応でここまでやってきて夢などみている間もなかったというのが本音だ。ずっとさめていて眠る暇、すなわち夢などみる暇がなかったように思う。一方、逆にこの4年間 を思い起こすと今回のNYKの突然の改修工事*のように、いつも夢の中にいるような感じで進んでいっているようにも思う。いずれにせよ、ずっと起きているかずっと夢をみているかの状態なので、夢をみることなど考えたことがなかったのだ。でも人間、そう言われてみると気になるものだ。眠れないついでに考え始める。

BankARTドバイ、BankART北京…いろいろ考えてみるがどうもテレビの影響を受けていてあまり面白いものはでてこない。BankARTニューヨーク、BankART東京、BankARTアイランド、うーん…いっそのこと彦坂尚嘉さんのようにBankART皇居!? 文字通り夢みたいなことを考えていると、老人ホームの中で絵を描きながら現代美術のことをとうとうと話している村田真さんや、杖をつきながらメガホンをもって山の中を行く北川フラムさんの姿が脳裏を駆けめぐる。そうかと思うと川俣正さんが横浜の歴史的建造物を橋で繋いでいくプロジェクトを真面目に企画していたりもする。あそこを口説いて、あの人に頼んで、お金はこうして集めて…。

さらにBankARTの組織構造論になってきて、真剣に組み立てだしたりする。3年後は優秀なスタッフを6人輩出して、6年後は国際的なチームに育って、9年後には年の収益事業を12億にのばして、年の入場者数が300万人など、えらく実現不可能な数値目標をかかげたりする。3の倍数はおもしろい。これもテレビの見過ぎのせい。逆に急に、そんなに上手く続くわけがないと、どんどん不安が増してくる。10年後には天狗になりすぎて、斜陽の一途をたどり、建物はぼろぼろになって崩壊寸前、毎日草むしりをしているような風景、そしてここで何故だか、星一徹がでてくる。あーあこれはだめだ。そんなこんなでうつらうつらしていると、僕が将来住みたい場所はなどと、また違うことを考え始めてしまって眠れなくなる。暖かくて海と山がすぐ近くにある都会か、寒くて人気のない漁師町の居酒屋の2階かで……すやすやすや。
結局みた夢は、4年前に記した文章だった。あーあ夢がないなあ。

* BankART Studio NYK は、9月13日から始まる「横浜トリエンナーレ2008」の会場のひとつとなることが決定。このため建物の一部改修工事が行われた。

BankART Studio NYK の改修後の様子

『BankART1929は駅でありたいと考えている。ヨーロッパの駅のように
様々な人々が往きかい、コーヒーやビールを飲み、ベンチで眠っている
人、たまにはケンカをする人、自由に音楽を奏でる人がいる、そんな包容
力のある心地よく過ごせる空間を目指していきたい。また横浜は貿易の
街。人が集まり、アーティストが育ち、物が動き、情報が行き交い、経済が
動く、交易の場所。何か表現する人もそれをサポートする人も、それで食
べていけるような経済構造へと共に変換していきたい。BankARTはそのた
めの実験の場所でありたいと考えている』

第8夜｜水三昧

2008年8月27日

水に浮かんでいる夢をみた。ダスティン・ホフマンのようにサングラスをかけてプールに浮いて空を見上げている。アー・ユー・ゴーイング・トゥー・スカボロフェア。パセリ・セイジ・ローズマリー＆タイムによろしくと伝えて。

世界中を巻き込んでいる北京オリンピックの後のささやかなアートのお祭り、横浜トリエンナーレがもうすぐはじまる。そして BankART Life Ⅱ がはじまる。BankART1929の総力を挙げての展覧会。市内各所でのアート展示、パフォーマンス、イベントが繰り広げられる。横トリとの共通チケットも発券。山野真悟さんたちの黄金町バザールとも連動。「横浜トリエンナーレにいこう！／BankART Life Ⅱ＆黄金町バザール」という横断幕は市内23施設にかかり、店舗等のフラッグは300以上。駅舎、市役所、ルーフトップ、巨大な空き地、駅ビル、川の上……あらゆる場所に棲かをもとめて彷徨う。館を捨てて街に出よう？！などと息巻いても、世の中はそれほど優しくはない。雨、風、台風、騒音、迷惑、車、危険、ヤジ、お金、等々。魑魅魍魎の世界。箱入り娘のアートさんには、普通の人が普通にクリアーしていることが苦になって仕方がない。交渉、折衝、あきらめ、進まない。前にちっとも進まない。逃げ足ははやく、気づかれないようにいくしかない。

カニの親子のように水底でぷくぷくいってる夢をみた。頭には水がみっつで森。森の冠、くるくる水が頭をめぐる。カワセミが下りてくる。下りてくるのではなくて殺しにくる。水面を境に生死が反転する。魚は天国にカワセミは地獄に、カニの親子はあいかわらずぷくぷく。こんな話までのぞみ号のスピードアップにつながってくるのだから。トンネルに音もたてないでつっこんでいくなんて、賢治も驚いていることだろう。

おなかの中で眠っている夢をみた。女の子にふられたのに、落ち込んだり、やけ酒を呑むこともできずに、どこかにいってしまうことだけを考えている。とても悲しい出来事がおこっているというのにそちらにはいけない。どうも戦いに疲れているようだ。

もう少し、子供を育てるとか、犬と散歩するとか、朝の食事を楽しむとか、浴衣を新調して花火を見にいくとか、ナイター観戦にいって負け試合に飲み屋でぶ

つぶつあーだこーだというとか、普通のことができないものか。久しぶりの屋根裏は、ハイジの山小屋のように、暖かくて静かな場所だった。わらに囲まれて子馬のように眠りにつく。

ある人から、美しさにはふたつあると教えられた。純水のような美しさと海の水のような美しさ。前者は何の混じりけもなく水を入れる器さえも拒絶する絶対的な美しさ。後者は、何が入ってきてもどんなに汚いものが混じっても、包容してくれる、汚（よご）れても汚（けが）れても許してくれる美しさ。そんな振幅をいったりきたり。

映像はメタファーであると語ったタルコフスキーの映画には水が幾度となく登場する。映像はシンボルではなく比喩であると。水は映像、映像は水、水は夢。

横浜トリエンナーレとBankART Life IIはどんな夢（水）をみるのだろうか？
今年の夏は暑かったので水三昧の夢でした。

池田修のドローイングより

第9夜｜どうだ、街は楽しいか？

2008年10月30日

横浜の街を3拍子で歩く夢をみた。『ラスト・タンゴ・イン・パリ』のマーロン・ブランドのように、街中をゆっくりと踊りながら、空を見上げ、口笛を吹き、友達に声をかけながら、滑るように転げていく。街行く人はカラフルなflagを片手に僕に笑顔を投げかけてくれる。「どうだ、街は楽しいか」と微笑んでくれる。疲れることを知らない子供のように、はしゃぎ、ふざけ、驚いて、目を丸くしながら。

どうかしている。こんなはずじゃない。とっくの昔に足はつっていて、心臓はぱくぱくしている。身体はすっかり壊れているのに、頭だけ冴えきっている。それでも僕は立つ。行く。進む。楽しむ。

『BankART Life II』はそんな都市に棲み続けようとする人たちの夢だ。緊張感、裏切りと誠実さ、喜びとどん底、分裂と統合、躁鬱を繰り返し、そして幸せへ！幸せ？

未知なる、眠っている空間を切り開いていく『Landmark Project IV』の今回の住処のひとつは市庁舎。村野藤吾の空間にビニールの花、奏でる竹、マスキングドローイングが挿入される。陥落不能と思えていた行政の真中心にドン・キホーテ。「市民は、そして職員は喜んでくれたのか？」

もうひとつはBankART NYKの屋上。『ルーフトップパラダイス』。最近まではNYKの3階が、ロープが無用に回り続け、ビニールの花畑からなる未知なる可能性のある空間（Landmark Project）だった。すでにそこは記憶の底にある。かつて団地屋上が飛び降り自殺のメッカとなったことを理由に、数10年間放棄されてきた都市の中のシャングリラ、曼陀羅の世界、すなわちルーフトップに今回は挑む。「空に近づくことはできたのか？」

『心ある機械たち』と命名した、機械と運動に焦点をあてた展覧会。ドコンドコンと「でくのぼう」。「あ」とか「う」とかの言葉にならない「音」を古いピアノが奏でる。目に見えない素粒子が巨大な子供を揺さぶり目覚めさせ、立ち上がらせる。音楽と運動と光。まるで心の通り道を見ているような優しい眼差しの機械。偉大な彫刻家の「ツバメ」の写真は何度みても涙が出てくる。もうひとつの謎解きは歴史的建造物の地下にある。重厚な石造りを支えるハイテク設

「ルーフトップパラダイス」屋上空間活用のアイデア実践やパフォーマンスが展開される

「Landmark Project IV Open! パブリックスペース」松本秋則・丸山純子・淺井裕介

備群の中の無数の人・人。
子供たちは動く物に、好きとか嫌いとかの前に好奇心を持つ。「獲物を捕らえる動物としての人類は目を輝かせてくれたか?」

102歳のダンサーの5度目の誕生日会。都市の中の巨大な空き地、新規開発・移動席のシステム。産業遺構「台船」による水の上の舞台、親指劇場。アジア、南米……多種多様な民族。劇場を捨てて街にでよう! とは、云うはやすし、やるは大変、実現すると感無量の世界。

週末のカフェライブは楽しい。展覧会と重なっていく時間芸術。友部正人、オムトン、のびアニキ……少しずつ身体がほてっていく。『BankART Life II』を楽しんでいる。

おなかがすいたらBankART Mini Kitchenへ。アーティスト、建築家、専門家による贅沢な至福の食と現代美術。
「茶道や現代のカフェにみられるように、食文化は作法や空間、臭い、音など、他の全ての領域を飲み込んでしまう包容力と普遍性をもっています。美術の世界においても、フェルメールの絵に代表されるように『食』のもっている空間がその時代を代表するイコンとして表出されている例も数多くあります。この展覧会では、美術の視線を通して食文化を中心とした生活の中に潜む、プライベート性、地域性、共有性、暴力性、批評性、時代性、空間性を解き明かしていくことを試みます。横浜は開港以来、様々な異国の食文化を取り入れ、独自の文化圏を形成してきました。この展覧会では横浜のもっている食文化の歴史、豊かさにも焦点をあて、芸術文化と食との古くて新しいネットワークを探っていきたいと思います」
これは5年前の『食と現代美術 part 1』のときの文章。この願いは現在も変わっていない。

『BankART Bank under 35』。巨大な台風のような横トリ開催中だからこそ、個人に焦点をあて、カタログをつくり、世にきちんと紹介していく。どんな状況でもアーティストは社会と1対1で対峙しなければいけない。

「心ある機械たち」

「大野一雄フェスティバル2008」ガラ公演

『開港5都市モボモガを探せ！』。内藤廣設計の巨大な駅コンコースに、函館、新潟、横浜、神戸、長崎の数百の「モボモガ」がゆらりゆらり。電車にのってどこかに飛び去ってしまいそうな不確かな風景。ここは巣鴨かというぐらいにお年寄りが集まったりもする。おじいちゃんとおばあちゃんと駅でデートなんてしゃれている？

タンゴからマーチに変わってきた。パティ・スミスの大好きな行進曲が何度も繰り返される。背筋を伸ばして大股で歩こう。街を行こう。時の裂け目など気にしない。裂け目に落ちるのも、裂け目を飛び越すのもよし。横浜は変わったか？ そんな簡単に365万人の街が変わるはずもない。でもみんな楽器とflagを手に4拍子のリズムで街を歩こう。

「どうだ、街は楽しいか？」

BankART Mini Kitchen

1920年代から戦前までの「モダンボーイ」「モダンガール」を探す写真収集プロジェクト「開港5都市モボモガを探せ!横浜展」@馬車道駅

第10夜│街づくりとアートの夢

2009年2月17日

『下見のため、すっかりこぎれいになったこの場所を訪れたとき、そう遠くない昔、遊女に声をかけられ、この川沿いを肩をすぼめて小走りに通り過ぎたことを思い出した。確かに行政と警察と地域が一体となった地域改善の施策のため、売春宿は一掃された。周辺も大型のマンション建設や橋梁工事、船着き場、遊歩道の整備などがはじまり、急速に変化しはじめている。だからといって、過去の街の記憶がそう簡単に消えるわけではない。やくざもいれば、ここを生業にしていた人たちが、まだたくさん住んでいるのだ。ここにアート系を中心としたチームを招き入れるという。この強烈な記憶が残る場所で、一体私たちに何ができるというのだろうか？ 水辺を楽しむことも、散歩をすることも、この場所にとどまることも誰もが避けてきた街。どうしたらこの場所を親しみのある街に変換することができるのだろうか？』

『この界隈は道も狭く、店舗も少ない。雨宿りをしたり、休憩する場所もみあたらない。そこでこの建物の1Fを昼間は常にオープンし、誰もがちょっと休むことができ、将棋をさしたり、たまには談義を交わしたりすることのできる縁側のような空間へと変換させていきたい。…中略…もうひとつの日常は、この場所にアーティストに住んでもらうことだ。この街に興味をいだき楽しんでくれる、世界と交信する力のあるアーティストを招きたいと思う。アーティストが住むということは、生活や風景の他愛のないことの中に潜む可能性を見ようとする視線を持ち込むことである。彼らがここで生活し、地域の人たちと対話がはじまることで、建物が呼吸をはじめ、それが街に広がっていく。これまでの見知らぬ街から、常に見られる明るい街へと変化する。…後略…』

この文章は、横浜市中区が2006年に行った、元不法飲食店の一軒（現在のBankART桜荘）を活用しての運営コンペでBankARTが提案した企画案の一部だが、いま読みかえすとまるで夢のような印象を受ける。アートの脆弱さと届かぬ思い、それでいて、いつかは届くかもしれないという意志の往来が文体に表れている。

横浜駅から京浜急行で南に下ること10分程度、大岡川沿いの初音・黄金・日ノ出町地区は現在、かつての売春宿ゾーンから大きく変貌を遂げた。整備事業とは別に急遽決定した横浜トリエンナーレ2008と連動した『黄金町バザー

黄金町

BankART 桜荘

ル』へと風景はめまぐるしく展開した。こうした誰も予想をしなかった街の急激
な表情の変化は、2年前に記した文章をまるで実体のない遠い過去の記憶を
映し出す走馬燈のようなものへと変換させる。

黄金町バザールのあと、この2月から小さな『桜プロジェクトvol.2』がスター
トする。遊歩道整備にともない伐採した桜の木を活用して何か制作し、地域に
「還す」プロジェクトだ。プロジェクトとしては2度目になるが、今回は特に小
中学校、地域のNPO、組合等に参加してもらい、餅つき大会等で活躍する「臼
と杵」を制作することにテーマを絞った。

さてこうしたささやかな試みは、アートは、本当に街に効くのか?

街づくりシンポジウムのテーマとして幾度となく登場してきた「アートは街に機
能するか?」という問いかけ。先日の建築士60人を前にしてのレクチャーでも
「アートにお金をかけて市民にはなにが還元されるの?」という答えに窮する
質問があった。

『アートはスカラー量でもベクトル量でもない、量も方向ももたいない質点で
す。点を打つことだけがアートの仕事です。生まれたての赤ちゃんの発語は
言語ではありません。「あっ」とか「うっ」とか、何かを伝えようとしていること
は確かですが、何かが伝わるわけではありません。繰り返す抱擁と対話の中
から、両親や祖父母が、「ああ」といえばミルク、「うう」といえば「おしっこ」と
かろうじて読み解き、ミルクを温め、おむつを用意し始めるのです。赤ちゃん
の存在は周りにいる人々のクリエイティビティを喚起させ、社会を成長させて
いきます。これがアートのもつファンクションでありシステムです』

夢の中であろうとなかろうと、そして脆弱で届かぬ思いであろうとも、私達は
何度も「アートの定義」を繰り返し夢のように唱えていくしかない。

BankART桜荘内部

桜プロジェクト vol.2

第11夜│街に棲み続けること

2009年3月26日

今日は小春日和。屋上にあがると、少しぽしゃっていて海の温度がだいぶん上昇しているのがわかる。大きな客船が巨大な桟橋に停泊している。右から左に180度パーンすると、これまで横浜がつくってきたたくさんのランドスケープがパノラマのように映し出される。横浜は横に長い浜だから横浜なんだと聞いたことがある。そういえば東西に連結された空間の拡がりをもつ港街はあまりないかもしれない。北面に横たわる静かな冬の海の反射光がゆっくりとこちらに届いてくるのがわかる。優しい。この街をデザインした先駆者たちは、今現在のこの風景をどのように見ているのだろうか？　その想いはとどいたのだろうか？　横浜のまちづくりの構想（夢）は小さいものではない。そして奇跡的に、絵に描いた餅は紆余曲折しながらも実現してきた。港北ニュータウンという「住む場所」は既に40年を経、新しいコミュニティが芽生えている。鶴見の工場地帯としての「つくる場所」は、ひとつの頂点を越え、これからの新しい方向性を探る時期に入った。また「いきかう場所」としてのこの港地区は赤煉瓦やみなとみらいを中心に1,000万人のにぎわいを創出している。

住む・つくる・いきかうをさらに横断するものとして、「創造都市」という「志」のあるプロジェクトが挿入されてから5年が経過した。この生まれたばかりの見えにくく分かりにくい試みを、世の中は性急に答えを出そうとする。知られていない、難しい、経済効果がない……。何度も何度も聞かされる罵倒・不信感。大きな軌跡を描く打球の行方を誰が知っているというのだろうか？　「創造界隈」の構想（夢）は、そんな簡単に手に取れるものではないのだ。日に当たりながらベンチでゆっくりしていたら寝入ってしまった。変な夢をみた。

うつぶせ姿でふとんの中から小さな頭だけを半分だけだして、上の方をみている。中年の女の人と自分よりも2つほど年上の6つぐらいの女の子が、玄関のところで何か話をしている。もうすぐ、でかけていくんだろうなと思って声をかけようとするけれど、どこか別の場所にいるらしく伝わらない。

幼い頃、ほとんどの時間を祖母と過ごした。とはいえ一緒に遊んでもらったという記憶はない。庭で丸虫を相手に機嫌よく遊んでいる自分に対して、祖母は無関心を装い、必要なとき（例えばご飯とかお風呂のときなど）だけ、優しく声をかけてくれた。祖母は死ぬまで明治の女を演じ続けた。ご飯は毎食3杯

食し、掃除は汚れていなくても朝6時から必ず規則正しく行っていた。となり三軒の軒先前までの掃き掃除、水まきも日課としていた。こうした祖母の揺るぎない日常に安心と尊敬の念を抱いていたことは確かだ。無駄だと思っていた拭き掃除で、廊下があるとき輝いているのを発見したり、煮魚が苦手でストライキすると本当に何も用意してくれないのだが、食卓テーブルの上には、いつのまにかお新香などが並べられていたり……等々。さりげないやりとりの中で「自分の中の明治」は育まれていったように思う。哲学的な言葉からは遠い人だったけれど、風邪をひいてご飯を食べようとしなかったときには、「人間は動物。食べることで生きているのよ。あなたがやっていることは動物として最もやってはいけないこと」とこっぴどく叱られた。こうした言葉は自分の中で装置として今でも強く生き続けている。好き嫌いで判断してはいけない。重要なことは好奇心と倫理。生き続けられる動物としての構造をつくることだ。

寒くなって目が覚めた。まわりには日陰がせまっていた。変な夢のおかげで、意気消沈していた気持ちが少し楽になった。

「性急な思想」は、この屋上から横浜の空と海に向かって投げ捨ててしまおう。わからないものをわからないままに抱えることに勇気をもちたい。続けよう。

《太陽をたべる僕》池田修

2

都市に棲む
Inhabiting the City

エナジーラボ「街ゼミ」連載（2009年10月〜12月）
「都市に棲む」より転載

1. 都市に棲むとは？

都市に棲むとはどういう意味なのか？

なぜ、都市に「住む」ではなくて、都市に「棲む」なのか？

それは、棲むという言葉に含まれる、動物的な感覚や野生の思考を都市の中に取り戻したいからだ。原始、人間は動物として存在した。

動物であるからには、眠る場所も、食べることも、自ら行動し、探し求め、獲得してきたはずだ。居心地のよい場所はどこか？ 水のおいしいところ、食べ物があるところ、そして風がふくところは？

私達の祖先は、恐らくそうやって場所をみつけ、生き続けてきたのだと思う。

はたして現代の私達はどうか？

人類は数万年に及ぶ文化的と呼ばれる活動を通して、確かに様々な道具を創り、知識を身につけ、文明を築き上げてきたが、その反面、動物として本来もっていた運動神経や反射神経を失い、いつのまにか都市の中で「住まわされている」存在になってしまったのではないか？

昨年、横浜トリエンナーレ2008と連動してBankARTの屋上で開催した「ルーフトップパラダイス」はそういった意味において、都市の中に自らの場所を獲得していこうとするプロジェクトだ。

「ガウディのグエル公園がそうであるように屋上は都市の中で新しく誕生した空にとどく唯一の大地。創造界隈の建物群の屋上を開き、ネットワーク化していく。みかんぐみが26作家をコーディネートするBankART Studio NYK 屋上では、野菜を育て、小屋を増殖していくプロジェクトが展開される。パフォーマンス系では、同時多発的に開催される音楽やダンスイベントをヘリが追跡する」チラシ向けの少しアジテーショナルな文章とともにこのプロジェクトは約1万人の観客が、様々な新しい風景の生成を楽しんでくれた。

最近、ソウルで新しくアートスペースがオープンし、その記念シンポジウムに呼ばれ、様々な文化施設を見せてもらったが、その関連で最後にとても志の高いプロジェクトに出会った。ソウルの中心地からそれほど離れていない高層団地に囲まれた金属加工の工場群。騒音と金属と油の臭いが混ざり合い、じゃりン子チエが登場しそうなゾーンだ。その工場の2〜3Fをスクウォッターではないが、多くのクリエイターが入り込み、新しいコミュニティを形成し始めている。恐らく、工場の人たちとの関係が至極よく、わきあいあいと界隈を形

「ルーフトップパラダイス」

本町ビル屋上より 屋上は都市の中で新しく誕生した空にとどく唯一の大地

成しているとも思えないが、荒れた部屋をアーティスト独特のテイストでつかみ、表現の場を確保している様は、もうひとつの新しい匂いをこのゾーンに重ねており、街としての豊かさを示しているように感じた。そのなかにあるひとつのビルの屋上に連れていってもらう。プロジェクトを推進している彼女から、「ここにくるといろんなことが見えるのよ」という言葉をもらう。確かに高層マンションに囲まれてぽっかり取り残された「ノスタルジー」のようなこのエリアは、ひとつの独立した島のような錯覚を覚える。俯瞰した空間は、貧富の差をも含む、都市の構造をはっきりと示してくれる。

こうした試みの、もう少しソフィストケートされたようなものが、我が横浜の本町ビル45（シゴカイと呼ぶ）の存在だろう。都心部の開発予定の一般ビルの4階と5階だけを建築家などのクリエイター達15チームが活用している。とくに派手な活動をしているわけではないが、彼らはきちんとそこで生計をたて、ゆるやかな集合体としてまとまり、月に一度の外回りの清掃や年に一度程度のオープンスタジオを通して、都市の中での新しいすみかを築いてきている。
都市の成長をコミュニティを崩していくひとつのゲームとしてみるならば、彼らはまるでゲームを楽しむかのように、自らの力でフィルムを逆回転させ、小さなコミュニティを形成し、それを核として外部の人たちとのネットワークの再構築を探っているように思える。何か特になくても、彼らがいる、彼らは何かをやるかもしれない、彼らと何かをやってみたい、というポテンシャルが、クリエイターが街に棲むことの意味であり、街が豊かになっていく兆候なのだ。

棲息、同棲という言葉にも含まれるように、棲むという言葉は、因習により培われた道徳とか制度ではなく、もっと能動的に一対一で都市に関わっていこうとする、都市に住み続けようとする新しい倫理の提案であり、レジスタンスなのだ。

ソウル市ムンレの工場群（手前）。ビル屋上より都市の構造が俯瞰して見える

本町ビル45（シゴカイ）

2. きちんとしたゲリラ

こういった仕事をしていると必ず、「アートは街の役に立つの?」といった類の質問に出会う。それが理由というわけでもないが、僕はいつも「アートとは何か?」「アートコーディネーターとは?」あるいは「観客とは?」といったことを頭の中で反芻してきたように思う。現在のところは、以下のように考えている。

「アートとは何か?」アートはスカラー量でもベクトル量でもない、量も方向ももたない質点。点を打つことだけがアートの仕事だ。生まれたての赤ちゃんの発語は言語ではない。「あっ」とか「うっ」とか、何かを伝えようとしていることは確かだが、何かが伝わるわけではない。繰り返す抱擁と対話の中から、両親や祖父母が、「ああ」といえばミルク、「うう」といえば「おしっこ」とかろうじて読み解き、ミルクを温め、おむつを用意し始める。赤ちゃんの存在は周りにいる人々のクリエイティビティを喚起させ、社会を成長させていく。これがアートのもつファンクションだ。

「アートコーディネーターとは?」アートを質点であると定義した場合、アートを取り巻く環境はどのように導き出されるのだろうか?『RealTokyo』というwebマガジンの「横濱夢十夜」という連載で以下のような文章を記したことがある。

『正面にネクタイ、背中にTシャツを着ている夢をみた。AをAという言葉だけで説明することはできない。(後略)』

観客とは? さて次にテーマとなる「観客」とは一体何者なのか? 上記にもあるように「観客」は「ネクタイ」で表現されている「普通」の人。唐突かもしれないが、「観客」というと必ず僕が思い出すのは、観阿弥・世阿弥の世界で語られている言葉だ。佐渡に流された世阿弥親子が、中央のように高貴の人がいない島で演ずる状況に陥って、「高貴の人はもとより、ましてや身分の低い俗人にも理解されなければいけない」と戒めるくだりがある(と記憶している)。このパラドキシカルな表現をはじめて知ったとき、それまでの自分の考えていたことが根本から覆させられた記憶がある。大阪で人形浄瑠璃や吉本や松竹を同時期に見て育った生活とも重なり合って、この言葉は僕の中で今でも生き続けている。現在、お笑いがテレビの主流を占めるようになってから久しい。大半のマスメディアが吉本興業という巨大産業によって包括されてしまったと

原口典之「社会と物質」展 ＠ BankART Studio NYK　2009

いってよい。まるでソニーが様々な製品を世界中にデビューさせ、ウォーホルやキース・ヘリングを画廊やマスコミが育てたように、若い芸人を「正統」に養成・輩出してきた。教育機関をも含むシステムとして、企画・開発・普及・出版（マスコミ）という真に博物館的な手法を援用し、またたく間に「観客」をお笑いに誘導してしまった。ビートたけしを代表とする、かつての「芸能から芸術へ」の流れも既に影を潜め、「芸能」は「芸能」として、この国で立ち位置を獲得してしまった。もしこれら「お笑い」（「アニメ」も）が「観客」を魅了してやまないならば、はたして我々「アート系」は今後どうやって「観客」とつきあっていけばよいのだろうか？

「アート」を「アート」としてリスペクトされる状況を追い求めることは、もはや幻想なのか？

残念ながらこの答えは、この公理系では導き出すことができない。

ただ、「観客」は貨幣がそうであるように、もっとも定義し難い、畏怖する存在であることは間違いない。観客は、アートやアートコーディネートの継続した実践を通してのみ、真の姿を現してくるのだと思う。

20年近く前、こうした気持ちの流れの中、「きちんとしたゲリラ」という文章を記したことがある。それを最後に添付しよう。

『過激なことや、へんなことをするときは、できる限りきちんとしていた方がいい。その方がより長くいき続けられるからだ。権威に向かってものをいうときも、ぼろは着てても背筋を伸ばして大きな声で言いたいものだ。重要なことはとどくことだ。この百年間、『アジア』と『地方の知性』と『自然』からエネルギーを奪い取ることで成立してきた私たち（都市）自身を覚醒させるためには、私たち自身がより深く都市に入り込み、思考し、勇気をもって発言していくことだ。自分の体を少しばかり変形し、敵意を歓待に変え、都市の経験を蓄積していくこと、そして、きちんとしたゲリラを続けることだ』

梅若槙彦「バタフライドリーム」＠バタフライパビリオン（越後妻有）2009

「集まれ！アートイニシアティブ」2009

3.映像文化都市～横浜創造都市構想から

横浜市のクリエイティブシティ構想は、現在5つの指標のもと推進されている。

1) ナショナルアートパーク構想
2) 創造界隈形成
3) 映像文化都市
4) 横浜トリエンナーレ
5) 創造都市の担い手育成

ひとつめのナショナルアートパーク構想とは、日本語に訳すと国立芸術公園。
これだけだとなんだかわからないが、案外きちんとした意味が込められてい
る。それは国の整備した多くの港湾の土地を商業や産業ではなく、公園やアー
トに活用することで国の参加を促し、国との共同事業化を図る仕組みだ。昨
年、横浜トリエンナーレ開催を機に建築した「新港ピア」はその典型的な例だ。
というのは、年間500万人の観光客が訪れ、大成功しているように見える赤レ
ンガ倉庫は、実は市が国の土地を買い上げて商業施設にしたために、現在の
横浜の大きく膨らんだ財政赤字の起因のひとつにもなっているからだ。こうし
た経緯もふまえて、横浜市は国と協働することで、支出の削減を図り、港湾機
能と「文化や公園」を両立させながら整備し、市民に豊かな空間を提供してい
く構想を打ち出しているのだ。

2番目の創造界隈形成は、BankART1929の中心課題でもある。簡単にいうと
都市における新しいコミュニティを形成せよ、ということで、いまどき味噌や醤
油を貸し借りするわけではないが、都市部における新しい町屋を形成していこ
うというプログラムだ。お陰様でBankARTの周りには、大学や専門学校も含
むクリエイターの活動拠点となる建物が数十集積し、PCや部屋やアイデアを
貸し借りするようなチームで大分にぎやかになってきた。

4番目の横浜トリエンナーレは、創造都市構想全体の中での位置づけとしては
カンフル剤あるいは外科手術的な存在。3年に一度の都市のプレゼンテーショ
ン（祭り）だ。そのリズムに乗って、ハードもソフトも含めて、まちづくりを推進
していこうという試みだ。5番目は省略。
さて、今回深く触れたいのは、3番目の映像文化都市だ。現在開催されている

野毛都橋

「CREAM」という国際映像祭はまさにこのプロジェクトに関連する大きなイベントだ。この映像文化都市という表現、横浜市も明確には説明できていないように、定義が難しい。当初は、映像産業コンテンツとの関わりを強く意識してのテーマ設定だったようだが、実際は誘致しかけていた某社が頓挫し、土地購入までいっていたゲーム会社の進出も、この不況下のもとリタイア。東京芸大大学院映像学科だけは誘致に成功し、「映画」「メディア」「アニメーション」の3部門がスタートを切ったというのが現状だ。こうした動きの中、これまでも「EIZONE」という映像に関するイベントを3年間開催してきたが、必ずしも「映像文化都市」を位置づけることができたとはいえない。そして今年の映像祭。ステージは異なるが、引き続き横浜市の「映像文化都市」をプレゼンテーションする。この展覧会「CREAM」についてここで言及する紙面はないが、いくつかの問題点はあるにしても、内容的にはよく考えられた好きな展覧会であることだけ言及しておく。

さて、このいささか曖昧な展開をみせている「映像文化都市」の方向性はさておき、このテーマを創造都市構想に入れたこと自体は、僕は正しいと思っ

ている。それは横浜市の企図とは異なるかもしれないが、映像と都市（水）という言葉から連想されるイメージに都市の可能性を見ているからだ。

この映像祭と関連して、同時開催しているBankART主催の和田みつひとのプロジェクト「Behind Blue Light Yokohama」というチラシに次のようなことを書いた。

『映像はメタファーであると語ったタルコフスキーの映画には水が幾度となく登場する。映像はシンボルではなく比喩であると。シンボルのように何かのひとつの意味に収斂していくのではなく、川面のように具体的な無限の表象だけが通り過ぎていく。
♪街の灯りがとてもきれいね、横浜、ブルーライトヨコハマ……。
和田みつひとは、横浜の街に「青」、「赤」、「緑」、「黄」の光を配していく。ネオンと水がきらめく街に、この歌を口ずさみながら、意味のまだ生成しない色／光を挿入していく。』

水と映像の関係は、水と都市との関係に連鎖され、映像と都市という関係に辿り着く。それは、水という物質が、生活・農業用水、水運、他者からの防備（境界）等、様々なかたちに姿を変えながら都市を機能させていることと同時に、都市を映し出す鏡としても機能していることを気づかされるからだ。
数多の人、道路や線路、車、家や工場、超高層ビル等の実際には重なり合うことのできない実体的な存在を、水は映像として、何層にも重ね合わせることのできる存在へと変換させてしまう。そしてリジットな都市の構造を柔らかな運動体として、他者と多様性を包容できる都市の構造へと導いてくれるのだ。
繰り返しになるが、こうした意味において、豊かな水の恵を授けられた横浜市が現象としての都市「＝映像文化都市」をひとつのテーマに掲げ、街を牽引していくことは結構いいことではないかと思っている。

「Behind Blue Light Yokohama」和田みつひと＠野毛マリアビルホワイト 2009

4.八ツ場ダムと「船、山にのぼる」

今回は、話題になっているダムの話。PHスタジオ「船、山にのぼる」として、灰塚ダム建設に少なからず関わったものとして、現在行われているマスコミの報道には、違和感を覚えているというのが正直なところだ。

前原国土交通大臣の中止宣言を受けて、ざわめきたっているが、もともと八ツ場ダムは出来る可能性の非常に低いダムだったのではないか。遅延の理由はいくつかあるだろうが、国土交通省が本気を出せば、どんな難題があっても既に完成していたはずだ。そこには別の大きなハードルが隠れている。それは地元にいるダム建設賛成派と反対派の存在だ。ダム建設に伴う最大の課題、集落のコミュニティの崩壊と再生が、報道や議論の中から完全に抜け落ちているのがとても気になる。ダム建設にしろ、空港建設にしろ、地上げ屋ほどではないかもしれないが、国土交通省は集落やコミュニティを、個人補償の名を借りて、分断し、承認させ、買収を推進していく。それは情報合戦であったり、とりこみであったり、関わった人たちが発する「やられた」という言葉に象徴されるように、戦争時の「転向」という嫌な言葉を思い出させる。

成田闘争を思い出して欲しい。成田は、そんな交渉が、闘争へ、そして強制撤去へと軌跡を描いたリアルな物語だった。当時の報道映像には、監視小屋、櫓、放水、機動隊との衝突……がくりかえし映し出されている。そして数多くの犠牲と痛みを記憶に残しながらも、成田空港の歴史はスタートをきる。八ツ場ダムにその姿はあったか? というとその記憶はない。既にそういったことが執行できる時代ではなくなったとういうのが現実だろう。人権、環境の問題等々。それこそ国土交通省が住民に牙をむけた瞬間、諸外国、環境、人権団体から、強烈な非難の嵐が舞い上がったはずだ。では反対派がいなかったかとういうと、反対派はいる。

どうしているのか。調べたわけではないが、国土交通省はつい最近まで、勝算もなく菓子折をもってダムエリアまで足繁くかよったはずだ。反対派がいなくなるまで待つしかない。これが国土交通省の出した結論だろう。人が住む場所の電気や水を、今の時代、強制的に切断することはできない。長野の脱ダム宣言や不況の影響もあっただろう。国土交通省は可能な限りの遅延の理由をつけて50年間、未完のダムを計画・実施し続けてきたのだ。

僕が関わった広島県の灰塚ダムも、八ツ場ダムとまったく同時期に計画がスタートしたダムだ。八ツ場ダムと大きく異なる点は、30年の反対闘争を経て、51対50の一票差で調査工事賛成派が勝利したとき、彼らが民主主義の方法をとったことだ。反対派もダム建設を受け入れ、受け入れるならば、建設省（現国土交通省）ときちんと向かい合って、いいダムを、いい集落（再建地）を、という方向に歩み始めたのだ。再建地の住環境、動植物の移動、法面緑化やガードレールの色等の環境保全に配慮し、コミュニティを崩壊させないで新しい集落をどのように再生させるかを、建設省との協働作業を通して推進していった。その流れの中、「灰塚アースワークプロジェクト」がスタートする。PHスタジオも1994年に現地に招待され、深くこの地域に関わるようになる。

その内容は、少々長いので以前記したwebと映画の予告編を参照して欲しい。

「船、山にのぼる」は決してダム問題そのものを取り上げたプロジェクトではないが、その日常と労働を通して、地方と都市、生活と権力、環境とコミュニティなど、様々なことを学んだプロジェクトだった。前出のwebの内容と重複するが、少し引用してみよう。

『「このプロジェクトで何をしたかったのか」とよく聞かれたが、今ははっきりと答えることができる。「自分たちがみたものをきちんと伝えたかった」。ダム建設は建設省と一地域の問題ではない、肯定も否定もしたくない。そこに住む人と都市に住む人との共有の問題なのだ。私たちは「船をつくる話」という労働と日常を通して、そのポジションをとり続けてきたつもりだ。現在、船は生活再建地「のぞみが丘」とともに湖の上に移動し、100年に一度クラスの大雨時まで水がこない位置に鎮座している。（中略）今後の船の行方は、国交省との約束としては解体撤去が原則だが、地域の人たちは「そのままおいとけ、崩れてそこから新しい芽がふいてきたら、それが本当の森の引越よ」といってくれている。ありがたい。』

最初に記したように、マスコミの報道は非常にデリケートな深い問題を簡単な構図で表そうとしていて品位があるとはとても思えない。また国土交通省も一度崩壊させたコミュニティに対して深い陳謝の言葉もなく、二重に犯そうとしているコミュニティの再破壊に対して、もっと謙虚に自覚的にならない限り、住民との間に解決の糸口は見いだせないだろう。八ツ場ダムの問題はコミュニティの崩壊と再生という最も普遍的な都市の問題が抽出されているといっても過言ではない。政治的、経済的な視点の変換だけではなく、もっと基本的な生活者の視点をマスコミも国土交通省も国民も共有していくことができるかが問われるべきであろう。

5. 普通のことをもっと普通にきちんと

BankARTの運営方法や構造は、基本的に既存の美術館や画廊、その他の外部で行なわれているプログラムとさほど変わりがない。受付があり、カフェやパブ、アーティストが活用するスタジオがあり、講座があり、企画展やコーディネート（レンタル）事業があり……。何故アグレッシブな感じがするのか？
それは日常的なベース事業に力点をおいているからだ。

例えばフロント（受付）は、美術館のそれではなく、企画ギャラリーの受付の方法をとっている。歴史的建造物の活用であり、湾岸の風景の美しい場所に立地していることを自覚し、イベントがなくても、建物や風景を見にくる人々に対して開いていくこと。また来館者やユーザーに1対1で対応し、リピーターを育てることを常に心掛けるようにしている。メール配信アドレスが約15,000、住所録が約40,000というデータベースを構築することができたのも、この規模の施設ではなかなか難しい窓口の方法を採用しているからだ。

BankARTパブが毎日23時までオープンしているのには理由がある。
BankARTスクールが、21時30分まで行っているのと、スタジオインしているアーティストに23時まで、部屋の使用をOKにしているので、パブスタッフは、彼らのフロント（窓口）係でもあるのだ。また、もちろん遅くまであけていることで、一般の方や役所関係の視察の人たち等も、フラリと立ち寄ってくれる。それがきっかけでアートの入口になるケースも結構ある。そういった意味においても、BankARTパブはBankART事業全体の交差点を担う重要なハブスポットなのだ。

BankARTスクールは、講座（イベント）ではなく、小さいけれど学校である。2ヶ月で8コマが基本単位、月〜土曜まで毎日開催。生涯学習講座と大学院の授業の中間レベルを目指す。どこにもない新しい視線をもったスクールを目指すという意味で、現代の寺子屋とか塾のイメージを抱いている。（大袈裟だが明治維新の原動力にもなった大阪の適塾なども意識）最も大切なことは、生徒同士、先生と生徒との交流、化学反応。例えば、福住廉（美術批評）ゼミでは、アフタースクールで有志がパブで話し合い、自主的に批評紙をスタートさせ、現在4号まで継続している。

福住廉ゼミ受講生による批評紙
「HAMArt!」3号

コーディネート事業。単なるレンタル事業に終わらせないという意味を込めて、こういった名称にした。オファーされる内容を可能な限り受け止め、BankARTが関わることでイベント内容が向上するように心掛ける。2のレベルを3に！ が合い言葉。共催・企画協力するケースも多い。例えば今年度も1〜3月は卒業展が多いが、そのときにBankARTは頼まれてもいないのに、総合リーフレットを企画作成する。卒業展を学内的な行事とは捉えずに、社会の共有する「未来の卵」として位置づけ、行政マンや市民、遠方の人たちにも、見てもらう機会をつくっていきたいからだ。

今回は既出の内容が多かったと思うが、BankARTのベース事業の琴線にあたる部分を少し披露した。最後に参考になるかもしれないので、BankARTの監視のアルバイトの人に手渡しているマニュアル（?）を掲載しておこう。

優れた監視の仕事のために
『監視の仕事は自然に人がそこにいるということが重要です。来館者は、監視がいないと作品に触っても構わないとか、いたずらをしてもよいとかと考えてしまいます。また監視があまりうろうろしても鑑賞者の気が散ってしまいます。背筋を伸ばしてリラックスして椅子に座り、自然にそこにいることを心掛けてください。そんなあなたに来館者は安心と制御を感じるはずです。

監視は、作品の状況と空間の状況に、常に変化がないかを見定めなければなりません。例えば絵画の場合。画面に傷がついていないか、埃がたまっていないか等、作品のコンディションをたまにはみて下さい。動く作品の場合。正常な状態できちんと動いているか、これまでと異なる動き方や変な音がしていないか…。そういったことを気にかけながら作品に接して下さい。ただし、変化があったからといって勝手に掃除をしたり、作品を修理しようとはしないでください。変化に気づいたらすぐにBankARTスタッフに報告して下さい。まわりの空間についても同様です。床が汚れていないか、窓ガラスに手あかがついていないか、照明がきれていないか等々。常に空間全体に気を配るようにしてください。

監視の人も接客は必要です。
もしお客さんに声をかけてこられたらどうするのか? まずは立ち上がって（自然に）お客さんと対応するようにしてください。（短い質問ですむときは椅子に

BankARTスクール

「地震EXPO」コーディネート事業として持ち込まれた企画から企画協力し、共催事業として開催

BankART Studio NYK 受付

座ったままでもいいです）

『トイレはどこですか？』→教えてください。

『これは誰の作品ですか？ 他の作品もありますか？』→答えて下さい。

『この作品の作家の経歴は？』→ガイドブックに掲載されております。ご覧になって下さい。

『写真を撮っていいですか？』→プライベートでご使用されるのであれば構いません。

『この作家の連絡先を教えてください』→ BankART オフィスにつなぎますので、少々お待ち下さいといってオフィスに連絡して下さい。

重要なことは、「理解していること」を短く答えることと、「知らないこと、答えられないこと」をスタッフにきちんと繋いでくれることです。さらに展示の感想などをおっしゃる方がいたら、メモを残してくれるとありがたいです。

危機管理が最も重要です。子供が作品に触って壊したとか、食べ物を持ちこんできたとか、大きな声でしゃべりだしたとか、全て慌てずにただし速やかに対応してください。緊急危機が回避したら、速やかに BankART スタッフに報告を下さい。以上よろしくお願いします。』

6. 都市に棲む～トップダウンからボトムアップへ

政治経済の季節が続いている。文化どころではないといった風潮だ。文化庁の予算がけずられる、国際交流基金がうんたらかんたら……。巷では芸術にとって悪いニュースとそれに反応した芸術関係者によるそわそわした動きが目立つ。フランスは不況の時期でも文化に対する予算は削減しなかったのに、と嘆き比較したところで、芸術文化を経済活動のひとつとして位置づけている国の話は参考にはなるはずもない。こういった時代に日本の脆弱なアートの世界にいる人間は、何を考え、どう行動するのか?

BankART1929の場合は? もし横浜市からの補助金がなくなったらBankARTはどうするか? やめるのか? それとも、続けるのか? 続けることができるのか?

実をいうとBankARTはこういった問題を、常に抱えながら活動を続けてきたので、今回のような逆風に見える問題もさほど新たな高いハードルとは感じていない。もともと、文化庁や行政の予算が無くなったからといって、活動をやめるようでは、まあ最初からそういった活動をやろうとするつもりがなかったといっても過言ではないだろう。問題の中心は、社会的にも経済的にも自力がついてくるようなプログラムやシステムが組めているか、ということと、それを弛みなく実行している日常があるかどうかだ。ただし、ここで誤解をしてもらっては困るが、僕自身は、国も地方自治体も芸術をもっときちんとサポートしていかなければいけないと常に考えている方だ。公立の美術館は美術館然としているべきで、予算もそれなりにあり、豊かなインパクトのある常設作品をもち、のびのびとした企画展を行い、いついっても楽しめる空間を提供して欲しいと思っている。

付け加えると、どうして日本の美術行政は、国を代表的するような美術館を1館もつくることができなかったのか? ここでそれを議論する紙面はないが、それぐらい僕は、国や地方行政がリーダーシップをとっていいものをいつでも共有できる文化施設をつくっていくべきだと考えている。だから、僕は美術は民だけがやればいい、全て自立してやるべきなんて考え方はもっていない。なんだかいったりきたりの話になってしまったが、まさに僕はこの官と民の往来こそが、日本の文化を構築してゆく糧になるのだと考えている。大分以前に以下のような文章を記した。

『ニューヨークでもベルリンでもアートがイニシアティブをとって街を形成して
きた。非合法に略奪した場所でも、民間、行政、国がリレーし、その文化度を
上げることで街を展開してきた。でもこの方法は現在の日本にはあてはまら
ない。横浜市がおこなっているように行政からスタートし、民間と組んで、民間
に移管し…という方法をとらざるをえない。問題はここから先だ。誤解を恐れ
ずにいうと、BankARTはだからこそ、今の段階で野に下ることが重要だと考
えている。今後も行政との協働作業は続くし、大きな支援を受けて運営されて
いくことは確かだが、だからこそBankARTは自ら関わりたい場所を見つけ、
耕し、経済的に自立していくことが大切なのだ。ある指定管理者制度に関連
するシンポジウムの席で「モチベーションもなくできた美術館は、モチベーショ
ンもなく消えていく」と発言した。この言葉は、むしろBankARTそのものに突
きつけられている言葉だ。BankART1929は第2段階に入ったと思う。自身が
より深く都市に入り込み、思考し、自分の体を少しばかり変形し、敵意を歓待
に変え、都市の経験を蓄積し、そして徹底的に開いていくこと。こうした作業
を淡々と続けていきたいと考えている。』

この文章を記してから随分時間が経った。現在は3段階目に突入していると
いっていいだろう。状況は刻々と変化している。さてこれからどこにいこうか?

BankART Studio NYK パブ

BankART Studio NYK ブックショップ

3

なぜBankARTが
生まれたか?
Why was BankART1929 founded?

なぜBankART1929が生まれたか？

2011年「新都市2011年3月号」(財団法人民間都市開発機構)より転載

BankART1929は、歴史的建造物等を文化芸術に活用し、都心部再生の起点にしていこうとする横浜市の推進するクリエイティブシティ事業のリーディングプロジェクト。創造界隈の形成に寄与すべく、様々なチームと協働しながら、新しい街のネットワークを構築してきている。ジャンルは美術、建築、パフォーマンス、音楽等多岐に渡り、スタジオ、スクール、カフェパブ、ショップ、コンテンツ制作等をベースにしながら、主催、コーディネート事業等、年間数百本の事業を活発に行なっている。この論文では、事業内容にも触れながら、なぜBankARTが生まれかについて考察する。

横浜の誕生

横浜(横浜市)は、諸外国からの圧力の中、時の明治政府がこの地を選び、開いた港街だ。政府は国の安保を確保しながら、東京から25キロメートル離れたここ横浜を欧米との窓口として機能させていく。居留地、新橋から横浜(桜木町)間の鉄道の敷設、外国人墓地……。どこかで読んだ記憶があるが、横浜の都市形成にとって外せない出来事は、開港、関東大震災、横浜大空襲だという。ひとつめが、諸外国及び日本政府からの要請、2つめが、自然災害、3つめが人的被害。種類は異なるが、こうした巨大なエネルギーが横浜を翻弄し、破壊、変化させたことは事実だ。後ろ2つは、他の都市でも経験しているだろうが、横浜の場合は都市化へのスタートが開港という全く人為的なものだっただけに、その後の変遷にも特徴のある様相をみせてくる。100戸の寒村から西洋の窓口の都市としての急激な変化。建物、街路、食べ物、衣装、風俗、文化等々の全てが、進取の気性で、俄つくりの西洋風の都市(デザイン)が形成されていく。ハイカラという言葉に代表されるように、たった50年あまりで、金融都市、近代都市へと変貌を遂げる。ところが、関東大震災後

の写真が示すように、一夜にしてその脆弱さを一級の自然の力の前にさらけ出す。横浜は壊滅的な廃墟都市へと化す。大震災の1923年以降、横浜は防災都市(耐火、構造)を自覚しながら、復興を行なう。近代都市、都市デザインへの力強い意志が芽生えてくる。横浜は数多くの西洋建築(RC建築)を有した都市へと生まれ変わる。ところがそのような復興にもかかわらず、たった20年程度で米軍による横浜大空襲。でもその当時の写真をみると震災のときとは少し様子が異なる。確かに木造の建物は焼失しているが、RC造の建物は残っている。これは米軍が、意識的に爆撃弾ではない焼夷弾を用いたからだ。日本を統治していく基地として横浜に進駐することを考えていたから西洋建築及び港湾施設を残したのである。現在横浜に震災後に建てられた1928年、29年竣工の建物が多いのは、決して偶然ではなくこういった事情によるものだ。

シティズンプライドの芽生え

こうして、開港、震災、戦争という3つの圧力を「都市の経験」として生きてきた横浜は、大きく飛躍する予感(DNA)が授けられることになる。それは、それらの出来事を真正面から受け止め、その圧力を生かしながら歩んできたことに対する自負だ。こうして都市にとって極めて重要である「シティズンプライド」が芽生えはじめる。我々の創造都市のプロジェクトは、確実にこうした歴史的な都市の生成(構造)の上にたっている。

国からの自立

開港から150年を経た現在、横浜は368万を有する大都市に成長する。金沢区のように鎌倉時代から人が住んでいた街もあれば、丘陵地に大規模開発を仕掛けかけて数多くの横浜都民を育んだ都筑区や青葉区のような街もある。年間10万人の人口増加を

関東大震災直後の横浜港周辺（横浜開港資料館所蔵）

幾度も続けたというのだから、想像を超える力で、都市計画の強い磁場が働いていたことがわかる。この極めて力強い都市デザインへの意志は、もちろん先に述べた「DNA＝シティズンプライド」を受け継いだからこそ成せる技だ。1963年から社会党飛鳥田政権がスタートし、田村明等のアーバンデザイナーによる、いわゆる六大事業という名の都市計画が立ち上がる。そのプロセスにおいて、横浜には「国からの自立」という自覚が生まれてくる。その中でも、都市デザインにおける典型的なエピソードが「吉田橋付近の高速道路地下化」だろう。東京では、東京オリンピックを機に川を埋めながら、高速道路網を設置したことに代表されるように、性急な都市計画が施されるが、ここ横浜でもこうした計画がたてられる。この強引な（首都）高速道路計画に対して、横浜市は強く抵抗する。そして最終的に高速道路そのものは受け入れるのだが、地下に埋設させるという極めて困難な解法（そして恐らくそれは正しい解）を採用する。国との協調関係を保ちながらも、自己の立ち位置を築き上げる横浜スタイルの確立だ。横浜は「国との協調と自立」というダブルバインドの道を明確に打ち出していくのである。そしてこうした背景のもと、この40年間、長期に渡る六大事業は着々と実施実現され、港北ニュータウンやベイブリッジ、みなとみらいなど、その計画の大半はひとつまずの完成をみる。

これからの50年

40年に及ぶ大きな事業を成し遂げ、次に向かうべき方向をある意味で見失いがちな、脱力感にも似た状況の中、2002年、中田市長が登場する。そして、その伴走役として、田村明の志を受け継ぐ、かつて都市デザイン室室長を務めた東京大学教授の北沢猛が、横浜市参与として、再び横浜の都市デザインに深く関わることになる。

一体自分たちは次にどこにいくのか？これは恐らく北沢氏の頭を占有し続けていたテーマだったであろう。40年間、確かに問題は解いてきたが、次の世代にとって大切な問題は何か？何をモチベーションに街をつくっていけばいいのか？こういった脅迫にも似た課題が充満していたに違いない。

創造都市構想

みなとみらいや横浜駅周辺のにぎわいに比して、旧市街地である馬車道地区は、空き物件率も増え、その再活性を望む声も大きくなっていた。歴史的建造物を活かしながら、文化を起点にし、街を元気にしていこうという（狭義の）「創造都市構想」の準備が始まる。北沢氏は、デザイン室時代、景観も含む都市デザイン（実際にかたちあるもの）を最も進めたメンバーの中心的な存在であったが、（もちろんソフトのプログラムをきちんと打ち出しながらだが）中田政権下では、意外にも「創造都市構想」という見かけとしてはソフト的なプログラムを推進していく。しかし、実際には、氏が提案した横浜市のクリエイティブシティ構想の四つの指標には、そのプログラムの先の未来都市への構想（インナーハーバー構想）を緻密に準備させていたことがわかる。

（1）ナショナルアートパーク構想
（2）創造界隈形成
（3）映像文化都市
（4）横浜トリエンナーレ

「椅子プロジェクト」

BankART1929 馬車道でのパブの様子

この指標の意味と現在の状況を私見もまじえて記してみよう。

ひとつめのナショナルアートパーク構想（NAP）とは、日本語に直訳すると国立芸術公園。これだけだとなんだかわからないが、案外きちんとした意味が込められている。それは国の整備した多くの港湾の土地を、商業や産業ではなく、公園やアートに活用することで国の参加を促し、国との共同事業化を図る仕組みだ。横浜トリエンナーレ2008の開催を機に建築した「新港ピア」や150周年の記念事業として計画された「象の鼻テラス」はその典型的な例だ。国と協働することで、支出の削減をはかり、港としての機能と「文化や公園」を両立させながら、市民に豊かな空間を提供していくというのがNAP構想の骨子だ。

2番目の創造界隈形成は、BankART1929の中心課題でもある。簡単にいうと都市における新しいコミュニティを形成せよ、ということで、いまどき味噌や醤油を貸し借りするわけではないが、都心部における新しい町屋を形成していこうというプログラムだ。横浜市の推進力と仕掛け、あるいは民間、国などの連鎖反応もあり、BankARTの周りには、現在1,000名を超えるクリエイターの活動拠点となる建物が数多く集積し、大分にぎやかになってきた。

3番目の映像文化都市。横浜市も明確には説明できていないように定義が難しい。当初は、映像産業コンテンツとの関わりを強く意識してのテーマ設定だったようだが、実際は誘致しかけていた某社が頓挫し、土地購入までいっていたゲーム会社の進出も、この不況下のもとリタイア。唯一、東京芸大大学院映像研究科が、「映画」「メディア芸術」「アニメーション」の3部門を開設することできた。また2007年度から3年間継続した映像イベント「EIZONE」や2010年度に開催された国際映像祭「CREAM」も、「映像文化都市」を定位させるまでには至らなかった。さてこのような展開をみせてきた「映像文化都市」の定義はさておき、このテーマを創造都市構想に入れたこと自体は、僕は正しいと思っている。「映像はメタファーである」と語ったタルコフスキーの映画には水が幾度となく登場するが、豊かな水の恵を授けられた横浜が、現象としての都市「＝映像文化都市」をテーマに掲げ、街を牽引していくことは結構いいことではないかと思っている。リジッドな都市の構造を、他者と多様性を包容できる柔らかな構造へと導いてくれるからだ。

4番目の「横浜トリエンナーレ」は、創造都市構想全体の中での位置づけとしてはカンフル剤あるいは外科手術的な存在だ。3年に一度の都市のプレゼンテーション（祭り）だ。そのリズムに乗って、ハードもソフトも含めて、日常の街づくりを推進していこうという仕掛けでもある。またそれは同時に、未知なる都市（開発）空間への誘いでもある。横浜市の企図がどこまであったかは定かではないが、過去3回のトリエンナーレの会場は、常に海岸沿いの新しく開発するゾーンに位置している。2001年のパシフィコ（国際会議場：新築）＋赤レンガ（改修）、2005年は山下埠頭の倉庫（改修）、2008年は新港ピア（新築）。拡張するフロンティアの意識が働いていたことは確かだろう。

これら4つの指標は複雑に絡み合い、部分が全体を補強し、構想の大きさの中で抜け落ちそうな部分をフォローする柔らかい仕掛けがあちこちに散りばめ

「横濱写真館」

られており、また小さくまとまりがちな部分を突破さ
せる開口部もあり、という様に見事なコスモロジー
を携えた生きたプログラムだといえよう。また北沢
氏が、「インナーハーバー構想」にむかう前に、「創造
都市構想」に着手したことは、極めて優れた決断、
戦略だったといえる。それは、「横浜のこれから50年
先をどうする?」という大きな課題にすぐに取りかか
るのではなく、不可思議で、しかし何か可能性を秘
めている「アート」というフレームを持ってくるのが、
現在の横浜にとって必要だと考えたに違いない。わ
からないものをわからないまま包容し、考え、立ち
止まることの豊かさ。「創造都市構想」の挿入にはこ
ういった意識が流れているように思う。

BankARTのことはじめ

BankART事業はこういった都市づくりの大きな文脈
の中、2004年にスタートする。場所は、東横線横浜
駅~桜木町駅廃線の痛みを伴いながら、新しく敷設
されたみなとみらい線の馬車道駅上。1929年生ま
れの歴史的建造物の元銀行2棟がその舞台だ。こ

の運営コンペの面接時、何故離れた建物2棟を同時
に活用するのかを、北沢氏に確認するかたちで僕
が質問した「街とやってくださいということですね」
という言葉に象徴されるように、最初から最後まで
アートのためのアートではなく、街づくりの起点とし
てのプロジェクトだった。実際に活動をはじめてみ
て、幾度となく2館を往来する中、私たちは、あらゆ
る都市のエレメント、すなわち、人、建物、店、壁、
空き地等を身体化していったように思う。BankART
が行なう事業は、自ずから街と関わるプログラムが
大半をしめるようになった。

まず心がけたのはいつでも館が開いていることだ。
24時間というわけにはいかないが、23時までのパ
ブタイムも含めて、イベントに参加する人だけを受
け入れるのではなく、駅のようにここが市民の共有
の場所であるということを強く意識しながら、館の
運営を行なった。その考えは、当時記した次の文書
にあらわれている。

『BankART1929は駅でありたいと考えている。ヨー
ロッパの駅のように様々な人々が住きかい、コー

BankART1929 Yokohama 受付

BankART1929 馬車道ガレージパブ

ヒーやビールを飲み、ベンチで眠っている人、たまにはケンカをする人、自由に音楽を奏でる人がいる、そんな包容力のある心地よく過ごせる空間を目指していきたい。また横浜は貿易の街。人が集まり、アーティストが育ち、物が動き、情報が行きかい、経済が動く、交易の場所。何かを表現する人もそれをサポートする人も、それで食べていけるような経済構造へと共に変換していきたい。BankARTはそのための実験の場所でありたいと考えている。』BankART事業についての詳しい内容は「BankART Life II」やHPにあるので、ここでは省略するが、いくつかのエピソードをあげながら、BankARTの特徴を述べたい。

リレーする構造〜リスポンス

運営開始からわずか4ヶ月、信じられない話がとびこんできた。芸大の映像学科がくるのでBankART1929馬車道（旧富士銀行）を明け渡してくれと。縦割り構造の弊害で庁内でも険悪なムードが漂っているし、運営している側としても簡単に首を縦にふれるような事柄でもない。とはいえ東京芸大が誘致されてくるというのは創造都市横浜にとっては嬉しいことだし、私達の活動が誘致のきっかけの一部になったというのも聞いていたので、明け渡しそのものには反対する理由はなかった。そこでBankARTは3つの条件を市に提案した。
（1）歩いていける場所
（2）同等以上のスペース
（3）タイムラグなく移転
市はこれらの条件を全てクリアしてくれた。新しい移転先のオーナーである日本郵船への強い働きか

け、補正予算のスピーディな確保、移転先の12月末までの改修工事。2005年1月、BankART Studio NYKのオープン。旧富士銀行改修工事を経て同4月、東京芸大オープン。これら一連の仕事を見事にやりぬいてくれた。

リレーする構造〜連鎖反応

BankARTの活動がほぼ1年経過したころ、森ビルがBankARTの真向かいの北仲地区の帝蚕倉庫群を再開発することになった。着工までの約2年間、仮囲いで閉ざすよりも、道路に面した事務所棟等を活用して何かできないかという相談を受けた。固定資産税と軽微な管理費は捻出して欲しいという与条件。定期賃借しかないと判断した。1Fが小部屋に分かれており、若いアーティストでも十分家賃を払える間取りだし、3Fと4Fは比較的大きな部屋割りなので力量のある建築家チームなどに向いている。約60チームに声をかけ、二度の下見会で約50チームの入居が決定。廉価な家賃設定と森ビルのスピーディな対応も相まって、3ヶ月足らずで「北仲BRICK & WHITE」オープンという奇跡がおこった。「みかんぐみ」が早々に移転を決めてくれたことによる誘因力も大きかった。このプロジェクトで改めて認識したことをふたつだけ言及すると、よいクリエイターが集まると自然発酵するということだ。北仲は入居者自身による意志とプロデュース力でオープンスタジオなどを通して、街に開き、発信していくチームに成長していった。もうひとつは、こうしたアーティストの動きに反応して、市が北仲の暫定使用終了時期を見据えて「ZAIM」を準備・開設してくれたことだ。公募だったが、北仲の入居者の約1/3が移り住んだ。

北仲 BRICK & WHITE

本町ビル45（シゴカイ）

またクリエイターの事務所開設の際の初期費用補助制度を新たに設けるなど、市はアーティスト誘致に関しても積極的で効果的な施策を打ち出しはじめた。連鎖反応が始まった。

リレーする構造〜都市の経験

民間へのリレーもある。本町ビル45（シゴカイ）がそれだ。ZAIM の入居条件が契約期間が短い等不安定だったため、北仲の建築系のチームが移転をためらった。北仲に誘致した責任もあったので、入居場所探しに奔走したが、なかなか見つからない。最後に出会ったのが BankART の目の前の本町ビル。オーナーが私達の活動に理解を示してくれた。「BankART さんの活動はみていましたから」と、再開発計画のあるビルの4・5階を北仲と同条件で提供してくれたときは、嬉しさと同時に身の引き締まる思いだった。正に都市の経験という言葉があてはまる象徴的な出来事だった。これまで幾度となく「公設民営の新しい可能性」と題したレクチャーをおこなってきたように、BankART は、公と民を往来することで、それらの可能性を最大限に引き出すプログラムを試み続けてきた。

BankART のミッション

2004年にスタートし、2年の実験的な暫定プログラムが2度延長され、現在7年目を終えようとしている。まだまだ前途多難だが、先に記した創造都市構想の指標にもとづき、以下のミッションを自らに課しながら、現在は安定した運営（経営）を継続している。
（1）さらなる経済的な基盤の確立
（2）他都市及び国際的なネットワークの構築

（3）創造界隈プロジェクトのパイオニア的存在としての自覚

以下に（1）〜（3）を簡単に説明しよう。

カフェパブ、ショップ、スクール、スタジオ、コンテンツ等のベース事業の安定化とともに卒展に代表される年間200を超えるコーディネート事業の多数多様化、主催事業の動員力……。自己収益は年々増加し、現在では8,000万円程度。市の補助金と合算して攻撃的なプログラムが組むことができる安定した経営状態を築き上げることができた。

国内外のからの視察は年間100以上あり、我々のようなアートイニシアティブ組織のネットワーク事業（会議の開催や文化庁との出版事業）も多い。また新しい日韓の交流プロジェクト「続・朝鮮通信使」の継続的な取り組みも始まり、その深まりと広がりは加速している。

北仲 BRICK&WHITE における53チーム253名のクリエイターを誘致、本町ビルシゴカイの17チームに続き、宇徳ビルヨンカイ（全て集積アトリエ）のコーディネート。「食と現代美術」のシリーズにおける地域（野毛 / 馬車道 / 初黄日之出町）とのコラボレーション。「ランドマークプロジェクト」における街への滲み出しのプログラム。（使っていない空き地や屋上、河川上、馬車道駅や市庁舎のようなパブリックスペースの活用）等々……。この地域全体の温度が上がっていくような様々な仕掛けを、自覚しながら継続してきている。

BankART はどこにいく？

2011年度で8年目をむかえる BankART であるが、これからどこにいこうとしているのだろうか？　これ

までもいくつかの紙面で発表しているが次の文章を
引用しよう。

『いつもBankARTは恵まれているなと思う。予算や
施設面、給与などは決して他の公設の施設に比し
て好条件とはいえないが、何よりも常に行政の人々
が一生懸命だし、実験事業であることの自由度があ
り、スリリングで本当に楽しい。でもこれからはどう
なのか？はたしてこのままトップダウンの用意され
た作文の上にあぐらをかいていてよいのか？ニュー
ヨークでもベルリンでもアートがイニシアティブを
とって街を形成してきた。非合法に略奪した場所で
も、民間、行政、国がリレーし、その文化度を上げ
ることで街を展開してきた。でもこの方法は現在の
日本にはあてはまらない。横浜市がおこなっている
ように行政からスタートし、民間と組んで、民間に移
管し…という方法をとらざるをえない。問題はここか
ら先だ。誤解を恐れずにいうと、BankARTはだか
らこそ、今の段階で野に下ることが重要だと考えて
いる。今後も行政との協働作業は続くし、大きな支
援を受けて運営されていくことは確かだが、だから
こそBankARTは自ら関わりたい場所を見つけ、耕
し、経済的に自立していくことが大切なのだ。ある
指定管理者制度に関連するシンポジウムの席で「モ
チベーションもなくできた美術館は、モチベーショ
ンもなく消えていく」と発言した。この言葉はむしろ
BankARTそのものに突きつけられている言葉だ。
BankART1929は第2段階に入ったと思う。自身がよ
り深く都市に入り込み、思考し、自分の体を少しば
かり変形し、敵意を歓待に変え、都市の経験を蓄積
し、そして徹底的に開いていくこと。こうした作業を
淡々と続けていきたいと考えている。』一昨年12月

に北沢氏が亡くなった。氏を送る会に際し、彼の業
績や送る言葉で構成された本の中の拙文を援用し
て、最後のまとめとしたい。

構想（夢）と実践（仕事）

北沢さんは何をみていたのだろうか？なぜ創造都
市だったのか？誤解を恐れずにいうと横浜は150年
前、国が開港を決めたゲームのような街だ。戦後、
横浜は志をもった都市へと脱皮を図る。国とどう係
わるか、どのように自立するか？北沢さんは、横浜
と国との関係を最後までこだわっていたように思う。
創造都市構想の4つのベクトルは、北沢さんの複雑
で明晰な頭脳を表象している。アーバンデザイナー
としての都市に対する意志、まちづくりにおける子
細なリアリティのある感覚、アートあるいはレイヤー
やクラウドのような実体の伴わない構造への深い
理解、そしてそれらを開くこと。これら全てが絡み
合い、複雑だけれどわかりやすい、強いけれどしな
やかな都市空間の構築を目指していたように思う。
常に鳥の眼と虫の眼をもちながら、構想（夢）と実践
（仕事）を往来していた北沢さんは、今でも僕たち
の背中を遠くから押してくれている。

BankART1929はどこにいく？

2009年「BankART Life II」より転載

BankART1929は、横浜市が推進する歴史的建造物や倉庫等を文化芸術に活用し、都心部再生の起点にしていこうというクリエイティブシティ（創造都市）プロジェクトのひとつ。市はクリエイティブシティ実現に向けて4つのプロジェクト（ナショナルアートパーク構想・創造界隈の形成・映像文化都市・横浜トリエンナーレ）を推進しているが、ふたつめの創造界隈の形成が私達に与えられた最も大きなミッションだ。創造界隈などというとわかりにくいかもしれないが、別の言葉でいうと、都市における新しい町屋（コミュニティ）の創出といえるだろう。

旧第一銀行を改修・再現したBankART 1929 Yokohamaと日本郵船の倉庫を改修したBankART Studio NYKの2棟が横浜市から無償貸与されている。両館で約3,000平米。水光熱、保険、警備、設備、清掃等の維持費として約4,000万、2館の管理業務人件費として約2,000万、企画事業費として約2,000万が市から補助されている。これらとは別にBankARTの自己収益が約8,000万あり、その合算で運営されている。常勤スタッフが10人、アルバイトが同数程度。事務、企画系の区別はない。カフェ&パブ、スクール等のベース事業を重要視しつつ、主催及びコーディネート事業で年間約350本（+スクール開催が300日）に及ぶ事業運営を行っている。行政視察は他都市でのレクチャーを含めると年間200を越え、海外からも増加している。2003年末に市が運営者を公募し、2004年3月にスタート、約2年の実験期間を経て、現在は本格的な事業へ移行し、2009年度末まで市と事業協定が結ばれている。移行にあたっては、推進委員会からの指針を受けて3年間の計画案を提出し、継続運営が承認された。骨子は次の3つ。

①創造界隈プロジェクトのパイオニア的存在としての自覚
②他都市及び国際的なネットワークの構築

③さらなる経済的な基盤の確立。

5年目に入った現在、この実験事業の特徴や社会になげかけてきたこと、これから先のこと、そしてその先の未知なる10年のこと等を記していきたいと思う。

1　BankARTの特徴 〜キーワードから

はじめにBankARTの特徴を主なキーワードを中心に紹介してみよう。

名前の由来は、Bank＋ART。元銀行だった建物を文化芸術活動にという造語。1929年は第一銀行、富士銀行がともに竣工された年であり、ニューヨーク近代美術館が設立された年でもある。また世界恐慌もこの年で、経済が厳しいときこそアートを！の願いを込めて名付けた。

公設であるため広く市民を受け入れることを積極的に行っている。一方、民営であることで先駆的な活動を強く推進することも可能。**公設民営の新しいあり方**を探ってきている。運営を円滑に進めるにあたって推進委員会の存在は大きい。有識人から構成される委員会（もともとは選考委員会）が3ヶ月に一度ペースで開催され、委員、横浜市、BankARTの三位の独立した立場での緊密な会議が継続されている。

芸術のための芸術ではなく、**街づくりのためのツール**であること。ある行政マンからこの言葉をはじめて聞いたときは「???!」という感じだったが、ツールである限りよく切れるハサミでなければならない。横浜市はよく切れるハサミを提供してくれた。

それは**自由度**というツールだ。スクール、パブ等の収益事業、収益の再投下、24時間の建物使用、その他民間レベルの自由度が与えられている。

運営者決定から開館までが45日というのが主な理由だが、ハードもソフトも**未完成**のままスタートした。ほとんど準備なしにパブやスクールを開始したことで、様々な人々や専門家が関わることで成長していくシステムとなった。哺乳類の中で人間の赤

BankART1929 オープニングシンポジウム

ちゃんが最も未熟な状態で生まれるというのは周知のこと。同様に私達も様々な知恵や力を授かることができたと思っている。

ピッチャー型ではなくキャッチャー型。自らの企画も力強く打ち出すが、市民やアーティストなどのオファーを可能な限り受け入れ、コーディネートすることに最大の力点を置いている。アーティスティックになりがちな企画案も委員会などでアドバイスをもらうことで懐をつくることができた。来るものは拒まず、可能な限り断らない、入口は低く、出口は少し厳しくが基本方針。

市民との協働。国際的なレベルでの芸術文化の発信と市民との協働プログラムの両立させるのは難しい面もあるが、これまで様々なプログラムを試みている。地域の人たちからホールで使う椅子（ソファ）300脚を集めた「椅子プロジェクト」。モダンガールモダンボーイの写真を集めることで高齢者や開港5都市（あるいはその姉妹都市）とのネットワークを築いていくプロジェクト「モボ・モガを探せ! プロジェ

クト」。ホールに入るためのスロープを障害者とともに手作りでおこなったプロジェクト「橋をかけろ!」等々。

時間と空間の使い方も工夫している。歴史的建造物であり、暫定使用かつ様々なジャンルに対応しているため、巨大な展示壁面や受付カウンター、照明、音響等、全て移動式を採用。基本的に年中無休でオールナイトのイベントにも対応。雑誌撮影等、表現を伴わない事業は開館時間前に終了させることで販路を開いてきた。コンビニがそうであるように都心部の土地の高い場所を**タイムシェア・スペースシェア**しながら高密度で活用することをごく自然に行なってきている。

2　BankARTの特徴 〜事業内容から

今度はBankARTの特徴を事業の構成面からみてみよう。ラジカルな運営方法をとっているようにいわれるが、よくみると基本的に既存の美術館や画廊、その他のプロジェクトとあまり変わりはない。受付があ

BankART Studio NYK 2F マナイタ Pub

BankART Studio NYK 河岸での AIR の様子

り、パブやカフェ、アーティストが活用するスタジオがあり、講座があり、企画展やコーディネート（レンタル）事業があり…。ではなぜ BankART が、他都市や海外からも注目を浴びるようになってきたのか？例えば**フロント業務**。イベントがなくても、建物や風景を見にくる人々に対して広く開き、リピーターを育てるシステムをつくってきている。会話を介して来館者の情報を丁寧に収集し、受付というよりも、もう一歩進んだレスポンスを行っている。それもあって3万5千件を越える住所録データベースと2万通のメール配信を実現している。

BankART ショップは芸術系のブックショップ。2万円/日の売上しかないので専門の担当者は設けることはしない。受付兼務で細々といい本をという経営方針で継続している。

BankART パブは毎日夜11時まで営業している。スタジオアーティストやスクール生のアフタートークに、また一般の人たちの開口部として事業全体の交差点的な重要な役割を担っている。

BankART スクールの特徴は、小さいけれど学校であるということ。2ヶ月で8コマ、20人の少人数制で月〜土曜まで毎日開催している現代の寺子屋だ。これまでに150講座、450名の講師、2000名以上が受講している。学生同士、先生と学生との交流を大切にしており、最近は自主的な発表も増えてきた。例えば福住簾氏による美術批評のゼミではアフタースクールの有志で批評紙を創刊（現在3号）。飯沢耕太郎氏の写真ゼミではグループ展を、梅若猶彦氏の能楽ゼミでは有料公演で350名の動員を記録した。

アーティストインスタジオ。NYK には20〜80平米の

スタジオが9つあり、基本的に2ヶ月単位でアーティストに廉価で提供、オープンスタジオ等を行いながら活発に活動している。サテライトとして設けた BankART 桜荘、BankART かもめ荘等のレジデンススペースと連携を図ることで、海外や他都市からの受け入れも可能になってきた。

コンテンツ事業。展覧会カタログはもとより、独立したかたちでのプロジェクトとして若いクリエイターの数多くの書籍・DVD等の出版を活発に行っている。

コーディネート事業は BankART の最大の特徴。通常のレンタル事業に留まらず、1対1で対応し、プレス協力等、BankART が関わることでイベントそのものが向上するように心がけている。内容が面白ければ企画協力、予算提供も惜しまない。年間オファーは約1,200本でそのうち1/3程度が実現している。

主催事業の基本的な考えは横浜の持っている財産をリレーし、よりコンテンポラリーに展開すること。街、建物、食、写真、大野一雄他、これらの横浜のもつポテンシャルをどのように引き出すことができるかが、継続的なテーマ。「食と現代美術〜横浜芸術のれん街」や、「Landmark Project」のように街とコラボレーションする企画や「地震 EXPO」の防災とアートのように他分野との協働事業も数多く行っている。

3 BankART の特徴 〜エピソードから

次はいくつかのエピソードを中心に BankART の特徴を論じてみよう。

リレーする構造 〜レスポンス

運営開始からわずか4ヶ月、信じられない話がとび

こんできた。東京芸大大学院の映像学科がくるので BankART1929 馬車道（旧富士銀行）を明け渡してくれと。縦割り構造の弊害で庁内でも険悪なムードが漂っているし、運営している側としても簡単に首を縦にふれるような事柄でもない。とはいえ東京芸大がくることは横浜にとっては嬉しいことだし、私達の活動が誘致のきっかけの一部になったというのも聞いていたので、明け渡しそのものには反対する理由はなかった。そこで BankART は3つの条件を市に提案した。①歩いていける場所　②同等以上のスペース　③タイムラグなく移転できること。横浜市はこれらの高いハードルを全てクリアしてくれた。日本郵船への強い働きかけ、補正予算のスピーディな確保、移転先の建物の12月末までの改修工事。1月には BankART Studio NYK のオープン。旧富士銀行大規模改修工事を経て4月に芸大オープン。これら一連の仕事を見事にやりぬいてくれた。

リレーする構造 〜連鎖反応

BankART の活動がほぼ1年経過したころ、森ビルが BankART の真向かいの北仲地区の帝蚕倉庫群を再開発することになった。着工までの約2年間、仮囲いで閉ざすよりも、道路に面した事務所棟等を活用して何かできないかという相談を受けた。固定資産税と軽微な管理費は捻出して欲しいという与条件あったので定期賃借しかないと判断した。1Fが小部屋に分かれており、若いアーティストでも家賃を払える間取りだし、3Fと4Fは比較的大きな部屋割りなので力量のある建築家チームなどに向いているという勝算もあった。縁のあった約60チームに声をかけ、二度の下見会で約50チームの入居が決定。廉価な家賃設定と森ビルのスピーディな対応も相まって、3ヶ月足らずでオープンという奇跡がおこった。建築チームの「みかんぐみ」が早々に移転を決めてくれたことによる誘因力も大きかった。付け加え

ると、このプロジェクトはある行政マンの個人的な担保がなければ実現していない。役所の枠を越え、BankART を信頼してくれ、森ビルという企業に私達をプッシュしてくれたのだ。

このプロジェクトについてふたつだけ言及すると、よいクリエイターが集まると自然発酵するということ。北仲プロジェクトはもちろん所有・管理運営は森ビルだったが、入居者自身による意志とプロデュース力で街に開き、発信していくプロジェクトに成長していった。もうひとつは、こうしたアーティストの動きに反応して、市が北仲の暫定使用終了時期を見据えて「ZAIM」を準備・開設してくれたこと。一般公募だったが、北仲の入居者の約1/3が移り住んだ。またクリエイターの事務所開設の際の初期費用補助制度を新たに設けるなど、市はアーティスト誘致に関しても積極的な施策を打ち出しはじめた。連鎖反応が始まったのだ。

リレーする構造 〜都市の経験

これまであまりかかわりのなかった民間へのリレーもある。本町ビル45（シゴカイ）がそれだ。ZAIM の入居条件が少し不安定だったため、北仲の建築系のチームが移転をためらった。誘致した責任もあったので入居物件探しに奔走したが、なかなか見つからない。最後に出会ったのが BankART の目の前の本町ビル。オーナーが私達の活動に理解を示してくれた。再開発計画のあるビルの4・5階を北仲と同条件で提供してくれたのだ。「おたくたちの活動はこの二年間みていましたから」といわれたときには嬉しさと同時に身の引き締まる思いだった。正に都市の経験という言葉があてはまる象徴的な出来事だった。このように、この間、横浜市、民間等、各々が反応しながら、街を少しずつ柔らかく形成してきたように思う。この数年、横浜でおこってきたことを少し整理してみよう。

4　徹底的に開くこと

キーワード・事業構成・エピソードをもとにBankARTの特徴を述べてきたが、これらを支える最も基本的な「開くこと＝シェアすること」について、ここでは触れてみたいと思う。開館当初記した「駅と易」という文を引いてみよう。

『BankART1929は駅でありたいと考えている。ヨーロッパの駅のように様々な人々が往きかい、コーヒーやビールを飲み、ベンチで眠っている人、たまにはケンカをする人、自由に音楽を奏でる人がいる、そんな包容力のある心地よく過ごせる空間を目指していきたい。また横浜は貿易の街。人が集まり、アーティストが育ち、物が動き、情報が行きかい、経済が動く、交易の場所。何か表現する人もそれをサポートする人も、それで食べていけるような経済構造へと共に変換していきたい。BankARTはそのための実験の場所でありたいと考えている。』

私たちは徹底的に開くことを試みてきたと思う。どうしたらこの施設が親しまれ、街で機能し、この仕事で生計をたてていけるのかを、既存の美術館等のもつシステムを展開する中から見いだしてきたつもりだ。「横浜トリエンナーレ2005」と連動し、BankART全館を50日間、24時間開放することを行った「BankART Life〜24時間のホスピタリティー」の展評で南雄介氏（国立新美術館学芸員）が次のよ

「BankART Life」 2005

「BankART Life II」 2008

うなメッセージを送ってくれた。（抜粋引用）
『「展覧会場で泊まれるか?」というキャッチコピーが
掲げられているが、夜間はトリエンナーレ公認ボラ
ンティア・作家アシスタントが利用でき、実際に宿
泊できるのだという。くつろぎの空間づくりは、トリ
エンナーレの第二会場といった印象も呈していて、
そしてよりいっそうリラックスした（「ゆるい」、という
べきか）ものになっていた。それは、展覧会としての
テーマに起因する部分ももちろんあるのだが、それ
とともにNPOの運営によるオルタナティヴ・スペー
スというこの会場の特性にも由来するものなのでは
ないか。憩いの空間という主題への取り組みは、作
者が建築家なのかデザイナーなのかアーティストな
のかによって、当然のことながら位相の違いがある
のだが、そういう異なった要素が混在しているため
に全体の構成がほどよくほぐれているような印象を
受けた。要するに、さまざまな要素が相まって、リラ
クゼーションの実現に貢献していたのだと思う。
一方で、「展覧会場で泊まれるか?」という問いかけ
は、トリエンナーレが掲げたアートや展覧会の枠組
みの問い直しとも重なる主題であろう。ここに見ら
れるラディカリズムは、またBankARTが活動を開始
したときから目指されてきた種類のものでこの組織
の硬派な側面や理論的な可能性を代表しているの
ではないかと思う。「BankART的生活/BankART
での生活」というもう一つのキャッチコピーに、それ
はよく現われている。このスペースの活動の集大
成的な表現ともなっているように、私には思われた。
（中略）トリエンナーレのような巨大イベントと連動
し、それをBankART自体のテーマに即して読み替
えることで、BankARTの活動そのものが持っている

重要性や国際性が、大きな意味を持って浮上してい
るのではないだろうか。』
ラディカリズムという言葉がふさわしいかどうかは
別にしてBankARTは公設で行なえる限界まで、徹
底的に開くことを行ってきたことは確かだ。

5　BankART LifeII へ（都市に棲む）
こうしたコンセプトをさらに展開して、2008年秋、横
浜トリエンナーレと連動し、これまで行ってきた主催
事業（食と現代美術・Landmark Project・大野一雄
フェスティバル他）を総合的に駆使し、公的建物（市
庁舎・駅等）、歴史的建造物、産業遺構、飲食店や
商店、空き地、空店舗等と協働し、街に全面的に展
開していくプログラムを推進した。開催エリアは、横
トリ開催地区と黄金町バザール開催地区をつなぐ
地域、すなわち新港・馬車道〜伊勢佐木町1〜7丁
目ラインと大岡川沿いの桜木町・野毛地区・日ノ出
町・黄金町ラインにはさまれる全域。
BankART 1929 Yokohama本体での「心ある機械
たち」展、横浜市庁舎ホールを使っての3作家のコ
ラボレーションによる大きなインスタレーション、
馬車道駅構内の「開港5都市モボ・モガを探せ!」、
未知なる空間を切り開いていくLandmark Project
のNYKの屋上における大規模な「ルーフトップパ
ラダイス」。馬車道、野毛地区等、22施設、飲食店
約300店舗等と連動する「Noren flagartプロジェク
ト」では、「横浜トリエンナーレにいこう!・BankART
Life・黄金町バザール」とロゴが入った、横トリ応援
フラッグを街中に挿入した。大野フェスティバルで
は産業遺構である台船を活用した舞台を川に設け、
アグレッシブな連続公演を行った。またBankART

「BankART Life II」 2008

「BankART Life I- Cafe Live 」2008

スクールもこの時期は「出張BankARTスクール」と
称し、市郊外部18区に積極的に入り込んでいき、行
政や地域のNPO等と協働しながら、普段一般公開
されていない場所等で地域のキーマンをゲストに迎
え、開催した。運営スタート時から問われ続けてい
る最も定義しがたい「横浜市民」とどのような関係
を切り結ぶことができるかの最初の試みだった。
このように、最初に記した3つのミッションのひとつ
「創造界隈プロジェクトのパイオニア的存在として
の自覚」を明確に意識しながら歩んできた。

6 終わりに ～トップダウンからボトムアップへ

冒頭に触れたように、本来なら『その先の未知なる
10年』についても言及しなければいけないのだろう
が、ここでは現在感じている、あるいは着手しはじ
めていることを素直に表現して、締めくくりたいと思
う。
いつもBankARTは恵まれているなと思う。予算や
施設面、給与などは決して他の公設の施設に比して
好条件とはいえないが、何よりも常に行政の人々が
一生懸命だし、実験事業であることの自由度があり
スリリングで本当に楽しい。でもこれからはどうな
のか？ はたしてこのままトップダウンの用意された
作文の上にあぐらをかいていてよいのか？
ニューヨークでもベルリンでもアートがイニシアティ
ブをとって街を形成してきた。不合法に略奪した場
所でも、民間、行政、国がリレーし、その文化度を
上げることで街を展開してきた。でもこの方法は現
在の日本にはあてはらない。横浜市がおこなってい
るように行政からスタートし、民間と組んで、民間に
移管… という方法をとらざるをえない。問題はこ

こから先だ。
誤解を恐れずにいうと、BankARTはだからこそ、
今の段階で野に下ることが重要だと考えている。
今後も行政との協働作業は続くし、大きな支援を
受けて運営されていくことは確かだが、だからこそ
BankARTは自ら関わりたい場所を見つけ、耕し、
経済的に自立していくことが大切なのだ。ある指
定管理者制度に関連するシンポジウムの席で「モ
チベーションもなくできた美術館は、モチベーショ
ンもなく消えていく」と発言した。この言葉はむしろ
BankARTそのものに突きつけられている言葉だ。
BankART1929は第2段階に入ったと思う。自身がよ
り深く都市に入り込み、思考し、自分の体を少しば
かり変形し、敵意を歓待に変え、都市の経験を蓄積
し、そして徹底的に開いていくこと。こうした作業を
淡々と続けていきたいと考えている。

アートコーディネーターの仕事

2016年「まちづくりの仕事ガイドブック」饗庭 伸・山崎 亮・小泉瑛一 編著（学芸出版社）より転載

最近、「アート」というキーワードを用いて、街づくりを推進するケースが増えている。新潟県の越後妻有大地の芸術祭、瀬戸内国際芸術祭、横浜、愛知、札幌各都市のトリエンナーレ等、小規模のものも入れれば、数十のプログラムが、現在実施、継続されている。過疎化が激しい町は、交流人口を増加させることで定住人口を増加させるプログラム、旧市街地等、活性が落ちたゾーンにサムシングニューを挿入することで、街全体を活発化させるプログラムなど、その目的はさまざまだが、共通しているのは、アートを導入することで、街のもっている財産と協働し、街を元気にしていこうとする試みであることだ。それは美術館で開催されるような「見るだけ」の展覧会ではなく、「関わること」に主眼がおかれる。地域の風景や食べ物や人等の関わりが、つくる側も見せる側も、見に来る側にも要求され、街が化学反応を起こしていくことが、こうしたプログラムの真骨頂といえよう。こうした仕事に将来携わる人には多角的な能力が求められるが、ここでは2つのポイントを紹介してみたいと思う。

［海の水であれ！ キャッチャー型であること］

色眼鏡をもたないで、すべてのことを受け止められる（包容できる）、受容する力が必要だ。水が美しいという言い方は2方向ある。ひとつは容器の存在さえ拒絶する純水の美しさ。もうひとつは、汚物等すべてのものを受けいれる海のような水。求められるのはもちろん後者の方だ。（もっと重要なことは2方向を往来することだけど）

［正面にネクタイ、背中にTシャツを着ていること］

「豆腐は豆腐だ。だから豆腐だろ」といくら話しても相手には伝わらない。別の言葉が必要。その差異に、悲劇と創造性が宿る。二重人格。街づくりの仕事は、正面でネクタイをしめ、背中ではTシャツを着ているようなものだ。アーティストの「世にまだ出現していない理解の困難な未知なる表現」を一般の人々に伝えようとするのだから、ある種の二枚舌にならざるをえない。でもこの二枚舌はけっこう本質的なものだ。食器についた油を洗剤がどのように落とすか。洗剤は、油に近い分子と水に近い分子が対になった分子構造をしている。お皿についている油たちに、「君たちは僕の仲間だよ」といって安心させて近づきくっつく。ところがどっこい、歌舞伎役者のように、くるっと回転し、「ばーか、俺は水の友達なんだ」と水の中に潜り込んでしまう。これが洗剤の汚れを落とすメカニズムだ。この二枚舌すなわち二重人格こそが、情報を伝える本質だといえる。これはもちろんDNAの二重らせん構造を基にした一般的な遺伝・情報伝達のシステムでもあるわけだ。

ある1日の流れ
6:30起床 → TVをつけながら、メールとか仕事とかお風呂 → 10:30BankARTへ。会議、打ち合わせ、現場指導。外に出ることも多い → 23:00仕事的には終了 → 近くで関係者とミート（飲食）→ 25:00帰宅

働き方満足度 ★★★★★
収入満足度　 ★★★★★
生活満足度　 ★★★★☆

受付の基本姿勢——受付のクリエイティビティが BankART のクリエイティビティを決定します

2012年「BankART Life III」より転載

受付は立ち姿、座り姿が重要です。少し意識して背筋をのばしてください。パソコンを打つときも、書類を作成するときも、それは同様です。女優ではありませんが、いつも見られているということを意識して、自然にそこにいてください。お客さんがいらしたら、笑顔で会釈してください。特に近寄ってこられない方に対しては必要ないと思いますが、カウンターによってこられる方には「こんにちは」ぐらいの挨拶はしましょう。そして簡潔に、展覧会案内を、初めての人には施設案内を行なってください。
住所録登録、メール登録等もスムーズに勧めてください。

暇なとき。住所録、芳名帳の入力を行ないましょう。ショップの本の乱れを直しましょう。細かい箇所の拭き掃除を行ないましょう。外回りもさっと見ましょう。その際もいらっしゃるお客さんの動きや出入口の人の動きを常に気にしてください。後ろに目がついている、という言葉はあながち間違いではなく、気配を感じることは受付にとってはとても重要なことです。忙しい時。あたりまえですが、あまり待たすことはしないように、スピーディに対応してください。そしてヘルプが必要の際は速やかに事務所にサポートをお願いしてください。

そして最も重要なこと。受付の仕事はリレーすることです。決してそこで情報が止まってはいけません。お客さんへの案内や質問に答えることは、もちろん重要ですが、それにもましてすぐに上司やチームを動かすことが重要です。受付の仕事はシナップスのように一旦うけとめて、反射神経と運動神経を駆使して水の流れの采配を行なうことです。
横浜市関係の方がこられたら→原則として、お声がけをしてお約束かどうかを伺ってください。
学芸員・評論家・関係アーティスト・重要クリエイ

ター・行政関係者等がこられた場合→必ず事務所に繋いでください。急がれている場合は名刺交換などを行なってください。
お客さんから施設利用のオファーがあったとき→曖昧な言い方だったとしても、必ずお客さんの連絡先をもらってください。もちろんはっきりしたオファーであれば、事務所にすぐに繋ぎ、対応してもらってください。（よくあるケースですが、上に繋ごうとすると今は必要ないといわれます。そういった場合も連絡先だけは可能な限りゲットしてください）

もうひとつ重要なこと。受付の仕事は仕事をためないことです。例えば住所録。名刺が50枚あるとすると10枚なら10枚入力することで一度区切って、仕事を終えてください。また後でやろうと思ってデスクトップにおいておいても、次に受付に入るのは明日ではない場合が多々あります。そうすると結局そこに情報はたまっているだけで、死んだ情報になります。それよりも10枚を受付仕事の時間内にやりきって、報告するところ迄行なう。今日の仕事は今日で終わらせることが肝心です。領収書発行、本の補充、配送手配、報告書など全てがそうです。これを心がけてください。

いい受付は BankART を変えます。受付のクリエイティビティが BankART のクリエイティビティを決定するといっても過言ではありません。どうかよろしくお願いします。

BankART1929 放浪顛末記

2018年3月「BankART News Vol.12」より転載

2004

□ 3月6日 BankART1929誕生
□ 2004年初夏、旧富士銀行への東京藝大誘致
  （横浜市）が突然決まり2004年末に撤退

2005

□ 1月15日、BankART Studio NYK（1,600㎡）
  がオープン（1Fの1部と2Fを活用）

BankART1929 Yokohama

BankART1929 馬車道

BankART Studio NYK/1F＋2F
（旧日本郵船倉庫）
1600m²

2004年の3月6日 **BankART1929誕生**
みなとみらい線の開通を機に駅上に位置する旧第一銀行と旧富士銀行を活用しての BankART1929が誕生。

2004年初夏、旧富士銀行への東京藝大誘致（横浜市）が突然決まり2004年末に撤退。 芸大がくることは喜ばしいニュースであることを理解してはいたが、契約期間内の移動に対して、BankART からは、「タイムラグなく、同規模で、歩いていける場所」という

難題を市に投げかけた。市は全市体制でこの難問を見事に解いてくれた。休眠状態だった旧日本郵船倉庫を借り上げ、その一部を改修して**2005年1月15日、BankART Studio NYK（1,600㎡）がオープン**。2005年4月には旧富士銀行の大改修を経ての東京藝大映像学科開校という離れわざをやってのけた。

BankART1929 Yokohama（旧第一銀行）2004.3～2009.3

BankART Studio NYK / マナイタPub 2005.1～2008.3

北仲 BRICK & 北仲 WHITE 2005.6～2006.10

BankART1929 馬車道（旧富士銀行）2004.3～2004.12

1929ホール

馬車道ホール

BankART 桜荘 2006.6～2010.3

BankART 妻有 桐山の家 2006.7～

2008

□ 横浜トリエンンナーレ開催に向け全面改修のため一時撤退

□ 会期中は横トリ会場にBankARTは屋上と1F部分のみ使用

□ 12月、BankART Studio NYKが本格的なオルタナティブスペースとしてオープン（約3,000㎡）

2009

□ 4月にBankART 1929 Yokohama（旧第一銀行）は撤退

↑新しくヨコハマ創造都市センターが誕生（横浜芸術文化振興財団運営）

横トリ2008会期中は屋上とBankART Miniのみ使用

3000m²

横浜トリエンナーレ2008が予定していた会場が急遽キャンセルになり、BankART Studio NYKを全面改装して活用する話が持ち上がる。その結果、横トリ2008終了迄はBankARTは放浪の旅にでることになる。実際には、NYKの横トリ開催時間終了後は、夜間だけオープンする屋上での展覧会を行ったり、1FにはキッチンやBankART Mini（ギャラリー）もちゃかり確保した。

横トリ終了後の2008年12月、BankART Studio NYKが本格的なオルタナティブスペースとしてオープン（約3,000㎡）。原口典之展等、大型の企画展がスタートした。
面積が十分確保されたこともあり、2009年4月にBankART1929 Yokohama（旧第一銀行）は撤退。

BankART Studio NYK屋上

BankART かもめ荘
2008.5〜2010.3

BankART Studio NYK

原口典之「社会と物質」NYK 3F

本町ビル45（シゴカイ）2006.11〜2010.9

本町実験ギャラリー 2008.5〜2010.9

宇徳ビルヨンカイ 2010.10〜2017.9

2011

□ 7月 横トリ2011開催のため NYK 一時撤退
　　新港ピアへ（4,400㎡）

2012

□ 4月 ハンマーヘッドスタジオ新・港区スタート

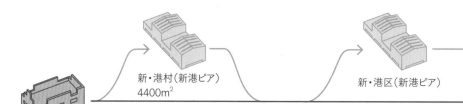

新・港村（新港ピア）
4400m²

新・港区（新港ピア）

2011年、横トリ2008の際に第二会場として建設された新港ピア（4,400㎡）が、組織委員会では活用しないことなり、再び、トリエンナーレの本会場としてBankART Studio NYK に矛先が向き、準備、開催期間は撤退することになる。一方、新港ピアの活用は横浜市にとってはマストだったため、**リリーフとして BankART が当番することになり、「新・港村」というプロジェクトを開催する。**

終了後、次回の横トリに活用するかは保留という事情もあり、BankART1929が事務局を務める実行委員会が、**2012年度、2013年度は「ハンマーヘッドスタジオ新・港区」**という巨大シェアスタジオとして活用することになる。

BankART Life III「新・港村」
2011.8〜11

新・港区オープンスタジオ

川俣正「Expand BankART」
2012.10〜2013.1

こうして本道の流れを記してもかなり複雑だが、これ以外にも、BankART は、大型のシェアスタジオを推進してきており、その代表的なものが、「北仲BRICK&北仲WHITE」だ。2005年当時、森ビルが再開発を進めていたゾーンに建つ「元帝蚕倉庫のオフィス」を活用した巨大なシェアスタジオだ。250余名のアーティスト、クリエイターたちが居を構えていた。一年半の満期終了後も、こうしたクリエイターたちは横浜に残り、「ZAIM/横浜市文化芸術振興財団」、「本町ビルシゴカイ」、「宇徳ビルヨンカイ」等にリレーされていった。こうした動きに拍車をかけたのが横浜市のクリエイター助成制度で、関内外地区には数多くのクリエイターが居を構えるようになった。
その他、街なかにも、「BankART桜荘/黄金町」、「BankARTかもめ荘/日ノ出町」、「本町ギャラリー」などを所有し、展覧会、レジデンス等に活用した。また、早い時期にBankART妻有を設置し、2015年には海外の初の拠点BankARTベルリンと続いた。

2014

- □ 3月 ハンマーヘッドスタジオ新・港区「撤収展」を最後に終了
- □ このころを起点にNYKでの活動が安定し大規模な企画展が続いた

2018

- □ 日本郵船と契約更新できずNYK移転 旧日本郵船倉庫は解体予定
- □ 5月 BankART Home オープン
- □ 8月 R16 studio 活用スタート

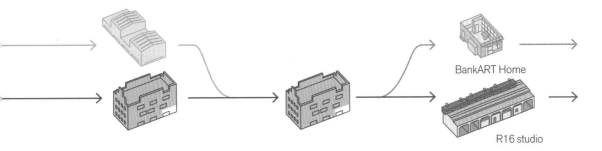

BankART Home

R16 studio

満期終了の中、横トリ2014がこの空間を再び活用することになったので、「新・港区」は**2014年春**「**撤収展**」を最後に幕を閉じた。その頃から、NYKが安定してきたこともあり、大型の個展「川俣 正展」、「かたちの発語展」(田中信太郎＋岡﨑乾二郎＋中原浩大)、「柳 幸典展」の他、横トリと連動した「東アジアの夢〜BankART Life Ⅳ」「観光〜BankART Life Ⅴ」等の大規模な企画展が続いた。

このように、BankART は、主体のない生きもののように、外部の変化を拒否せず、ほとんどを受容しながら、変幻自在に活動を継続してきた。こうした頼まれれば断らないお人好しの特性が正しいかどうかはわからないが、こうして出会ったあまたのクリエイター、行政マン、一般市民、地方や海外ネットワーク、有識者等に支えられながら、この間、のびのびと活動してきたことは確かである。

2018年度のBankART Studio NYKからの撤退。今回の移動もなんとかなるだろうと、基本的には楽天的に考えているが、今度ばかりは積み重ねたもの(関係)が大きいので、正直いってちょっと大変だ。さて、これからどうなるか？ 街なかにもぐりこむかもしれないし、息途絶えてしまうかもしれないし、どこか知らない街で生き延びるかもしれないし、再び横浜に新しい本格的な居を構えることができるかもしれない。まさに放浪の最中であり、この文章を記している今現在でも本当のところ、わからない。ただどんな風になろうと、どこにいようとも、BankART 1929は横浜で生まれ、横浜に拠点をおくオーガナイザーとして、存在し続けていきたいと考えている。生き続けていきたいと思う。

ハンマーヘッドスタジオ新・港区「撤収展」2014.3

BankART BERLIN 2016〜2017

BankART Home

R16 studio

続・BankART1929 放浪顛末記（2019～2022年現在）

2019

□ 2月 BankART SILK、
BankART Station スタート

BankART SILK

BankART Station
1500m²

2020

□3-4月 コロナ禍で展覧会活動の休止が続く
□5月 1年間限定で旧第一銀行をBankART
Temporary運用開始
□8月 BankART SILK 撤退
□10月 BankART KAIKO スタート
□11月 BankART Home 終了

BankART KAIKO

BankART Temporary

2018年、中核施設だったBankART Studio NYKの建物が解体されたのを機に、みなとみらい地区、馬車道地区に分散し、4つの施設の連携を図りながら運営を行ってきた。2021年度からは4年間、馬車道地区（旧市街地）のBankART KAIKOと新高島地区（みなとみらい21地区）のBankART Stationを拠点に都市の中のプロジェクトを推進継続していく予定である。

BankART SILK

BankART KAIKO：大正時代、全国の絹が集まり、日本近代の礎を築いた帝蚕倉庫が拡がっていたゾーン。現在、超高層マンション、ホテル、店舗などを中心とした複合施設として生まれ変わろうとしている。BankART KAIKOは、その1926年生まれの帝蚕倉庫の一棟を復元した建物の1Fに位置する。立地に恵まれた620平米の空間を活かしながら、オルタナティブな活動を展開していく。

BankART Station：みなとみらい線新高島駅構内地下1Fの、展示室と倉庫からなる約1,500平米のスペース。地上階との連結のために用意されていた空間が諸事情の理由で使用されなくなったのを機に、横浜高速鉄道から大きな空間を提供していただいた。周辺地区は建築的なラッシュで数十社に及ぶ国内外の一流企業が大規模なビルを建築中だ。既存の日産や富士フィルムに加えて、新築の資生堂やぴあアリーナMM、ソニー等、市民に開かれた空間を擁する新しい都市が生まれつつある。みなとみらいのBankART1929の中核的な施設として、展覧会、ショップ、スクール等、オルタナティブな運用を目指す。

2021

□3月 R16 studio 耐震的な調査の結果撤退。
□3月 BankART Temporary 契約終了

BankART KAIKO

BankART Station

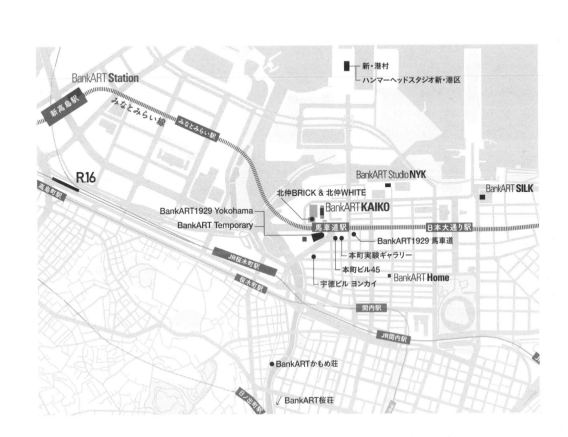

都市への挿入
―BankARTを通して見た
都市・横浜

Integration into the City
– BankART's Views of Yokohama

アーティストが街にすむことの意味

2010年

『下見のため、すっかりこぎれいになったこの場所を訪れたとき、そう遠くない昔、遊女に声をかけられ、この川沿いを肩をすぼめて小走りに通り過ぎたことを思い出した。確かに行政と警察と地域が一体となった地域改善の施策のため、売春宿は一掃された。周辺も大型のマンション建設や橋梁工事、船着き場、遊歩道の整備などがはじまり、急速に変化しはじめている。だからといって、過去の街の記憶がそう簡単に消えるわけではない。やくざもいれば、ここを生業にしていた人たちが、まだたくさん住んでいるのだ。ここにアート系を中心としたチームを招き入れるという。この強烈な記憶が残る場所で、一体私たちに何ができるというのだろうか? 水辺を楽しむことも、散歩をすることも、この場所にとどまることも誰もが避けてきた街。どうしたらこの場所を親しみのある街に変換することができるのだろうか?』

『この界隈は道も狭く、店舗も少ない。雨宿りをしたり、休憩する場所もみあたらない。そこでこの建物の1Fを昼間は常にオープンし、誰もがちょっと休むことができ、将棋をさしたり、たまには談義を交わしたりすることのできる縁側のような空間へと変換させていきたい。……中略……

北仲BRICK & 北仲WHITE

Photo: Risaku Suzuki

もうひとつの日常は、この場所にアーティストに住んでもらうことだ。この街に興味をいだき楽しんでくれる、世界と交信する力のあるアーティストを招きたいと思う。アーティストがすむということは、生活や風景の他愛のないことの中に潜む可能性を見ようとする視線を持ち込むことである。彼らがここで生活し、地域の人たちと対話がはじまることで、建物が呼吸をはじめ、それが街に広がっていく。これまでの見知らぬ街から、常に見られる明るい街へと変化する。……後略』

2006年5月「元不法飲食店を活用しての運営事業コンペ（のちの「BankART桜荘」）でBankARTが横浜市中区へ提案した企画案」の抜粋

経済効果と交流人口

クリエイターが拠点をもつことにおける内容的なメリットはさておき、いくつかの実際のプロジェクトを例に、経済効果と交流人口について試算してみる。もしアトリエ（オフィス）をもったクリエイターが、家賃及び食事、その他で平均2,000円／日または3,000円／日を消費したとすると一年間で以下のような数字がはじき出される。

プロジェクト名	人数	経済効果計算根拠	経済効果	来浜の人数（300日／人）
北仲BRICK＆北仲WHITE	253名	¥2,000×253名×300日	¥151,800,000	75,900人
宇徳ビルヨンカイ	45名	¥3,000×45名×300日	¥40,500,000	13,500人
			¥192,300,000	89,400人

この単純計算からもわかるように、300人規模のクリエイターが存在すると、年間の交流人口（来浜人数）で約10万人、消費金額で約2億円が計上できる。もし仮にクリエイターの数が10倍になったならば、すなわち3,000人規模のクリエイターが横浜に拠点を構えたならば、100万人の交流人口及び20億円の消費が見込まれることになる。

こうした直接的な数字とは別に、もっと重要なことは、「クリエイターが街に拠点をもつ」ことで、別の数字の積み上げがおこることだ。それはクリエイターのもつ本質的な特徴であるが、クリエイターは様々な人々を巻き込みながら仕事を展開していく人種であるということだ。大半のクリエイターが、建築、デザイン、プロデュース、アーティスト等なので、彼らがイニシアティブをとりながら仕事を進め、数多くの人々と経済を司るケースが多い。具体的な例では、例えば、設計料は建築費の10%程度だし、企画展に選ばれたアーティストは、自身のフィーは小さくても、美術館の学芸員や巨大建物、あるいは印刷物等を動かしている。このように分析してみると、彼らが稼ぐ直接的なフィーの数倍の数字が実際に動くことが予想される。

このように街にクリエイターが拠点を構える意味は、直接的にも間接的にも予想をはるかに超えて大きな人的経済的な効果を期待することができる。

「これからどうなるヨコハマ」ゼミ前夜
北沢猛氏（横浜市参与）がなくなった後、
なんとか自分たちでやってみようと思った。

2011年「BankART school これからどうなるヨコハマ」（2011年開催）コーディネーター佐々木龍郎氏に送った書簡より転載

佐々木様

まず、前回のUDSY（アーバンデザインスタディ横浜）のゼミの始まりは、僕が大まかな方向性で、北沢さんにお願いしたことは事実ですが、その後は、北沢さんがボードをつくって全面的に推進したものです。本のまとめも、基本的に彼です。僕は、ボードには入っていません。（基本的に内容については関係していません）そういった意味において北沢さん責任において行われたゼミです（東大文脈も含めて）事務局的な仕事は、スクール（BankART）側でも行っていますが、原則として担当は東大北沢先生チームでした。

当時北沢さんは、UDSYを組み立てるにあたり、彼の中では既に「未来社会の設計」はできていて、その水準を示す作業、あるいは整理する作業に、この研究会は入っていったのだと思っています。実際、このゼミは招かれた講師陣の人たちの発言がゼミを牽引し、成果物である黒本（未来社会の設計）の中心論文の執筆者をみてもわかるように、会当初から、既に大方の構想はできていたと思います。ただ、会の進め方は確かにトップダウン方式かもしれませんが、そのプロセスにおいては、北沢さんは人を育てることを狙っていたかと思います。結果や水準を示すヒントになるもの、材料になるものはもってくるので、あとは皆さんでやりなさいと。だから、あのゼミのよかったところは、非常に自由な感じがあって、偉い先生が話しても、そこから先は、けんけんがくがく、参加者が懸命に議論していたことです。もちろん、レベルの落ちるチームもでてきたことも確かでしたが、北沢さんはそこのところを懐深く包容していたかと記憶しています。それは、あの本に顕著に表れているのですが、最前線の論文と参加者（市民）が議論したものが結構、並列に掲載されているのです。北沢さんは「レベルに達していないこと」に対しても、それもよしという感じでした。こうした意味において、UDSYは横浜の構想を示すと同時に、様々な未熟な人たち、アマチュアの人たちのための余白をあけておき、その人たちが育っていく環境をつくっておきたい、温度を上げていきたいということが、もうひとつの大きな狙いだったと思います。

北沢先生が亡くなった現在、今回のゼミは、大きく構成、主体が変わります。北沢さんのように「構想」が見えている人はいないというのが大前提です。秋元（康幸）さんに相談しましたが、市は諸事情で（当然ですが）表にでて牽引することはできない、ということでした。その結果、とりあえずBankARTスクール文脈で、佐々木さんと馬場さんにコーディネータをお願いしました。その時点で、市とも深く話し合っていませんし、コーディネータという名のもと、佐々木さんたちに、会全体に対して、責任をおわせるような感じを抱かせてしまったとしたとしたら、申し訳なかったのですが、僕のイメージは、小さな船の水先案内人という感じで、大きな船の艦長ではありません。どこに向かうかの全体の方向性を市やこれまで横浜のまちづくりを推進してきた有識人やBankART事務局とともに探りながら、小さな灯りをともしていきながら船を進めてくれる人、そういったイメージです。ときには、乗船者のわがままで、途中下船や別コースをいくということもありうる、そういったことを許してくれる柔らかい船頭さんのイメージです。もちろん船頭さんである限り、ある一定の場所に乗船客を安全に送り届けなければいけない

「BankART school これからどうなるヨコハマ」 2011

という意識をもってくださることは大切ですが、一回目の自己紹介をみて、そう変な方向にいくとは思えません。少し上がった温度をゆっくりと見守る判断をここではお願いしたいのです。とにかく今回は、政策に関して、偉い人がでてきて、ある道筋を示すというのではなく、あまりそういったことができない人たちの集まりかも、という初期条件を大切にしたいと思います。だからテーマを決めたり、ゲストを選んだりするのは、ゼミの参加者と事務局とのコラボレーション、連鎖反応でいきたいと考えているのです。

馬場さんについては、東京で強度のある仕事をされています。その立ち位置でお話されることが、路面店や芸術不動産、リノベーション、観光と創造都市構想という言葉やチームに大きな刺激やヒントを与えてくれると思います。

以上が、言い出しっぺをしたときのこの会の「立ち位置」です。

新・港村と創造都市構想

2012年「新・港村～小さな未来都市」より転載

「新・港村」は4,400㎡の巨大な建物内に、建築家やアーティストが設計・制作した作品としての建物（構築物）群からなる小さな未来都市。そこに住む（活用する）のは国内外から招聘した約150のアートイニシアティブチーム。ほとんど全てのチームが、各自のスペースや共用施設として設けられた大中のギャラリー、ホール、アトリエ、広場等で、展覧会やパフォーマンス、制作活動やレクチャー、ゼミ等を活発に行なった。建築的空間とアート作品が複雑に織りなす中、延べ350回以上に及ぶイベントが連日開催され、約6万人が来場した。

ここでは、この小さな都市がもつ、スケールや構造、仕組み、温度、ざわめき、そしてリアルでスリリングな感覚といったものを、少し丁寧に分析してみようと思う。何が新しくて、先駆的か? どこを見ていたのか?

新・港村の特徴

このイベントの特徴を列記してみる。

① 会場構成そのものを建築的にとらえ、空間構成と作品とイベント全てをイーブンに扱い、空間と時間の流れを統合したこと。

② ワークインプログレス的に建物や作品ができていくプロセスそのものを見せるものも多かったが、実際にそこで活動する人たちを挿入し、いきいきとした生産の場所であること、日常と非日常の往来の場所であることを位置づけたこと。

③ BankARTの主催事業は抑え、招聘した国内外のアートイニシアティブの各チームが自由にのびのびと活動できるように、移動費、宿泊費、スタジオ、共用スペース、備品の貸出し等を提供し、活発な活動に対してはさらなる経済的なサポートも行なった。特に東北系のチームには特別に配慮し、運営的にも経済的にも連動した。主催事業は、「横浜プレビュウ」「大野一雄フェスティバル」「Café Live」「Under35（個

展の連鎖：これも主催こそBankARTだが、セレクター・カタログ執筆は様々な有識者にお願いし、多軸の視線を確保した）」のみ。

④ 同時多発的な空間とイベントを実現するために、位置、音響、規模、時間などを可能な限り配慮した。同時に8つのイベントが進行していた時もあった。

⑤ 会期が始まってからのオファーに対しても、レスポンスできる構造をとった。例えば、広場や空き地のような場所をここかしこに配することで、いつでも何かをおこなえるように工夫した。また大ギャラリーなどの共用部使用に関しては、会期前半は決定してスタートしたが、中盤は開けておき、各チームからオファーを促した。またプログラムのメイン印刷物も会期中内容とともに色を変え、3度更新した。

⑥ ものをつくるチームを配することで、会期中に新しく企画されたプランや活動に対して対応することができた。Web、グラフィックデザイン、大型プリントアウト、金属工房、木工、放送局、縫製＋シルク、散髪、カフェ、ブックショップ、その他数多くの機能あるチームが仕事をおこないながら、他の入居者とユーザーのコラボレーションを行なった。

⑦ ヨコハマトリエンナーレ2011との巡回バスの運行、共通チケットの発券にはこだわった。このふたつがないと、この場所での動員の確保は不可能だと考えていたので。最終的には横トリ本体との特別連携というかたちがとれ、横浜市が強く推進してくれた。

⑧ 3.11を受けて、修験道ではないが、展覧会そのものがひとつの震災・原発に対する意思表示として考えた。世の中の電気使用料15％オフの裏をとり「新・港村」は85％オフを目指した。大規模な太陽光発電（55キロワット）の導入と自然光を活かす展示で、真夏を乗り切ろうとしたが、残念ながらこの試みとシステムは9月21日の台風15号の爪痕で完全撤退することになってしまった。巨大なゴーヤカー

「新・港村〜小さな未来都市」オープニングでの黙祷の様子（国土交通省の防災用フロートの上で）2011

新・港村（新港ピア）

テンも導入したが同様。

以上のように特徴を記したが、どうもあまり上手く伝わる感じがしない。この「新・港村」の小冊子からは何か未来に伝えることはできるのだろうか?「新・港村」とは結局何だったのか? 2011年11月6日に展覧会が終わり、現在新港ピアは、再び塀の外の閉じられた世界に戻って静かに佇んでいる。やはり「新・港村」は蜃気楼のような真夏の夢だったのか?

新・港村の先

2012年2月3日、横浜市はアフター「新・港村」のプログラムとして、「新港ピア活用」の公募を開始した。私たちは「新・港村」の先に、この「新港ピア活用」への想い(というよりも奮起に近い)があったことは確かだ。テンポラリーの展覧会に、密やかに終了を遅延するスケールと装置を挿入。これが私たちの描いた夢(意志)だったといっても過言ではない。横浜トリエンナーレのために建てた建物を今回のトリエンナーレには使わないということを決めてしまった横浜市。この話をきいて横浜市に対しての不信感というよりも、企画段階を含めると約10年を経た創造都市構想そのものが、綻んでいってしまう危惧を抱いたことは確かだ。新港ピアのたつ新港埠頭はハンマーヘッドに象徴されるように横浜のフロンティア精神の原点だ。埠頭からみる都市は私たちに勇気や希望、そして夢を与えてくれる。創造都市構想の生みの親である北沢猛の忘れ形見、まさにその構想の中核をなすナショナルアートパークの先端。国が整備した場所を、国とどうかかわり、どう展開するか? 誤解を恐れずにいうと沖縄と同じように、横浜には明治の「開港」と昭和の「戦後」が今でも続いている。国の亡霊が、ここかしこで街を金縛りにし、手足を自由にのばすことができない。こうした亡霊から解き放たれるためにも、わたしたち自らが、

海に、フロンティアに視線を移すべきだ。瀬戸内のプロジェクトを推進している北川フラム氏が、海から街をみるのはとても大切だといっている。100年前につくられたフロンティアの精神「新港」に立つことは、私たちに「夢」をあたえてくれる。「新・港村」という展覧会はBankARTのこの8年間の歩みとネットワーク構築のひとつの集大成でもあり、再び立ち向かっていかねばならぬ場所へ移行するために自らが掲げたハードルでもあったのだ。

横浜の創造都市は構想なのか?

横浜市がBankARTをスタートさせてから約8年。様々な広がりと深まりを見せ始めているように思えるが、一方、数多くの人、理念、イベント、組織、建物、空間がなくなっているのに気づく。なくなったものをここで嘆き悲しむつもりはないし、これらと同じぐらい生まれたものもあるのだろうが、最近はちょっと待てよと思いはじめていることも確かだ。なにか違う。なんともいえない停滞感、ちまちました動きが続いている気がする。スタートしたころ感じていた大きな軌道が感じられない。構想が見えない。どこにいこうとしているのか? 横浜の創造都市は構想なのか? だとすると誰が何を構想しているのか?

東京はこの20年間で、古い都市をシャッフルし、大きなインフラの導入と文化施設を中心とした都市の変革を確実に行なってきた。グランパリのように行政がイニシアティブをとる統括的なイメージはないが、国、都や区の行政、大学、旧財閥系、新規企業、その他のありとあらゆる組織や機関が連動し、巨大都市の大改造を行なっている。同様に横浜も六大事業の流れで、新しい街、みなとみらいや港北ニュータウンを構築した。ただそれは皮肉にも、東京のベットタウン、商業や大会社の支店形成を展開しただけで、「横浜都民」という言葉が示すように、

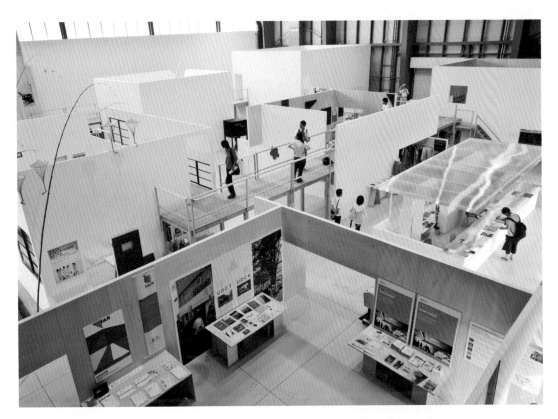

東京のための（いいすぎか？）都市づくりが続いていたとも言える。こうした状況の中、六大事業にも深く関わっていた北沢猛氏は旧市街地に視線を投げかける。創造都市構想のスタートだ。歴史を活かした街づくりを推進してきた北沢氏は、もともとポテンシャルのある旧市街地に対して、都市の再編成を企図する。氏の残したそれまでの業績と計画を読み込むと、創造都市構想の軌道は我々が想像するよりも遥かに大きな弧を描いているように思える。旧市街地へのアクションは、みなとみらい地区と同等あるいはそれ以上の規模を想定していたのではないか。北沢氏の構想そのものを引き継ぐことは難しいかもしれないが、氏の意志とこれまでの財産を引き受けて、私たちはもっとアートのもっている大らかさと包容力で、都市に対して、ダイナミックな提言をしていく時期にきているのではないか。アートを起点に行政、商業、住宅環境も含めて、街全体を自由にシャッフルする「構想」と「想像力」がいまこそ必要なのではないかと思える。

アートの機能
風がふけば桶屋が儲かるという話がある。これは極めて恣意的な動きがまるで論理的必然性があるかのようにつくりあげた話だが、アートの挿入もそれに近いものがある。アートの定義をかつてこう記したことがある。
『アートはスカラー量でもベクトル量でもない、量も方向ももたいない質点。点を打つことだけがアートの仕事。生まれたての赤ちゃんの発語は言語ではない。「あっ」とか「うっ」とか、何かを伝えようとしていることは確か。何かが伝わるわけではない。繰り返す抱擁と対話の中から、両親や祖父母が、「ああ」といえばミルク、「うう」といえば「おしっこ」と、かろうじて読み解き、ミルクを温め、おむつを用意し始める。赤ちゃんの存在は周りにいる人々のクリ

エイティビティを喚起させ、社会を成長させていく。これがアートのもつファンクションだ。』
明治時代から続いてきた「開港」と戦後のアメリカとの関係（つまりそれは国）をある意味でひっくり返すことができるのは、他愛のないこうしたアートだけなのではないか？因習と制度と諦めによって、動脈硬化している都市の構造に、大きな流れをひきおこすべく、今こそ、横浜で、創造都市は構想されるべきではないか？現在行なっている地道な日常の活動も必要だが、そろそろ角度を上げ、夢をみる時期にきているのではないかと思われてならない。

終わりに
スクール文脈で行なった研究会「これからどうなるヨコハマ」のコーディネータのひとり、馬場正尊氏が同タイトルの本の後書きで、新・港村について触れてくれているので、それを最後に添付したい。
『くしくも最後の合同プレゼンテーションとディスカッションが「新・港村」で行われようとしている。この場所で今年起こっている現象が、「コレヨコ」の相似形に見える。全体が見えない疎の状態で始まったイベントが、出来事や人が次の出来事や人脈を誘発し、今では毎日、次々と多様なことが起こっている。出来事と人の連鎖が、いつのまにかに全体を構成していく現象。それに似ているのだ。都市レベルで「新・港村」現象が、引き延ばした時間軸のなかで起こること。それが、これからの横浜的な都市計画と呼べるものなのではないか？この本と、「新・港村」の日々変わりゆく風景を見ながらそう考えた。あくまで横浜は日本に冠たる実験都市である。このスクールと本の編集の時間を通し、それを実感した。』

新・港村では連日シンポジウムやパフォーマンスなどのイベントが行なわれた

新・港村でのU35オープニングの様子

「リトルジョン」横浜市吉田町

2006年「横浜マイミシュラン」(未刊)原稿より転載

「リトルジョン」とは、なんていい響きの店名なのだろう。1980年代頭、Bゼミスクールという小さな現代美術のアトリエに通うために横浜（井土ヶ谷）に越してきた僕は、幾度となくこの吉田町にあるジャズ喫茶で時間を過ごしたものだ。当時音楽はパンクからニューウェーブというあたりで、ロックではテレビジョンやパティスミス、トーキングヘッズ。ジャズといえば、ウェザーリポートやアートアンサンブルオブシカゴ、マリサリス等。新境地のマイルスデイビスの新宿野外（現在の都庁）公演等にも足を運んだものだ。Bゼミでもインディーズ系にのめりこんでいる先輩もおり、メルツバウやヌル等のノイズ系のアーティストとも実際にコラボレーションする機会もあった。音楽好きだった当時の僕は、横浜といえば、ちぐさをはじめとする多くのジャズ喫茶があったので足繁く通ったが、その中でもとりわけリトルジョンはお気に入りのジャズ喫茶だった。新しくできたと

いうこともあったが、内装といい、家具の配列といい、店主といい、何かぶっきらぼうで、押しつけがましくなく、僕にとっては何か最も居心地がいい場所だった。音は結構ハードで、先に記したようなものがよくかかっていたように記憶している。

あれから約20年、BankART1929の運営者として横浜に居を構えるようになって、再びこのジャズ喫茶をポツリポツリと訪れるようになった。内装は少し煤けてきて、味がでてきたといえばそうともいえるし、かかっている音楽も変わったといえば、大分変わったのだけれど、基本的には店主も僕も年をいっただけで、別段変わっていない。訪れたからといってあまり会話などはしないけれど、いつも黙ってバーボンを出してくれるのが嬉しい。そんな「リトルジョン」にポツリポツリとこれからも訪れるのだろうと思う。

BankART Studio NYK閉鎖報道に関する
BankART1929からのコメント

2017年10月「BankART1929 HP」より転載

いつもBankART（＝NPO法人BankART1929）を応援していただきありがとうございます。新聞／雑誌による「BankART閉鎖」というニュースがSNSを通じて飛び交い、ご心配、ご心労をかけております。遅くなりましたが、あらためて、BankARTから、この件に関する中間のご報告をさせていただきます。

「BankART Studio NYK」は、確かに、横浜市と日本郵船との契約が来年度以降不成立に終わり、来年の3月末日で活動終了、4月中には完全撤退予定ということは事実です。

2005年からの一部使用時期も含めて数多くのユーザーとともに丁寧に育んできた場所には愛着もあり、また大きな賞をいただくような重要な展覧会やイベントの開催も数多く行った場所から去らなければいけないのは、本当に惜しみ多いですが、現実問題として、この事実を受け入れざるをえません。

ただBankART1929が閉鎖するわけではないのです。BankART1929は来年の4月から新しい場所（暫定的な使用）で引き続き活動を行います。具体的な名は現在明かせませんが、ほぼ確定しており、再びそこでBankARTらしい活動を継続させる予定です。また、併行して、NYKの代替えの新しいプロジェクト（もちろんNYKとは状況は異なりますし、運営事業団体公募もあります）を、行政が着手し始めてくれています。この大きな流れも見守りたいと思います。ということで、これまでも少なくとも3回は引っ越ししてきているチームですので、この大嵐を楽しみながら、工夫しながら、なんとか乗り越えていければと思います。状況は刻々と変化しますが、またいくつかのことが決定次第、ご報告させていただきます。今後ともよろしくお願いいたします。

BankART Studio NYK最終日の様子

あったものがなくなって

2018年3月「BanART1929ブログ」より転載

朝倉さんの桟敷、アトリエ・ワンのリムジン屋台、み
かんぐみの煉瓦キッチン、川俣さんのホール、約束
だったのでこれまで一度も紹介することはなかった
バスバー、4000人（チーム）からもらった書籍ででき
た図書室、天国にいってしまった人からもらったた
くさんのアンティークの家具……。

あったものがなくなって、あったときは気にもしな
かったものがなくなって、あったことがこんなにも人
の心を優しくしてくれて、居場所を与えてくれていた
ことに気づく。あったものは時間をかけてつくられ
て、だからこそ時間をかけて使ってくれた、みんな
大切にしてくれた。
でもあったものは、みていないうちにいつのまにか
消えてしまう。あったものを壊すのは簡単だ。あった
ものがあったことさえも忘れてしまい、あったことを
思い出す事はできない。あったという思い出は、忘
れてしまってから思い出す。

バスバー「ジャックナイフ」

アトリエ・ワン「ホワイトリムジン屋台」

Creative railway

2020年10月「BanART1929ブログ」より転載

「Creative railway」と称したアートプログラムが、横浜市文化観光局と横浜高速鉄道（株）、横浜創造界隈拠点の主催のもとスタートした。みなとみらい線の横浜駅〜新高島 / みなとみらい21地区〜北仲馬車道地区〜日本大通り〜元町・中華街の各駅にアートをインストールし、リニアに都市をつなぐ試みだ。BankART1929 は BankART Station と BankART Temporary がある新高島駅と馬車道駅を担当。新高島では、深海のイメージで設計されたという空間に、鮮やかな色の絵画と、逆に真っ黒い画面の写真等を展示した。駅構内が広い馬車道には動物をモチーフにした彫刻群と平面作品をのびのびと展示した。他の駅も、創造界隈のアートスペースが趣向を凝らして展開している。是非一日乗車券（460円）を購入して、駅〜駅（街から街）へのマイクロツーリズムを体験して欲しい。

＊みなとみらい線は横浜の語源（?）でもある旧市街地と新規開発地区をつなぐ「横に長い浜」沿いに走る重要な路線。

新高島駅構内の展示

川俣 正「都市への挿入」

2020年9月「BanART1929ブログ」より転載

ヨコハマトリエンナーレ2020連動の「都市への挿入 川俣 正 BankART Life Ⅵ」がスタートした。日本最大規模の展覧会と協働するにあたり、BankART1929がセレクトしたアーティストは川俣正という一人のアーティストだ。複雑な様相を呈しているヨコトリ本体に対して、単純明快でいこうと考えたからだ。川俣氏の作品が単純というのではない。むしろ氏の作品は、緻密に組み立てられた構成は驚くほど複雑だし、遠い場所（空間／時代）をみているし、そう簡単に理解できるものではない。とはいえ、氏の作品は、理屈ぬきに都市の中（あるいは社会の中で）にはっきりとした立ち位置とメッセージをもっており、誰もが強いインパクトを受ける作品なのだ。

特設ブログから垣間みることができるように、生み

の苦しみが連続のプロジェクトではあったが、設計、施工チーム、グラフィック、web担当、映像、写真、コーディネートスタッフ、アルバイト、横浜市文化観光局、整備局、環境創造局、横浜高速鉄道（株）、その他関係者各人がそれぞれの立場で全力をつくしてくれたおかげで、なんとか実現にこぎつけることができた。

ただ、展覧会は9.11でスタートしているのにチラシの表紙を飾る作品はまだ着手されていない。9.14朝から、元気よくつくり始めるので見守っていただきたい。これから台風もあるし、まだまだハードルがあると思うが、ひとつずつ丁寧に乗り越えていきたい。出来上がった作品は少し派手かもしれないが、それを支える日常は極めて淡々とした営みなのだ。

馬車道駅構内

BankART Temporary

BankART Temporary 満期終了のご報告

2021年3月「BankART1929 HP」より掲載

BankART Temporary（旧第一銀行）での活動が2021年3月31日で終了した。もともと、横浜市文化観光局の諸事情でBankART1929が2020年度一年間だけ運営するというピンチヒッターとしての役割だったので予定通りの仕事納めだ。Temporaryという名称はそういう意味を込めて名付けたが、ロサンゼルス現代美術館の前史、フランク・ゲーリーが設計した「テンポラリーコンテンポラリー」のかっこよさを少しイメージしたのは事実だ。これは先行でオープンしたプレミュージアムが、本体のロス美術館が完成しても継続運営されているとう、いかにもアメリカらしいブロードウェイ方式の美術館だ。
2020年度どんな活動を行ったか記してみよう。

4月～5月コロナ禍最中で何もできなかった。
6月～8月は、1Fの大きな空間を二人のアーティスト（松本秋則、高橋啓祐）に「緑陰図書館」というコラボレーション作品を制作してもらった。
3Fでは、スタジオプログラム BankART AIR 2020 @Temporary。
9月からは、「都市への挿入 / 川俣 正〜 BankARTLife VI」。横トリ2020と連動して、建物の内外、馬車道駅でインスタレーション作品を制作。併行して、馬車道駅構内で横浜市が企画する Creative Railway で、「駅なか動物園」を展開した。
10月末～12月は、「M meets M」。建築家の村野藤吾と槇文彦の個展を連動させた。（村野展は道路を挟んで真向かいの BankART KAIKO で開催）。
1月～2月はTPAM – 国際舞台芸術ミーティング in 横浜 2021。
3月は多摩美プロダクトデザインや和光大学等の卒展が続き、後半は Nibroll や中村恩恵氏のダンスイベントが続いた。

BankART の関わりは主催、共催、コーディネート、協力など様々だったが、一年間を元気良く走り続ける事ができたと思う。
北仲地区は、BankART1929が生まれた2004年の頃とは異なり、現在は横浜市新市庁舎や三井の超高層マンション、アパホテル、ロープウェイ等の大型の開発事業が続いている。そうしたなか、この1929年生まれの石造りの元銀行はまわりの大きな変化の中でも、決してかたちを変えることなく、存在し続けるだろうと思う。短い期間だったが、そうした都市の定点ゾーンに関われたことを、私たちは財産にしたいと思う。ありがとうございました。

「緑陰図書館2020」松本秋則＋高橋啓祐

「M meets M　槇 文彦展」

ふたつのお月さん

2021年3月「BanART1929ブログ」より転載

一昨年、R16スタジオで閉じられたコンクリート部屋の中で一週間、「ひきこもり」を行った渡辺篤さんが、今度は国道16号線沿いの自身のアトリエを開き、豊かな表情のお月さんを披露している。（17-21時30分　3月21日まで）直系3mの円盤に、世界中の人が撮影した1,000枚にも及ぶ月のデータを集め、それをコーディネート、映像化して、ひとつのお月さんの満ち欠けを演出している。R16スタジオは文字通り国道16号線上にあり、いつもならいそいそと歩道をいく人は、道に咲いた不思議な月の花を、驚きながら、でもその優しい表情に安堵を感じながら見入り、立ち止まっている。

もうひとつの月は、みなとみらい線の新高島駅の近くの高層ビルの建築現場だ。鹿島建設が推進する

その建物の高層部分は、ほぼボリュームができあがり、現在はそのサイドに計画されている2～3F建ての飲食モールが建築中である。その延長線上には、近い将来プラネタリウムとして開館される、大きなコンクリートの球体が姿を現しはじめている。遠くからみるとガスタンクのような趣だが、高速道路と高層ビルに囲まれた不思議なポジションにたつ不思議な存在は、歩く人に渡辺さんの月と同様に、束の間の安堵を与えてくれる。強い光を放つ発光体である太陽に比べて、月は世界中のだれもが接することができるやさしい存在だ。全てを受け入れる受動体としての柔らかい月の表情は都市には少なからず必要なものだ。

渡辺篤「同じ月をみた日」@R16スタジオ　2021

プラネタリウム工事中

R16スタジオの今後について

2021年3月 横浜市との活用継続に向けた交渉メモより転載

私たちは、R16スタジオを長期的に活用するために、もっと建築（内装）を整備して、可能であるならば、横浜市駅側への延長活用も含めて検討していた。

スタートから、これまでの歩みとして、設備関係の整備に予想を越えて時間を要し、実際にトイレを設置することできたのは、昨年の7月末であった。そういうこともあり、来年度の契約についての打診を取り付けたつもりでのインフラ工事関係の進行だったので、今回の話は、本当に驚いており、まだソリューションの方向を見つける事ができないでいるのが正直なところである。

R16スタジオの流れ
・R16スタート：2018年8月17日
最初期は、電気は全てジェネレーターを使用。のちに、JR側高架下の工務店のご好意で、15アンペアのみを分電してもらった。（作家ひとりあたり1アンペア）トイレは交番横の公衆トイレを使用。（2018.8.17～2020.7.29）
・水道開通：2019年9月10日
許可がおりるのに非常に長い時間がかかった。
・電気通電：2020年4月28日
国土交通省、JR側双方とも、電気引き込みが非常に難しく、横浜市には協力をいただいたが、申請許可には時間を要した。
・トイレ完成：2020年7月30日
ウォッシュレットを一基導入するこができた。

今回のこの提案書は、もし可能であるならば、いくつかのレベルでの使用方法を提案させていただくので、認めていただくことはできないだろうか？ という主旨のものである。ご検討いただければと存じます。

[レベル1]
来年度2021年度も、16ブロックを継続使用したい。どこをどう安全率をかけたら、使えるようになるのか、あるいは現段階では、全く不可能な話なのかを詳しく説明していただければと存じます。

[レベル2]
16ブロックのうちの中で、危険度が高く完全に使用不可の場所は仕方がないが、それ以外の場所については、安全率が確保できれば（または簡単な工事が完了したら）通常通りの使用をみとめていただけないか。例えば16ブロックのうち8ブロックだけとか。

[レベル3]
アトリエとしての作家の立ち入りはしない。BankARTスタッフのみが管理する、倉庫としての機能を残す事ができないか？ もちろん一部でもいい。

[レベル4]
現在ある作品、荷物を移動する場所を確保するのは、とても時間がかかる。現在、滞在、使用している作家の数人は活動を3月末迄フルに行っており、水道、電気、トイレなどのインフラもそれなりに撤去時間を要するので、3月末迄に全部を撤去するというのは、正直いって非常に厳しい。それで、3ヶ月間とかの猶予をみてもらうことはできないだろうか？

以上、ご検討、よろしくお願いします。

さよなら BankART Home

2020年10月 チラシより転載

この11月14日（土）をもって BankART Home を撤退することになりました。2018年5月に BankART Studio NYK が解体され、その頃、行くあてもないまま、「横浜市がやめても BankART1929は続けるぞ」という思いで、自分たちで展開したひとつめの小さな拠点でした。関内の飲食繁華街の通りに面している角部屋のその店、忘れがたい愛すべき食堂の名は、「ホームレストラン」。冗談ではなく、「ホームレスレストラン」すなわちホームレスのためのレストランと読んでしまって、「すごい」と思ったのが最初の出会いでした。そんな定食屋さんを泰有社さんを通して借り受け、手作りでリニューアルし、本屋とカフェの「BankART Home」へと変換させました。特に大きなイベントをするわけでもなく、ときおり BankART スクール等をおこない、夜は11時までオープンし、雨の日も人が来ない日も、毎日お店をあけるようにだけはしました。

あれから2年と少し、BankART の拠点も現在では4箇所になり、次の段階に入ってきました。もちろん継続してホームを続けたいと思ってはいたのですが、新しい拠点「BankART KAIKO」を取得するためには、そう簡単には経済が許してくれません。8月の「BankART SILK」、9月の「長者町レジデンス」に続き、「BankART Home」も撤退という判断をせざるをえなかったのです。

これまでお世話になった関内地区のクリエイター、市民の方々、遠くから訪ねてくれた皆様に、ひとまずのお別れをしなければなりません。

このあと、私たちとも関係する人が、いいかたちでリレーしてくれるはずです。

そして私たちもまた、別の場所で、このホームをリレーするカフェをつくっていきたいと思います。皆さん、本当にこれまでありがとうございました。

普段のにぎわい

終了イベント

「都市デザイン横浜展　個性と魅力あるまちをつくる」

2022年3月「BankART1929ブログ」より転載

横浜市都市デザイン室の50年間の歩みを展示、出版、シンポジウムで立体的に構成した催しが静かに始まっている。3月5日からのBankART KAIKOの展示に先がけて、馬車道の駅には、デザイン室の重要な仕事のひとつである「歴史を生かしたまちづくり」の成果、歴史的建造物の大型写真が、19日からゆったりとただよっている。実際には、ガンダムのプレゼンテーションと重なってしまい、どうみてもガンダムパワーの方が勝っており、横浜市の仕事はちょっと引いた感じで展示されているのがいかにも横浜らしい。

都市計画としては、1963年からスタートし、意志のある市長と優秀なアーバンデザイナーの連鎖で、この巨大都市は出来上がってきたのは事実だが、あまり固有名詞は目立つことはなく、「我が社横浜」がアノニマスに展開されてきたというのが正直な印象だろう。中身をみると、建築家では前川国男、坂倉準三、丹下健三、大高正人、村野藤吾、浦辺鎮太郎、槇文彦、伊東豊雄、早川邦彦、内藤廣、等そうそうたるメンバーが、主要な建物を担ってきているし、まちづくり全体を牽引していた都市デザイナーにも、浅田孝、田村明、岩崎駿介、国吉直行、北沢猛、等、詳しく勉強している人以外はあまり知られていないが、豪腕なメンバーがそろっている。

ここまでほとんどアーカイブ本もつくらず、成果を世に問う事を行わなかった横浜が、ここにきて初めて、ゆっくりと穏やかに今迄行ってきた歩みを見せている。でもやはりこの晴れの舞台に、(コロナ禍の問題もあるにしても)レセプションも行わない横浜市。ここにいたっても、沈黙の意志表現を示そうとしているのだろうか？皆で、静かに喜び、見守っていきたい。

横浜市デザイン室の展覧会「都市デザイン 横浜展」が始まった。50年間の横浜のまちづくりのアーカイブをこの600平米のKAIKOのスペースで見せるのは、正直にいうとちょっと無理があるが、展覧会としては、素直な理解しやすいシンプルな構成になっている。会場構成は本でいうところの扉(あるいはインデックス)でレイアウトされ、複雑で専門的になりすぎるところをうまく避け、一般の人にもすんなりと横浜が歩んできた道を、大らかに感じさてくれる展示になっている。また、空間的に足りない要素やエレメントのフォローとして、大判の非常に美しい映像がゆったりと投じられているのもすばらしい配慮だ。全体の印象として、強いていえば、もう少し手作業の部分が欲しかったのと、ディテールにフォーカスした展示もあってもよかったと思う。

同時に発行した350頁に及ぶ本は、写真図版を多用した詳細な構成になっていて、50年間のぶれない横浜の「まちづくり」の多様性、デザイン性が、十分に伝わってくる緻密な構成になっている。入場チケット付きで3,000円というリーズナブルな価格設定は破格である。(一家に一冊は所有してほしい)

いずれにせよ、馬車道駅のオプション展示も含めて、これまで多く人々が関わりながら紆余曲折しながら歩んできた横浜のまちを、展覧会や出版物で紹介するのは随分遅くなってしまったが、世に問うことができてとてもよかったと思う。

おめでとうございます。

馬車道駅での Spin-Off 展示

5

旅する街
― 続・朝鮮通信使
Itinerant City
– The Korean Envoys Sequel

続・朝鮮通信使
旅する街 〜日韓交流の新しい可能性

2015年「City Living BankART1929's Activites」より転載

江戸幕府が「よしみ（信）をかわす（通）」の意で、二百数十年間、招聘し続けた朝鮮半島からの500人規模の文化使節団『朝鮮通信使』。この『朝鮮通信使』を今日の日韓の新しい交流プロジェクトとして展開していくのが『続・朝鮮通信使』です。

なぜ朝鮮通信使に興味をもったか？

私たちが『朝鮮通信使』に興味をもった理由のひとつは、日本と朝鮮半島という国家間の外交プログラムが、地方都市のホスピタリティのリレーで支えられていた点です。各都市（各藩）が人的・文化的な財産を総動員し、独自の方法で異国の客人を迎え入れ、信（よしみ）を通（かわす）。このことは既に言及されているように、江戸時代中期以降は中央集権的な国家ではなく、地方自治の連合政権、都市の時代だったという史実を浮上させます。実際20日間ばかりの2010年の旅でも、「独自性のある私たちの豊かな街の連鎖」を垣間みることができました。

もうひとつの理由は、韓国の様々な都市の方が、BankARTを訪ねて下さったことです。横浜市が推進する創造都市構想プロジェクトの視察が主な目的ですが、年間10を超えるチームが毎年訪ねてくれました。日本国内の各都市も同様で、歴史的建造物を活用して何かを計画をしている自治体は、必ずといっていいほどBankARTを訪ねてこられました。こんな状況の下、こちらが何も反応しないわけにはいけない、訪ね返しの旅を是非行ないたいと思いはじめました。これが『続・朝鮮通信使』をはじめる直接的なきっかけです。そしてまたこれはBankART事業が標榜してきた「他都市及び国際的なネットワークの構築」に正に合致するテーマだったのです。

四国遍路

このプロジェクトのヒントになることが、今から1,300年位前に、日本列島のひとつの島、「四国」で始まっています。それは「四国遍路」です。もともとは空海という真言宗を開祖した偉いお坊さんが修行した足跡を、弟子達が訪ね歩いたことに起を発しますが、江戸時代初期（約400年前）には、民衆も四国88カ所のお寺の遍路を始め、『訪ね歩きなさい、そうすると不幸から開放されますよ』というような概念が生まれてきます。真言宗の教典は難しく、一般の人が理解できるようなものではありませんが、お寺を巡るということは、ひとつの旅ですから、今でいう観光のような要素がはいってきます。お寺を巡る事で、人々はその地域の風物を楽しみ、そこに住む人とふれあい、新しいネットワークが育まれていきます。千数百キロにも及ぶ長い旅路ですから、当然、宿が必要になります。お金のない人に対して、自分の家を無償で提供する人があらわれます。お金をもっている人に対しては、立派な旅館が道中に準備され、新しい経済を生みます。食べものについても同じようなことが生まれます。それはお寺とお寺の道程の間に、地域の人が協力しながら飲食を旅人に備えてくれるという信じられない慣習です。一方、旅する人のためのお土産物屋やレストランを開く人もいるわけです。ファッション等でも同じ現象がおこります。このように、もともとは修行として始まったものが、それを巡る人をきっかけに『旅する街＝トラベリングシティ』とでもいえるようなネットワーク（街）が、生成してくるのです。

「四国遍路」は1,300年の時を超え、今でも年間数十万の人々が四国を訪れ、四国という閉じた島の経済を外部から支える仕組みにもなっているのです。この「四国遍路」、まさに「文化観光」は、高齢化を迎えた日本に様々なヒントを与えてくれます。「知を楽しむ」「風物を楽しむ」「健康を育む」「共有する」という、これからの社会にとって最も重要な要素が

続・朝鮮通信使2011春ツアー　釜山での朝鮮通信使祭りのパレードに参加

全て含まれているといって過言ではないでしょう。「朝鮮通信使」も同様です。もともとは外交の、しかも最初は秀吉時代の不幸な関係を緩和するためのものでしたが、次第に「文化交流」の様相を帯びてきます。人が幾度も同じ道を往来するというのは、まさに物や風物が重なり、文化が重なり、心が重なっていくことだったのです。

続・朝鮮通信使の行方
さてこのプロジェクト、どこまで続くのでしょうか？2010～2012年度はリサーチも兼ねたイントロダクション。翌年2013年度は再び規模をあげて瀬戸内海を中心にプログラムを組みます。3年毎に10倍のスケールに上げていきたいと考えています。そして9年後には、当時のスケール500人規模の招聘と4,000人ともいわれるクルーを実現したいと考えています。もちろんハードルは数々あります。500人の選考方法、宿泊などを受け入れてくれる都市との協働関係の構築、法的・感情的なハードルのクリアー、全体を支える経済の仕組み、等など。これらの課題を焦らないで、じっくりと突破していきたいと思います。幾度も往来することで、日韓の間に横たわるいくつもの誤解や隠された真実などを開いていき、溶かしていきたいと考えています。そしてそう遠くない将来、この往来の中から「四国遍路」のような時代を超える『旅する街＝トラベリングシティ』が生まれてくることを願いたいと思います。

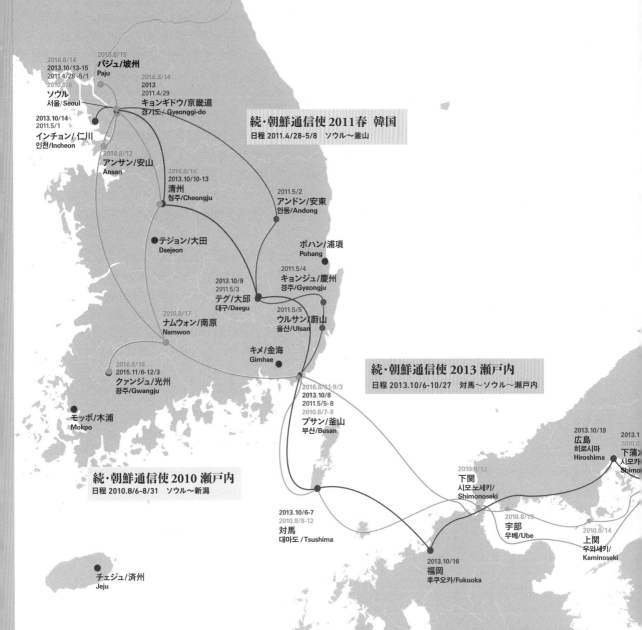

2016.8/14
2013.10/13-15
2011.4/28 -5/1
2010.8/6
ソウル
서울 / Seoul

2016.8/15
パジュ/坡州
Paju

2016.8/14
2013
2011.4/29
キョンギドウ/京畿道
경기도/ Gyeonggi-do

2013.10/14
2011.5/1
インチョン/仁川
인천/Incheon

2016.8/13
アンサン/安山
Ansan

2016.8/16
2013.10/10-13
清州
청주/Cheongju

2011.5/2
アンドン/安東
안동/Andong

テジョン/大田
Daejeon

ポハン/浦項
Pohang

2011.5/4
キョンジュ/慶州
경주/Gyeongju

2013.10/9
2011.5/3
テグ/大邱
대구/Daegu

2011.5/5
ウルサン/蔚山
울산/Ulsan

2016.8/17
ナムウォン/南原
Namwon

キメ/金海
Gimhae

2016.8/18
2011.11/6-12/3
クァンジュ/光州
광주/Gwangju

モッポ/木浦
Mokpo

続・朝鮮通信使 2011春 韓国
日程 2011.4/28-5/8　ソウル〜釜山

続・朝鮮通信使 2013 瀬戸内
日程 2013.10/6-10/27　対馬〜ソウル〜瀬戸内

2016.8/31-9/3
2013.10/8
2011.5/5- 8
2010.8/7-8
プサン/釜山
부산/Busan

2013.10/19
広島
히로시마
Hiroshima

2013.1
2010.8
下蒲刈
시모카
Shimo

2010.8/12
下関
시모노세키/
Shimonoseki

2010.8/13
宇部
우베/Ube

2010.8/14
上関
우와세키/
Kaminoseki

続・朝鮮通信使 2010 瀬戸内
日程 2010.8/6-8/31　ソウル〜新潟

2013.10/6-7
2010.8/8-12
対馬
대마도 / Tsushima

2013.10/16
福岡
후쿠오카/Fukuoka

チェジュ/済州
Jeju

2010瀬戸内ツアー

続・朝鮮通信使2012 東海道
秋 2012年9月14日‐17日　横浜〜越後妻有

続・朝鮮通信使 2016 夏・秋
2016.8/13‐18 安山〜光州　8/25‐9/3 瀬戸内〜大阪〜釜山
2016.9/13 ‐ 9/17 東海道(京都〜横浜)

続・朝鮮通信使 2011夏　新・港村
2011年8月6日‐ 11月6日　横浜に韓国チームを招聘

続・朝鮮通信使 2014夏　東アジアの夢
2014年8月6日‐ 11月6日

2012.9/16‐17
2010.8/29‐30
越後妻有
에치고츠마아리
Echigo-tsumari

2016.9/17
2012.9/12‐15
2011.8/7‐11/7
2010.8/26‐28
横浜(BankART、他)
요코하마/Yokohama

2016.9/15
2013.10/27
2010.8/25
名古屋(愛知トリエンナーレ)
나고야 /Nagoya

2016.9/14
静岡
Shizuoka

2016.9/14
浜松
Hamamatsu

2016.9/13
京都
Kyoto

2016.9/14
伊勢
Ise

2010.8/16
鞆の浦
도모노우라
Dannoura

2010.8/23
備前
비젠 /Bizen

2010.8/23
室津
무로즈/Murotsu

2016.8/29
2010.8/23
神戸
고베/Kobe

2010.8/22
牛窓
우시마도/Ushimado

2016.8/30
2010.8/24
大阪
오사카/Osaka

犬島
福田
本島 豊島 直島
高見島　　小豆島
　　　　　大島

伊吹島
栗島 男木島
　　女木島
高松

10/17
8/15
바리/Imabari

미치
Onomichi

島

2016.8/25‐29
2013.10/21‐26
2010.8/17‐21
瀬戸内国際芸術祭
세토우치 국제예술제
Setouchi International Art Festival

2011春 韓国ツアー

2010年 春 横浜

BankARTスクールのゼミ「朝鮮通信使への招待」として朝鮮通信使研究の第一人者仲尾宏氏を招き、8回の連続講座を行なった。もうひとりの重要な研究者故・辛基秀氏の娘さんは、現代美術のコーディネーターの辛美沙氏。辛母子のゲストトークも実現。

2010年 夏
8/6-8/31 ソウル〜瀬戸内〜越後妻有

8月6日、日韓の主にクリエイターからなるクルー約20名が、現代版の衣装を身にまとい、オリジナルな旗と音楽を掲げて、20数日間キャラバンを行なった。ソウルから釜山へ、釜山から対馬へ、そして博多へ。下関からは船をチャーターし、大阪まで14日間の船旅。瀬戸内国際芸術祭2010の正式参加プロジェクトだったこともあり、とりわけ瀬戸内海の通信史ゆかりの街は丁寧に巡った。下関、宇部、上関、下蒲刈島、今治、鞆の浦。そして瀬戸内芸術祭のシンポジウムにも参加し、再び牛窓、備前、室津、神戸、大阪へ。そしてあいちトリエンナーレを経て横浜へ。その後も新潟県越後妻有まで脚をのばした。

2011年 春
4/28-5/6 ソウル〜釜山

韓国国内を巡るツアーを「続・朝鮮通信使研究会」のメンバー15名程で行なった。インチョンやキョンギドウ等に誕生した新しいアートスペースを巡りながら、ソウル〜安東〜大邱〜慶州〜ウルサン〜釜山と東周りで南下。釜山では文化財団が新しく開館した「朝鮮通信使博物館」のお祝いや、朝鮮通信使祭りのパレードにも参加。韓国国内は通信使にゆかりのある街は少ないが、巡ってみると予想外な出会いがある。例えば大邱の郊外の村では、加藤清正が出兵した際に残留したといわれる武士の19代目の子孫にあたる人たちの日本人村に出会った。100歳になろうという老夫妻が日本語を話されていたのには驚き。

2011年 夏

8/6-11/6 新・港村

横浜トリエンナーレ2011と特別連携して開催した「新・港村」というプロジェクトの中で、数多くの韓国チームを招聘した。ソウル・アートスペース・グムチョン（ソウル文化財団）、totatoga（釜山）、釜山文化財団（釜山）、net-a/東亜大学校石堂学術院（釜山）、ブピョンアートセンター（富平区/仁川市）、FREEZOOM（京畿道）、ムンレアーティストビレッジ（ソウル）、オルタナティブスペースLOOP（ソウル）、オルタナティブスペースBandee（釜山）、オープンスペースBae（釜山）、noridan（富川その他）、TETSUSON韓国チームなど等。その際チームが活用するスタジオ空間として、江戸時代、釜山にあった草梁倭館（日本人居留地）の一軒を再現した。会期中は、この草梁倭館を中心に、日韓の多彩なイベントが連日開催された。とりわけ対馬市長、釜山文化財団事務局長、仲尾宏氏等を招いて行なった「日韓交流の新しい可能性〜朝鮮通信使を起点に」というシンポジウムは、意義のあるものだった。

2012年 秋

9/14-9/17 東海道＋横浜〜越後妻有

ノリダン（打楽器隊/韓国）とサンドラム（打楽器隊/日本）を招聘し、BankARTの拠点がある横浜関内外地区をパレードした。その後、場所を新潟に移し、大地の芸術祭開催中の越後妻有で、このふたつの打楽器チームと共に十日町市や津南町を巡り、「農舞台」で行なわれた芸術祭のファイナルイベントに参加して大きな盛り上がりを見せた。

2013年 夏
10/6-10/27 対馬〜清洲〜瀬戸内〜愛知

2013年のツアーは天候に恵まれなかったが、通信使の「潮待ち、風待ち」をあらためて実感した旅でもあった。まず飛行機で対馬に渡り「対馬アートファンタジア」を訪問。その後、釜山へ。KTXで釜山から清州へ。「清洲国際工芸ビエンナーレ」の公式シンポジウムに参加し、横浜とBankARTについての発表を行う。そして、ソウル、仁川（松島）のオルタナティブスペース、ノリダンの本拠地の富川を訪問し、台風に押し出されるように福岡に戻る。福岡からは陸路で松山、丸亀、今治、広島、倉敷、岡山を巡り、呉にてチャーター船と合流。ツアー参加者もここから大きく増える。下蒲刈島では朝鮮通信使再現行列に参加。鞆の浦、百島の「ART BASE MOMOSHIMA」を経て、「瀬戸内国際芸術祭2013」のエリアへ。全ての島を巡る。釜山文化財団のチャさんも高松から参加。最後は小豆島の福田地区に滞在。福田港〜姫路〜名古屋ルートで「あいちトリエンナーレ」を訪問。スピード感のある充実した旅であった。2013年冬からの大阪から東京へ巡る予定は諸事情で中止。

2014年 夏〜秋　横浜

この年は横浜トリエンナーレ2014と連携した「東アジアの夢」と称した大きな展覧会を開催。文化庁が推進する東アジア文化都市構想の特別プログラムでもあり、東アジアの作家を数多く招いた。とりわけ韓国からは、「ノリダン」を10人編成のチームとして招き、大きな操り人形を滞在制作してもらった。またスプロケットという廃品を活用した多数の楽器からなる巨大な「現代の山車」も出品してもらい、制作した人形とともに横浜の街を闊歩した。2012年夏の妻有でのコラボレーター「サンドラム」との共演が再び実現。8.21から、韓国でも、これから開館する光州のアジアハブセンターの関連イベントで30ヶ国のアジアのチームが集まり、シンポジウムと展覧会があり、BankARTは開発好明氏を紹介しながらプレゼンテーションを行なった。2014年はその後も、様々な日韓関係のイベントが続き、とりわけ光州市立美術館が企画したBankART Studio NYKの3Fで行なった「光の都市 光州」という展覧会は秀逸。その後も規模はそれほど大きくないが、日韓関係のプログラムが続いた。また12月には釜山の近郊都市「金海」でBankART（池田）がコーディネートし、開発好明氏と高橋啓祐氏がグループ展に出品。

2015年 春・夏
横浜・釜山・妻有

再び仲尾宏氏を中心に「朝鮮通信使part2」のゼミを開催。また毎年釜山で行なわれている朝鮮通信使祭りにバンカートから2名が招待され列席。8月29日、シンポジウム「日韓交流の新しい可能性part2〜朝鮮通信使を起点に」を越後妻有大地の芸術祭の開催される中、十日町情報館で開催。パネラーには、京畿文化財団文化芸術本部本部長（当時）チャ・ジェグン氏、朝鮮通信使研究者の仲尾 宏氏、建築史家の三宅理一氏、大地の芸術祭総合ディレクター北川フラム氏。

2015年 秋
光州

光州市立美術館の企画展示室で、BankART1929が企画する大規模な展覧会を開催。朝鮮通信使にまつわる展示も行う。横浜市文化観光局部長、みかんぐみ曽我部氏、小泉アトリエ小泉氏を招いてのシンポジウムも開催。またアジアハブセンターオープンに際して、アジア30カ国が参加する国際会議にも参加。

2016年 夏・秋

ソウルや光州、釜山等の大都市の人たちとは継続的な安定した往来が続いているが、最近は地方都市のチームがBankARTをよく訪れてくれる。今年の夏は、そういった街や組織を訪ねる旅にでた。坡州市、安山市、世宗市、南原市、清洲市、光州市等の十数チームを訪ね、ミーティングを繰り返した。また今年は瀬戸内国際芸術祭の年なので、サンドラム（打楽器チーム）とそのコラボレーターの韓国のミュージシャンや文化財団の人たちとともに島から島へと瀬戸内海を巡り、高松港のリン・シュンロンの作品の内外でコンサートを行った。そのあと神戸、大阪を経て、南港（大阪）から船に乗り、釜山へむかった。内海と外海のコンディションの違いを確認したかったからだ。柳幸典さん、堀浩哉さん等が出品している釜山ビエンナーレでは、たくさんの韓国のアート関係者と再会した。初秋、東海道は、京都を起点に伊勢、名古屋、浜松、静岡、横浜を巡った。ここでも古くて長いおつきあいの人たちの新しい顔（活動）に出会うことができた。サンドラムは、道程中もどんどんパワーを増していたが、NYKのライブでも全開し、今年の夏をしめくくった。

2017年
横浜・韓国アーティスト交流プログラム

2010年にスタートし、人に会う、地域を訪ねる、パレードを行う、コンサートやシンポジウムや展覧会を開催する等、様々な活動を通じて新しい交流のネットワークを構築してきた「続・朝鮮通信使」。今年はこれまで培ってきた関係をさらに展開して、韓国の各都市の重要な施設や組織と協定を結び、交換AIRプログラムを行った。釜山文化財団からジョン・ユンソン、ソウル市立美術館からはジャン・テウォン、仁川文化財団からはノ・ギフン。光州市立美術館からはキム・セオラ、チェ・スンイム。日本人は、蔵真墨、太田信吾、黒田大祐、中川達彦、下西進が各組織のレジデンス施設で滞在制作を行った。AIRが中心なので発表には大きな力はさいていないが、各人とも、展覧会等、なんらかのプレゼンテーションの機会をもった。また帰国した日本人作家たちも、全員そろってアーティストトークに参加してくれ、充実した滞在の報告をしてくれた。

2018年
10/26 朝鮮通信使の再現船の進水式

韓国の木浦（モッポ/釜山近郊）にある国立海洋文化財研究所の主導のもと、朝鮮通信使で活躍した当時（江戸期）の復元船が完成した。樹齢100年の松の木600本を用いた72名乗、長さ35mの木造の帆船だ。10月26日、朝鮮通信使のユネスコ世界記憶遺産登録のプロジェクトを牽引してきた釜山文化財団の招待で、この船の進水式典に参加してきた。本格的な就航はまだ時間がかかるようだが、近い将来、対馬へ、そして瀬戸内へと距離を延ばす計画があるそうだ。

BankARTも今年も引き続き、「続・朝鮮通信使」の活動を通して、彼らと連携していく予定である。

2018年
11/17-12/23 F1963での展覧会（韓国釜山）

釜山文化財団が新しく関わることになった、現在の韓国でもっともビビットな場所「F1963」で開催されたグループ展に参加してきた。ここは2年前、釜山ビエンナーレの第二会場として使用されたワイヤー会社の工場跡。そのときは主にファサードだけが新しくつくられ、中は雨も降るし、巨大な機械があちこちに残っているし、まるで廃墟の中での展覧会のようで、非常にアナーキーな空間だった。今回は見事にリノベーションされ、古い工場と新しくつくられた白い壁面や天井、鋼鉄製の工場ラインをそのまま残したカフェのカウンターなどがうまく反応し、見違える空間に変身を遂げていた。総面積は4,500㎡で、アート部門はおさえて全体の1/3程度。ビールやマッコリの醸造所、バンケットルーム、図書館、ブックショップ、カジュアルなカフェ、中庭のイベント広場などが、連続した空間の中に次々と現れ、生活空間の楽しみや豊かさを強調した会場になっている。また社員寮だった場所も、シンプルなホテルタイプの宿泊施設（80部屋）に改装され、心地よい空間を提供していた。
我々BankARTの展示空間は約350平米。丸山純子さんの花と高橋啓祐さんの映像のコラボレーション。BankART Life Vの再現に近い作品だが、部屋の大きさも、コンディションも異なるので、あたらしいインスタレーションとして、自然で新鮮な感じでこの新しい「工場空間」にヒットしていた。会期は2018年11月17日〜12月23日。釜山の駅から車で30〜40分の場所に位置する会場だ。

2021年
9/10-9/26 韓国AIR報告展

2010年ごろから継続的におこなってきた「続・朝鮮通信使」。2017年からは、それまでのツアー中心の活動を展開して、交換AIRのプログラムを開始。5名の韓国人作家を横浜に受け入れ、5名の日本人作家を韓国各都市に送り出した。本来、終了した段階で報告展を行う計画であったが、日韓関係の外交悪化（文政権）、BankART Studio NYKの解体、コロナ問題などで、活動が途絶えてしまった。
今回の発表は、遅ればせながらの再スタートだ。5名の作家の、当時滞在先で制作した写真、映像作品、交流の記録等を展示している。来年度からは再び、続・朝鮮通信使のプログラムを積極的に行っていきたいと願っている。

6

都市を語る
Speaking About Cities

東アジアの夢

2014年「BankART LifeIV-東アジアの夢」パスポートより転載

夢をみた。

遠い昔に別れてしまった大切な人に会う為に、旅にでる夢をみた。

数百年も、数万キロもいっただろうか? どんなに歩いても、その人はみつからない。国を過ぎ、空と海を超え、戦地をくぐり抜け、干ばつと極貧を往く。夜露の中で眠っていると、祖母のような人がそっと銀色の毛布をかぶせてくれる。坂道が続く道では威厳に満ちた大きな馬に乗った人が何キロも引っ張ってくれた。大切な人にはなかなか会えないけど、たくさんの教えを受け、見知らぬ人の優しさに出会う。

それなのに先を急ごうとするあまり、その人たちの家や畑を壊してしまう。本当はごめんなさいを言いたいのに、ごめんなさいも言えずに、後ろを振り向かないで、走り続ける。道で出会った小さな子どもは、はにかみながら臆病そうにこちらを見ているが、

通りすぎたあとの背中に感じるのは、憎悪と哀しみだ。

嫌悪と疲れでピークを迎え、本当に大切な人は誰なのかもわからなくなって、どうしてあのときあやまれなかったのか、どうして「ごめんなさい」と「ありがとう」を……。小さな祠で寝入ってしまう。

夢をみた。

白髪の翁がそっと肩に手をかけ、ささやきはじめる。

少し休んだら、またいきなさい。あなたが探している人は必ず見つかります。

あなたが誠実に一歩一歩、旅を続ければ。

あやまるという言葉には、誤るという意味と謝る(感謝する)という意味があること……。

岩からしみでた冷たい水で夢は覚めた。

アートと都市を巡る台北と横浜

2015年「アートと都市を巡る台北と横浜」チラシより転載

日本と台湾は古くから、様々なもの（都市、環境、文化、教育など）を共有しながら歩んできました。正式な国交がない現在でも、都市レベル、民間レベルの交流は盛んです。そんな状況のなか、2005年、横浜市と台北市が推進し、様々な部門で都市間の新たな交流プロジェクトを開始しました。そのひとつが「BankART1929」と「台北国際芸術村（TAV）」の芸術部門の交流です。お互いの都市（施設）に作家が3ヶ月間滞在しながら制作を行なうという、交換アーティストインレジデンス（AIR）。このプログラムをこれまで10年間続けてきました。AIRは、人と人（都市と都市）との信頼関係を時間をかけて培っていく魅力あるプログラムですが、成果物の発表ということに関してはあまり力点をおいていませんので、外の世界に対しては少しわかり難い部分もあります。そこで、10年目をむかえたこともあり、関係する日台の作家21名による、大規模な展覧会を企画してみました。アーティストは、異国に滞在することで、何を考えているのか、何を行っているのか、自身はどう変わったのか、あるいは周辺とどういった化学反応をおこしたのか。アーティストたちの「生活すること」と「発表すること」の両断面をこの展覧会から感じとっていただければと思います。同時代の都市とアートを巡り、新しい日台の関係が構築できることを願います。

BankART 妻有 桐山の家

2012年「BankART Life III」より転載

2004年に実験事業としてスタートしたBankART1929は、2006年度から本格的な事業へと移行したが、そのときの長期方針のひとつに「他都市との連携及び国際的なネットワークの構築」といったテーマを掲げた。横浜を拠点に様々な活動を展開していくことは変わりないが、だからこそ外部の人たちとのコミュニケーションの機会を増やすことが重要だと考えたからだ。こうした背景のもと、北川フラムさんとの縁もあり、大地の芸術祭の空家プロジェクトに参加することになる。松代の山中の農家を購入、「BankART妻有」が生まれる。さて何をするか……。ぼんやりとだが、アーティストにお願いして、作品を家にただ展示することだけは止めようと思っていた。家そのものを「家＝住む家」として見せたいと考えた。これまでもいくつかの建築的なプロジェクトで協働してきた「みかんぐみ」に大まかな改修案をお願いする。みかんぐみとの話し合いの中からでてきた基本的な方針を記した一葉の手紙を手渡す。

『松代の駅から曲がりくねった道をいき、芝峠温泉を越え、車で約12分。休耕している棚田が見下ろせる場所に建つ、築40年の普通の農家。大きな落葉樹が2本、50年ぐらい経っている杉が10本程、すぐ近くに巨大な双子のご神木と祠。
建物は大分傷んでいる。普通の家を普通の家のように改修していきたい。外にキッチンがあってもいい。お風呂を気持ちよい空間にし、外の風呂もあってもよい。ありとあらゆる部分をそのままにしておきたい。表札や取手やまな板や茶碗、こたつ布団。枕、すだれ、カーテン、家具、コンロ……。
ありとあらゆる部分をアーティストに委ねたい。誰が訪ねてきてくれても、野菜やアイスクリームやお風呂でもてなしたい。誰が訪ねてきても普通に過ごせる家にしたい。』
これを受けて、みかんぐみと神奈川大学曽我部研

究室は、この家の様々な可能性を引き出す改修計画を立ててくれた。大きな吹き抜け、たくさんのお風呂、黒い内装壁。また、家としての設備や構造の性能を向上させたかったので、合併浄化槽（ウォシュレット）、光通信、補強のための構造ベニヤ等の挿入を行なった。
こうした建築的なインフラに加えて、様々なアーティストが、「家の部位」を連鎖してくれた。呼び鈴は、竹の松本秋則さん、吹き抜けの手摺は鉄の吉川陽一郎さん。村田真さんは窓から見える景色を直接壁に描いてくれ、薄暗い屋根裏には丸山純子さんがビニールの白い花。田中信太郎さんは、まつだいの赤とんぼの赤ちゃんを前庭に。開発好明さんは「田中一」という蛍光灯（照明）の作品。和田みつひとさんは、既存の破れた障子を色和紙で見事に生まれ変わらせてくれた。磯崎道佳さんはゾウキンゾウの友達のゾウキン鱒の布団をつくってくれた。PHスタジオは複雑な白い部屋を構築。原口典之さんがその部屋にウレタン樹脂の床を挿入。今年は新たに淺井裕介さんの作品が加わり、幸田千依さんがレジデンスしながら、作品制作を行なってくれた。
BankART妻有は、「家」として様々な人を招きながら、夏とアートを楽しむことができる場所になってくれればと思う。

オルタナティブって何だ？——BankARTから何を学ぶか

2005年「芸術批評誌『REAR』no.10」（リア制作室）より転載

横浜の歴史的建造物を活用した文化芸術の実験プロジェクト「BankART（バンカート）」が快走を続けている。他方、名古屋港ガーデンふ頭で展開されながら、パブリックな持続的スペースに結実できなかった「artport（アートポート）」。成否を分けたのは何であったのだろうか？　BankART副代表の池田修氏に、artport事務局スタッフであった亀山よう子氏が"BankARTから何を学ぶべきか"を聞いた。（進行：リア制作室）

公設民営の視点

リア：最初に、BankART（バンカート）にかかわるようになった経緯を。

池田：2003年末、横浜市が歴史的建造物2棟の運営をコンペ形式で募集していた。直接のきっかけは、その年の11月頃、突然、名古屋市から「アートポートは来年度以降打ち切り」と発表され、市当局に理由を求めたものの、簡単な説明だけでそのまま終局を迎えてしまったこと。持続的に成長させて、将来は公設民営のアートセンターにつなげると聞いていたアートポートが実際には、構想の骨子も具体的な計画も欠いたものであったことが明確になった。そんなタイミングで、横浜に応募したら採用されたんです。

亀山：アートポートは1999年に空き倉庫の実験的な活用として始まった。この5年のあいだに全国からジャンルを超えて様々なアーティストが参加し、作品を制作・発表したが、実験的活用の先にあるべきビジョンがなく、実験のまま終わってしまった。

リア：なぜアートポートは失敗したのか？

池田：一番足りなかったのは公設民営の考え方。例えば、アートポートを展開した倉庫に、トイレも作れなかった。この問題一つをとっても、作家も行政も真剣に考えることができなかった。実行委員会など組織の在り方に関しても、自由さのない決定方式で、それは横浜とは決定的に違う。ホスピタリティがないと言

い換えてもいい。ぼくなりに、倉庫に「バー・パラダイス」を1カ月限定で作り、経営的にも成立させ、ホスピタリティと継続性を持たせたかったのですが。

リア：組織的な問題が大きいのですか。

池田：もう少し周りと連動できればよかったのだけど。横浜の場合、事業主の市と運営母体であるバンカートをつなぐ組織委員会が独立していて、市の職員は入っていない。建物自体に関しても、トイレは当然、必要でしょうとの認識だった。でも、アートポートでの失敗の経験が今、バンカートの活動に役立っている。

亀山：事務局として現場にいた経験で言えば、現場の声をまとめて活用の方向性を示すことをもっと明確にできればよかったのではないかと思う。倉庫を利用するアーティストや市民と行政とをつなぐシステムがなかったのが一番マイナスだった。

池田：市から与えられたものを基礎にしながら、次の段階として具体的な何かを勝ち取って、パブリックな場にしていく仕組みがあれば違っていたと思う。「トイレがなくても、目の前の公園のトイレに行けばいい」という発想は、アートポートは文化度も公共性も公園より劣るということです。

リア：総合的なプロデュース組織を作るべきだった？

池田：組織もそうですけど、あと評価の仕組みもなかった。バンカートでは、アンケートもきっちり取っていて、それが次の運営につながる。

リア：バンカートはNPO法人？

池田：まだなんです。NPO法人化を目指して動いているところ。

個から社会的なホスピタリティへ

リア：池田さんは作家でもある。アートセンターの運営に必要な能力とは何ですか？

池田：ぼく自身は、Bゼミの学生時代に個人的な作家としてはリタイアした。川俣正さんや岡﨑乾二郎さんと出会い、こんなすごい人たちが文化人としてトッ

名古屋港ガーデンふ頭20号倉庫での《バー・パラダイス》 2003

プレベルにいない日本の状況はおかしいと思った。アーティストは多いが、マネージメントがなくバランスが悪い。裏方をやろうと、川俣さんを手伝った後に、北川フラムさんが誘ってくれた。PHスタジオが表現チームであることは事実だけど、ぼくの資質から言えば、社会の中で面白い表現が根付き、広がっていくようなモデルづくりをしていきたいと思っているので、PHもバンカートも同じといえば同じ。学生によく言うのは、アーティストも、ぼくらみたいな二面性を持った人が必要だということ。表向きはTシャツ着ていても、反対を向くとネクタイ締めている、というように公と私、アーティストと社会性をひっくり返せる能力を持っているような人が増えた方がいい。

亀山：アーティストも、自分の作品を見せることだけに満足するのではなく、作品が持つ新しい可能性を提示することや社会的に面白い場所を作りたいという視点をもってもらいたいですね。

リア：そういうことに自覚的であることは重要ですね。アーティスト運営のスペースの問題点や限界は？

池田：「閾値（いきち）」という言葉がありますけど、あるシステムに、最小限どれだけの作用を与えれば変化が起こるか、そこを読むことがどんな仕事にも必要ですね。北川フラムさんは、そこがとても強いしうまい。例えば、5億円で越後妻有アートトリエンナーレのディレクターを頼まれて、そのまま5億円でやっても地方の一祭りにしかならないけど、赤字になってでも10億円かけた方が次につながる。投資の感覚が問われるんじゃないですかね。

リア：30万円の助成金をもらって、それで商店街のおじさんたちと展覧会をちょこちょこやって、それで満足していては、次へと突破できないわけですね。

亀山：池田さんは、どうやってビジョンを作っていくんですか？

池田：最初は、そんなに強い構想はなくて、まずは反応を見る。灰塚アースワークプロジェクトの「船をつくる話」で4年目ぐらいのとき、町の公民館でプラン展をやっても誰も見に来てくれなかった。でも、1軒ずつ家をたずね歩く地道な活動をするなか、現地の人が見ていてくれて、自主的に「鍋を囲んで船をつくる話」というチラシをつくってくれ、皆の前で話せといってく

《バー・パラダイス》

「アートポート2003」でのPHスタジオのブース

れたときは本当にうれしかった。それが第一歩の閾値で、これがなかったらダメだった。実際、どんな大きな仕事でも、スタートはプライベートなレベルからです。

リア：個人の思いから共感を広げ、事業モデルができたとき、それが社会性につながるというのは、ソーシャル・ベンチャー（社会的起業）と同じですよ。

亀山：若いアーティストが「アートはサービスだ」と言っていたことを思い出しました。アーティストは自分の持っている力で、人に喜ばれること、心地いいことを提供すべきであると。多くの人に共感してもらうには、そんなサービス業の目も持たないと、という部分はありますね。

池田：サービス業というか、どんな作品でもどんな場所でも、ホスピタリティは必要ですね。河原温の作品はホスピタリティが最大限にあるから世界に通じる。数字や日付を記すというと、孤独な仕事のように見えますが、実はホスピタリティが大きい。

実は経済活動事業

リア：バンカートをオルタナティブ・スペースとしたら、何に対してですか？

池田：例えば、今、ミュージアムが直面している指定管理者制度も結局は、法律の話に過ぎない。つまり、ある制度から別の制度に向かっているわけですね。しかし、バンカートは現状では、実験的に法をすり抜けているから面白く見える。指定管理者制度は失敗できないけど、バンカートの場合は、失敗も含めて挑戦している。目指しているのは、ヨーロッパの「駅」の

ように何かが起こる場所で、加えて「交易」や「経済」をやっていきたい。一見、バンカートは文化事業のように見えますが、実は経済活動事業なんです。アーティストも運営側も、どうやったら食べていけるか、その仕組みを実験する場所だと思っている。例えば、レンタルでスペースを貸し出す場合でも、採算の合わない企画を持ってきたら注文をつけます。

リア：バンカートの人員や収支はどうなっていますか。

池田：ダイナミックに収入と支出を回転させています。ただ、それをさばいていく人員は足りなくて、当初4人だったスタッフが今は27人。バンカートの収益率は今、非常に高くて、組織委員会から「参考にならない」と指摘されました。普通、美術館の自己収益率は高くても10数％でしょうけど、うちは50％以上もある。

リア：すごい。

池田：レンタル収入が多く、このままいくと年間3,000万円の収益です。パブが1,000万円、ショップも伸び出して半年で300万円。市から頂いているお金は人件費や設備費、簡単な改修費も含めて5,500万円くらいです。経理はちゃんと税理士に入ってもらっています。年間予算は1億2,000万円ほどになりそうです。

リア：実験としては順調ですね。

池田：そうですね。公的な行政の視察だけで120件くらい。横浜市は文化事業ではなく街づくりの一環でやっています。バンカート事業があったから、東京芸大が大学院映像研究科の横浜への進出（バンカートの旧建物への設置）を決める大きなきっかけになったという話を市長がされたと聞いています。

PHスタジオ《フローティングコンテナ》「ISEA2002」名古屋港会場会場構成　2002

リレー連携が必要

リア：名古屋に叱咤激励するとしたら。

池田：名古屋では、やっぱりネットワークを作る人がいないですね。つなげてリレーしていくことが文化が成長するパターンなのに、名古屋はそれができない。横浜は、みなとみらいの新規開発のプロジェクトが足踏みしているのに対して、旧市街地に対して文化芸術を核にして都市を再生するプログラムを推進しだした。トリエンナーレ事業も含めて、既に3つの古い大きな建物が活用されはじめている。経験を生かして、連携がうまく行き始めた。

リア：こういう話を聞くと、名古屋の現状は悲しいばかり。

池田：確かに、ぼくのことも理解してくれませんでしたね。

亀山：アートポートの打ち切りに対して声を挙げたのは、池田さんをはじめわずかなアーティストだけでしたね。市民からは「続けてほしい」という声は強く出なかった。それは、言い換えればアートポートの存在が理解されていなかったということです。

池田：横浜はアートはツールだと言い切ったところが偉いですね。本気ですよ。今年の横浜トリエンナーレは、川俣正さんがコミッショナーになったでしょう。アーティストがやっているから市民と乖離するのではなく、行政がうまくかかわれば、市民と面白くつながるという方向に来ているんですよ。

リア：行政もリレーする側に立たないと。

池田：いま思うとあたりまえのことなんだけれど、他の自治体からアートポートに視察が来たとき、名古屋

市の行政担当者を同席させなかったのはまずかったですね。それをやっていれば、市どうしのやり取りにもつながるし、行政側にも自覚が出てくる。バンカートは、運営の仕組みと、歴史的造物の利用という両面で多くの視察を受けてます。

リア：運営に必要な人材とは？

池田：美術館と違って管理部隊とキュレーターが一致しているんです。どちらかというと、ぼくは管理部隊で、ディレクター系はゲスト・キュレーターとしてどんどん採用したいと思ってる。組織委員会から、自主企画は年間2割ぐらいに絞って、受け入れ枠を増やすよう助言されたのも大きい。それでオファーを受けると打ち出したら、今は来過ぎて大変です。

リア：一部の人脈の人たちのサークル的な場や特定のジャンルや、一つの世界に閉じていかないというのはアートセンターとして健全ですね。

池田：いい場所を与えてもらっているという最大のメリットを使うべきだという発想があるわけです。いい方向さえ示せば、どんどん人は来るし、面白くなって、人も育っていく。

亀山：名古屋でもその可能性を実現できる場所としてアートポートがあったのにバンカートのようなシステムを構築できなかった。5年間やった結果、アートやそれをとりまく環境を育てられなかったのが残念でした。

リア：今日はどうもありがとうございました。

（2005年3月18日、ロイヤルパークイン名古屋で収録）

時計の針を巻き戻せ!〜都市計画として普天間基地移設問題を考える

*この文章は鳩山連立政権時代2009年9月28日に作成したものです（2015年加筆）

普天間基地問題のミッションは「世界で最も危ない基地を安全に導く」ことです。その解決の方向として、「古い基地を撤廃」し、「新しい場所に基地をつくる」ということが現在進められています。

都市再開発と同様に、古いものを壊して新しくつくるというこうした「スクラップ＆ビルド」の方法は、スピード感があり、経済効率がよいというメリットもありますが、一方でともすると大切なものを忘れてしまいがちです。今回の場合の大切なものとは、沖縄の人たちの気持ちです。70年間、国家のために引き受け続けてきた「沖縄人の気持ち」がこぼれ落ちてしまっているのです。

だから、普天間を撤廃し、辺野古をつくるという一見「プラスマイナスゼロ」の話に、沖縄の人たちは、敏感に反応しているのです。「もう沖縄に新しい基地はいらない。これ以上沖縄をさわらないでくれ」と。この想いは戦後をある意味ひとり引きうけてくれた沖縄人の真なる願いに他ならないのです。

こうした状況の中、私たちには何ができるのでしょうか? 住民の危険を回避するという命題に対して、もっと違った方法を導きだすことはできないのでしょうか?
そう、そのひとつの方法は、基地は移転しないで、基地周辺の「住民に移転してもらう」ことです。

結論だけをきくと、住民にとっては、腹立たしく、あってはならないことのように感じるでしょう。住民が移動しようと、普天間基地は残るのだから、普天間をやめて辺野古に基地をつくるのとそうかわらないじゃないか、と。あるいは結局普天間基地の固定化に繋がるという意見もあるでしょう。

でもこのふたつの方向は似て非なるものです。確かに「住民が移転する」というベクトルは複雑で手間がかかり、多くのハードルが横たわっていますが、「スクラップ＆ビルド」の方法に比べ、抜け落ちてしまう沖縄人の過去や現在の想いを少しは救い上げることができる可能性を秘めていると思うのです。それは、（ここでは、いつかは必ず乗り越えなければいけない国家間の課題には触れることはできませんが）、今現在の都市の構造をきちんと理解し、分析し、都市を再生していく都市再生計画のプロジェクトにシフトしていくことです。問題を政治的に解こうとするのではなく、街づくりの視点で一歩ずつリアリティをもって、解決に向かっていくことです。

「基地を移転するのではなく、住民が移転する」

もともと、普天間の基地（の周り）には、そう多くの住民はいなかったはずです。（古くから続く家はあったでしょうが）基地ができ、基地のために働く人が増え、商店ができ、近隣に小学校さえつくってしまい、人口が増加したのです。これは1972年の沖縄返還まで、沖縄は米国だったという事情と深く関係しています。日本の都市計画法、建築基準法が適用されておらず、危険な場所に住居や学校をつくってきてしまったのです。返還後も住宅を騒音等から守るために様々な補償をつけ、建物をより強固（動かない存在）に変換していったことも原因のひとつでしょう。
「ヘリが落ちた、危険」といった現在の状況は、こうした返還までの、またそれをベースにした返還後の基地周辺の都市づくりの結果なのです。日本の他の基地にも問題がないわけではないですが、現在早急な撤廃問題が浮上してこないのは、こうした問題をその都度クリアーしてきたからでしょう。このように分析してみると、解決の糸口は少し見えてきま

す。それはこの基地周辺のまちづくりの時計の針を都市計画的に逆回しにすることです。すなわち、

基地の周りには関係者以外は基本的には住まない。働く人も、少し基地から離れた場所から通ってもらう。
この地域でなくてもいいと思っている人は、県内外に移転する。

以上のことを前提に、充分な考慮と配慮を重ねて、大引越プロジェクトの計画を試みるのです。簡単なシュミレーションを以下に記します。

① 住居と共に残りたい人→可能な限り基地近くで安全な位置へ引越
② 近隣商店他、基地周辺で働く人→鉄道を新設し、基地から離れた場所に居住の再建地をつくる。ここに学校なども移す。（複数箇所再建地があってもいい）
③ 完全に移転してもいい人→相応の補償金をつけて県内外に移転してもらう。

もちろん地域コミュニティの崩壊等の問題があるでしょうが、ダム建設にともなう集落の移転などよりもハードルが低いはずです。コスト的には、例えば延べ5万人、1人あたり平均0.5億円の補償で2.5兆円。この数字が基地移転・建設に較べてどうなのかはわかりませんが、移転に伴い様々な禍根を残すことを考えると十分見合う数字ではないでしょうか。

そして重要なことは、こうした一連の移転・生活再建を、決して移転補償に伴うマイナスのイメージとして行うのではなく、鉄道、居住地も含めた新しい都市づくりとして、積極的に取り組んでいくことでしょう。環境に配慮した住宅地の実験プログラムを導入

したり、新しい鉄道（交通）システム（インフラ）を導入することで、高齢化社会にむけた観光地としての再構築等も考えられるでしょう。

そしてさらに重要なことは、県外移転希望の居住者を各自治体が積極的に受け入れることにより、日本国家の共生体としての意識を育むことでしょう。沖縄の人々が背負ってきた戦後の一部でも、今こそ日本人全体で担うべきです。そして日本国民ひとりひとりが、日米同盟の問題を自身の問題として考え始めていくことができればと思います。

リベラルな気位──ヒルサイドテラスとわたし

2018年「代官山ヒルサイドテラス通信10」（朝倉不動産）より転載

ヒルサイドといえば、すぐに頭に浮かぶのはガウディの椅子だ。1984年。がらんとしたガラス張りのブティックのような空間に重厚な木組みの椅子と巨大なラブチェアがぽつねんとおいてあった。ここが槇文彦設計のヒルサイドテラスで、1969年に竣工した最初期の棟の先端の位置するのがヒルサイドギャラリーです、という感じで紹介されたのだろうが、ハイクオリティでおしゃれだけれど、ちょっと僕らの住む場所とは違うなという違和感をもったのを記憶している。日本一スノッブな街に突然投げ込まれて、これから起こることに対する期待と不安にどぎまぎしながら、そこにいたのを覚えている。

その年の秋。そんな雰囲気の中、川俣正のプロジェクト「工事中」が実際にはじまり、僕は黙々とその制作のアシスタントを続ける。このプロジェクトの顛末記は、ご存知だと思うのでここでは省くが、何をやっていても作業をしていても、そわそわしてる感じが続いていた。

1985年〜1991年。そんなはじまりだったヒルサイドとの関係も、半年後には、北川フラムさんとの関係でギャラリーそのものの運営に携わる事になる。最初は若い作家を紹介する程度だったが、年間通じてプログラムを組んでくれという話になり、約6年間ギャラリーの担当責任者として関わる事になる。最初の頃は、あまり企画案もなく、ギャラリーをあけてしまうことがあった。そんな時、関係者から服飾関係の作家の展覧会をやって欲しいという要望が入る。僕は現代美術一本でいきたかったので、「イメージが壊れるのでお断りしたい」と抵抗。すると「少し異分野が入ったからといって現代美術のイメージが飛ぶんだったら、それはもともとそんなイメージはなかったということ」と、北川さんに一喝された。悔しかったけども、あたっているわけで、これからはもっ

中原浩大展＠ヒルサイドギャラリー

柳 幸典展＠ヒルサイドギャラリー

と強い展覧会を続けていくぞと、エンジンをかけ直したのを覚えている。時間というのは便利なもので、そうこしているうちに当初感じていた、おっかなびくびくという感じは徐々に和らいでいき、またギャラリーの展覧会の成功も相伴い、僕は自信をもって仕事ができるように少しずつ成長していった。

ヒルサイドギャラリーは、若い作家の登竜門であり、実力ある作家に対してはターニングポイントの展覧会の受け皿として機能しはじめる。川俣正、岡﨑乾二郎、中原浩大、田中信太郎、柳幸典、宮本隆司、山崎博、河口龍夫、西雅秋、白川昌夫、牛島達治、白井美穂、山口啓介、日高理恵子、牛島智子、坂上チユキ、彦坂尚嘉、坂口寛敏、丸山直文……。現在、日本を代表する作家の企画展を数多く開催した。

ヒルサイドギャラリーの役割はアートフロントギャラリーのアンテナ部門という位置づけ（?）も自覚していたので、思い切った内容の展覧会を組むことができた。北川さんは、ギャラリーの営業成績がよくなくても、口をはさむことはなかった。むしろ仕事になりにくい（作品が売れにくい）若い作家の作品や、力が十分備わっている中堅の作家を、街中のコミッションワークや野外のアートプロジェクトにどんどん投入してくれた。「これからは、現代美術と街（建物、街なか）との関係しかないだろう」と話していたのを思い出す。北川さんと特に深くギャラリーの運営について話し合ったことはなかったが、自然にいいリレーができていたのだと思う。

ここまでヒルサイドギャラリーのことを記してきたが、やはり、ヒルサイドテラスそのものについて書かなければならない。なんというか、ヒルサイドは、とにかく大きくて優しい。もちろんそれはオーナーの朝倉さんあってのことなのだが、それだけではなく、

たくさんのキャラクターが、それぞれのびのびと自分の役割を演じているからだ。古くからの猿楽塚（6〜7世紀の古墳がヒルサイドにはある）が見守ってくれているし、近くにあった昭和2年の代官山同潤会アパートメントの食堂や銭湯は、長い期間、ここに住む人たちの共有のオアシスだった。芦田淳さん、BIGIの菊地武夫・大楠祐二さん、ハリウッドランチマーケットの垂水ゲンさん他、名だたる服飾関係の創業者が仕事をスタートさせているし、槇文彦さんや北川フラムさんのような強烈な文化人が活発に活動している。

変な言い方になるが、街と歴史と生活と気品とが、なんともいえずに微妙にうまく積み重なっている。これは到底誰もまねはできない。街なかで何かをすすめるときも、地域の皆さんに伺ってから動く。面倒でもこうした自分たちの街を自分たちで良くしていこうとするリベラルな気位は、現在のグローバルな時代にこそ、とても大切なことなのだろうと思う。冒頭に記した街に入っていったときに感じる違和感は閉鎖的なそれではない。どちらかというと畏敬とか畏怖とかの言葉に類する感覚に近い。

街づくりと生活の中から、淡々と自らのプライドを構築していくことを感じさせてくれる街が少なくなった現在、ヒルサイドテラスはこれからも僕たちのあこがれの場所として存在し続けるだろう。

ヒルサイドテラスとインスタレーション

2012年「代官山インスタレーション2011（記録集）」（代官山インスタレーション実行委員会事務局）より転載

横浜や創造都市を標榜する他都市でも、数年前から芸術不動産という言葉が聞かれるようになった。きちんとした定義は難しいが、ひとことで言えば、アートを街に挿入することで、付加価値が高められ、経済的にも坪単価が上がり、豊かな元気な街にしていこうとする試みだ。この芸術不動産、フィレンツェやパリやロンドンやニューヨークはさておき、日本でまっさきに思い浮かぶのが、ヒルサイドテラスだ。ヒルサイドテラス形成にあたって、上記のような意図があったとは思えないし、芸術や不動産という言葉のもつ強くてリアルな響きは、ヒルサイドのもつ優しい豊かなイメージにはそぐわない気もしないではないが、クリエイティビティを携えたこのプロジェクトが、中目黒や恵比寿への直接的な影響はもとより、他都市に与えた影響は計り知れないものがあると思っている。

これは僕が、川俣正氏の1984年の「工事中」のプロジェクトでPHスタジオのメンバーとして関わったこと、またこのイベントを主催した北川フラム氏のヒルサイドギャラリーを5年間ほど担当させてもらったこと、その後も街の変遷とアートとの関係を、近くから遠くから見させてもらってきた経験からくる印象だ。街づくりに対して、深い愛情と高い志をもち続けている朝倉家と、それを支える建築家、ディレクター、入居者やテナント、クリエイターやアーティスト、またそこを訪れる人々の総体が、そういった印象を与えているのだといっても過言ではない。ヒルサイドテラスはこうした意味において真の芸術不動産だと思う。

代官山インスタレーションは、こうした恵まれた環境のもと10年前に登場してきたプログラムだ。その変遷についてここで述べる紙面はないが、インスタレーションという言葉には言及してみたい。この言葉はコンピューター用語インストールとの関連で、27年前に比べて、ポピュラーな言葉になったと思うが、まだまだその言葉に含まれている多様な意味、すなわち先進性や公開性、普遍性や柔軟性などの意味が、認識

されているとはいえない。

隙をみてこっそりと素早く挿入し…、これは建築にはできない技だ。

ことが上手くいった場合、そのものは撤去されるが、想い出が数倍にも膨らみ、美しく語り継がれていく…、これは神話の誕生のメカニズムだ。

迷惑をかけてしまった場合は、素早く謝罪をいれて、逃走し、忘れられることを待つ…、これは子どもの「やんちゃ」や「ごめんね」の許容される世界だ。

代官山は日本の都市の方向性に確実に新しいベクトルを提案し続けてきた街だ。

「新しいものに向かおうとする勇気」「常に開いていこうとするパブリック性」「災害や利権やクレームに対する包容力や柔軟性」等々。これらはインスタレーションという言葉がもつ可能性の響きと合致するといってもいい。「代官山インスタレーション」が10年続いてきたことの意味は大きいし、嬉しい。

BankART1929が企画した、「新・港村」という横浜トリエンナーレと特別連携したプログラム（2011.8.6〜11.6）の中で「代官山インスタレーション」を紹介。同部屋には、瀬戸内、妻有、愛知等の国際展の他、メセナ協議会、ハウジングコミュニティ財団、セゾン文化財団等が並ぶ。

あしたの郊外

2014年「あしたの郊外」ウェヴサイト（主催：取手アートプロジェクト、株式会社オープン・エー）より転載

郊外と団地。このふたつの言葉にあまりいい思い出はない。

中学一年生だったと思う。転校してきた女の子が近くにはじめてできた団地に住んでいたので、もの珍しさにつられて、学校がおわると仲間と自転車でそこにのりつけ、時折たむろしていた。1970年頃の夏、女の子が団地の屋上から飛びおりた。何故飛びおりたのか、そしてどこからきた子なのかは記憶にない。何もわからない友達が、何もわからない理由でいなくなったということだけを強烈に覚えている。

郊外といえば、1997年の神戸連続児童殺傷事件だ。小学校の門の前に生首をさらすというニュースの第一報から郊外の臭いがしていた。低廉な団地群、巨大な貯水タンク、金網で囲まれた送電設備、学校……。都市が解決不能を早々に決めつけてつくった街。「廉価」「子育て・教育」「環境」という絶対神を餌に、知らない場所に知らない人を集め、都市を構成している一部の部品だけでつくられた、顔のない街。まるで水に潜っているような感覚で、テレビ画面に写し出される郊外という劇場を、ずっと見入っていたのを覚えている。

団地と郊外。もちろん、そこに住んでいる人にとっては数十年の歴史があり、コミュニティがあり、幸せに暮らすユートピアのような郊外が存在する（した）ことも理解している。だから、そこで育った人たちを不幸だなんて、思ったことはない。一方、のっぺらぼうの顔をした街が誰も知られずに歳をとり、新しい世代を生成することもできないまま、年老いた人たちだけが、年老いた建物と暮らしている街が多くあることも知っている。

僕は考えてしまう。「あしたの郊外」のまえに「きのうの郊外」ってあるのだろうか？

目の前におこっている問題をなんとかしなければいけないのはわかっているけど、何か途方もない大きなものを忘れてきてしまった郊外という不可知の存在の前で、たじろいでしまう。

もちろん、だからこそという言い方はある。「今あるものを肯定し、そこから始めること」

これは、僕がこれまでずっと信じて実行してきた言葉だ。だから「郊外」に対しても、同じように何かトライすることはできるかもしれない。でも、今僕はこのスイッチを押すことができない。原発と同じといえば誤解を与えるかもしれないが、「きのうの郊外」の亡霊が大きすぎて、立ち向かっていく勇気がでないのだ。

だから、今日の「あしたの郊外」の前に、僕は「きのうの郊外」について、しばらくは、どっぷりつかってみたいと思っている。

7

アーティストを語る
Discussing Artists

開発好明

2000年 ゼクセルセレクション6｜開発好明「都会生活者のためのオアシス」リーフレットより転載

「コミュニケーションする風貌」

やっぱりやられた、というのがこの文章を書いている時点での感想だ。開発さんはやはりそうゆう人だった。というのは、今回の展覧会のプランスケッチを見せてもらったら、いつもと少し様子が違う。なんだかおとなしく見える。タイトルにあるように、噴水が写ったビデオを中央にすえ、そのまわりにカーペットを敷き詰め、ごろごろできるくつろぎ空間を演出したものだ。ゼクセルセレクションの選考委員会（本人はいない）でも、ニューヨークに行って大人になって帰ってきたんじゃない？というひやかし話もちらほら。ところがどっこい、ポストカードの写真。都会のオアシスというエレガントな響きとは正反対にというより無関係に、「やっぱり」の開発さんはすでに始まっていた。

前置きはおしまいにして、少し彼の作品のことを記そう。開発好明の作品の特徴は、コミュニケーションすることだ。現在ちまたに溢れているコンピューターネットワークによるコミュニケーションとは異なり、彼の場合はもっと直接的に（肉体的に）私たちの中に入ってくる。例えば、以前彼は自分と等身大の棺桶のようなものを365個つくり、知人や友人、見知らぬ人に送りつけ（?）、自由に使ってもらい、1年間毎日それらを訪ね歩くというプロジェクトを行った。本来なら死人を葬り、天国への乗り物である厳かな棺桶を使って、彼は絶妙なコミュニケーションを様々な人と始める。からの棺桶を送られた人は、恐らく日本のどこかでぴんぴんしている本人がいることを知りながらも、それほど気持ちよくもないからっぽの箱と毎日つきあわせられることになる。そして、忘れたころに棺桶の主人である本人が、青白い顔ではなく、とぼけた顔でこんちはといってやってくる。
もう一つ例をあげると、彼は、数年前の東京ビッグサイトでのグループ展で、展覧会場にあるコンテナの中に東京湾の水を人力で吸い上げる（?）とい

うパフォーマンスを行なった。このばかばかしいと思える行為をまわりの人間が、微笑みながら見守る中、彼はひとり長いチューブを通して海水を吸込みはじめる。コンテナのプールに海水がたまるにつれ、彼の鼓動がそこにいる人たちと交信を始め、不思議なコミュニケーションの場を生成していく。もちろん彼は現代のシャーマンではないが、彼（の作品）を媒体にして、日頃みることのできない不思議な時空を経験することができるのだ。それは、ここにないものが急にあらわれ、確か通ったはずの時間が明日やってくるというような不思議な時空系列を生み出す。別の言葉でいえば彼の作品の特徴は、コミュニケーションの空間差、時間差攻撃だといえるだろう。

先に書いたように今回のZOOM（Zexel Art Space）での個展は、ACCの招きでアメリカへ1年留学していた彼の帰国後第1弾の発表になる。寅さんのような風貌をした彼が、帽子の下からにやにやしながら、今度はどんなコミュニケーションを企ててくるのか、そして「やっぱり」と再び彼にはまってしまう作品に出会えることを楽しみにしている。

「都会生活者のためのオアシス」＠ZOOMゼクセルアートスペース 2000

開発好明

2014年「開発好明」カタログより転載

「ひとり民主主義」

開発好明は、ひとり民主主義者である。
ひとりで行なうということと、民主主義という言葉は相反するように思えるが、開発はこの間ずっと、この相反するテーマに正面から取り組んできたといえよう。みんなを巻き込むような作品をつくりながらも基本的には淡々とひとりで作業を進め、決して運動体としての作品にはしない。あくまでも個人のささやかな営みとして、正義に対してアプローチし、規制に対してレジスタンスする。
開発の最近のプロジェクト全てに、こういった「思想」が底流しているといえよう。

例えば、一年後に送られてくる郵便システムを構築した、「未来郵便局」は、未来への自分、友達との約束のプログラムだ。一年後、今の自分や友達とどういう信頼関係が結ばれているか。同じ気持ちで関わることができるかどうか、そうあって欲しいという気持ちが一年後まで封印される、極めてデリケートな約束（＝民主主義）のプログラムだ。
『あなたの思い出を一年後のあなたに届けます。あなたの気持ちを一年後の友達に届けます。手紙は一年後にポストに投函され、未来のあなたや友達に届きます。配達員　開発好明　2011』

福島原発20キロ地点に掘建小屋をたて、宿泊の招待状を衆参議員700名に送った「政治家の家」。『誰も住む事が出来なくなった場所が日本に存在している事が本当に悲しかった』と語る開発が、極めてストレートにアクションしたこのプロジェクトは、民主国家の代表者に対して、リアリティ（＝民主主義）を奮い起こさせる静かで孤独なプログラムだ。実際に宿泊したものはいなかったが、週刊ビックコミックスピリッツ『美味しんぼ』というメジャーなマンガで大きく取り上げられ、話題になった。

トラックにアート作品（様々な作家の作品）を詰め込み、西日本から東日本へ移動しながら行う展覧会「デイリーアートサーカス」。4年間で都合150日も開催した奇跡の美術館だ。地域で募金活動を行い、収益金は全て東日本大震災の被災地に寄付。この継続性（＝民主主義）は誰もが真似できるものではない。ここでも開発のひとり民主主義が貫かれている。

「誰もが先生、誰もが生徒」を合言葉に、東京都の離島三宅島で行なわれた「100人先生」プロジェクト。先生と生徒、教える側と教えられる側の反転。選ばれた人間が選んだ人間を支配するだけの構造は民主主義ではない。いつでも主従は逆転（＝民主主義）する。この本質がこのプログラムの中には埋め込まれている。

空き地を畑へと転換させ、その中央に地下スタジオを作り、会期中モグラの格好をした作家が、地域や展覧会関係者を招き、連日生放送（ustream配信）を行なった「モグラTV」も極めて民主主義的なプログラムだ。放送局というパブリックな空間をモグラという動物の姿をかり、ユーモアとボトムアップ性を全面的に打ち出すことで、メディアのもつ権威性をはぎ取り、原点の姿に引き戻す作業を行なっているともいえよう。ユーモアとボトムアップ（＝民主主義）は開発さんの作品に共通する財産だ。

詩人吉本隆明が戦前、軍部の台頭の中、戦争に巻き込まれていく人たちに対して、放った言葉（詩）は、今でも個人と民主主義の関係を痛いほど考えさせてくれる。

「未来郵便局」BankART Life III「新・港村」 2011

『ひとりっきりで耐えられないから
たくさんのひとと手をつなぐというのは嘘だから
ひとりっきりで抗争できないから
たくさんのひとと手をつなぐというのは卑怯だから
ぼくの孤独はほとんど極限に耐えられる
ぼくの肉体はほとんど苛酷に耐えられる
ぼくがたおれたらひとつの直接性がたおれる
もたれあうことをきらった反抗がたおれる』

『転位のための十編』から

民主主義とは、皆で手をつなぐことで生まれる運動
体ではなく、たったひとりの具体的なアクション（作
品）が、具体的に他人を動かし、連鎖反応を引き起
こしていく現象だ。
そういった意味において、開発好明のひとり民主主
義は民主主義の本質を往くプロジェクトだといえよう。

牛島達治

1998年 ゼクセルセレクション3｜牛島達治「水にまつわる埋もれた記憶から」リーフレットより転載

「無意識のキカイ」

牛島さんと僕とはもう15年来のつきあいである。そんなに数は多くはないが、これまで僕にとってはとても大切な仕事で協力してもらってきた。ひとことで牛島さんの作品を説明すると、最初期の個展のときの展覧会タイトル「無用の機械たち」。

普通、無用とつくと壊れたとか、動かなくなったということを意味するが、彼の作品の場合はそうではない。実によく動く。しかもこれ以上はないだろうという精緻な手仕事で丁寧にディテールが仕上げられている。

ならばなぜ無用か？

本来なら、〜のために石を削る、〜のために砂を運ぶ等のように、機械はある目的のために動くのだが、牛島さんのそれには目的がなく動詞だけが存在する。そう「運動」だけが自立しているのである。こうしたコンセプトでこれまで制作してきた「無用の機械たち」は数知れない。石を黙々と削り続ける作品。石臼のように石どおしが擦れ合い続ける作品。回転しながら、土を耕し続ける作品。土の山を削っていく作品、など。

これらの作品は、デュシャンの絵画やチャップリンのモダンタイムズのような運動（労働）を定義した作品群の系譜に属すると言えるだろうが、牛島さんの作品のおもしろさは、こうした抽象化された「運動」をもう一度具体的な造形作品として表現している点だろう。抽象化された「運動」の概念を彼はリアルな「動くもの」としてきちんと制作・実現させる。そうすることによって作品が二重の意味を持ち、不思議な人間臭さを醸し出しながら、見る人に強く働きかけてくるのである。

働きかけるといえば、最近の牛島さんの作品は見る人とどのようにコミュニケーションをつくっていくかということに、テーマが移っているように思える。今回のZOOMの作品もそうしたことに焦点が当てられている。

ギャラリー内には、中心を固定された大小いくつもの一輪車がざわざわと回転している。車輪にはカメラが取りつけられており、ギャラリー内の様子をモニターに映し出している。（もちろん映像はランダム）一方、ギャラリー中央部には自立した階段がある。それを登り、水がためられたパイプを覗くとその瞬間、それまで会場内を映し出していた映像は、水の表面の映像に切り替わり、ざわざわ動いていた一輪車も突然静止する。仕掛けは少し複雑だが、簡単にいうと子供のころによくあそんだ「だるまさんがころんだ」のような作品構造になっている。

日常にいた人が、小さな穴から別世界を覗く、すると日常は静止してしまい、それまで眠っていて気づかなかった深いところにある世界を垣間見る…少し安易な例えだが、タルコフスキーの映画「鏡」を想起させるような装置になっているともいえるだろう。

精神科医であったR.D.レインは次のような詩を残した。

> 彼らはゲームをしている。彼らはゲームをしないようにゲームをしている。
> のぞいていることがわかったら、私はルール破りでじゃま者にされるだろう。
> みて見ぬふりで私はゲームをしなければいけない。

最先端ロボット工学の世界は、視覚、聴覚、臭覚など人間のもつ五感を徐々に獲得しつつあるが、牛島さんの創りだす機械はすでに、無意識の世界で見る人とコミュニケーションするぐらい進化しているのかもしれない。

「水にまつわる埋もれた記憶から」＠ZOOM ゼクセルアートスペース 1998

磯崎道佳

2001年 ゼクセルセレクション9｜磯崎道佳「おしたり ひいたり－渋滞緩和」リーフレットより転載

「大きなライナス」

磯崎さんは大きなライナス＆シュローダーだ。スヌーピーに登場する天才キッズのように、毛布をしゃぶりながらピアノを奏でる……ではないが、古着を紡ぎながら空を飛ぶことを夢見ている……といったところか。

磯崎さんは1968年生まれ、東京在住の作家。小さい頃、親の転勤で様々な土地に引っ越した経験のせいか、作家活動をおこなうようになった現在も、移動することや滞在した地域の人たちと関わっていくことそのものが表現のテーマになっている。

保育園や市民から提供された子供服の古着を着重ねていくパフォーマンスをおこなったり、子供たちとともにビニール袋で巨人をつくったり、はたまた自ら空を飛んでみたり……。ごく普通の小さな子供が夢見ることを、磯崎さんはごく自然にそこに住む人たちと時空を共にしながら表現していく。そして彼が様々な場所で活動し移動することで、それまでまったく関係のなかった遠く離れた地域がネットワーク化され、新しい視点の共有が始まる。

しかしよくみると磯崎さんの作品にはもう少し複雑な要素が含まれているようだ。それは他人とのコミュニケーションを楽しんでいるようにみえながら、何かひとり遊び的な、自閉症的な行為が根底に流れているように感じるからだ。以前自閉症児と呼ばれている子供とつきあった経験からいえることは、彼らは決して他人に背を向け、内へうちへ閉じていくのではない。むしろ他人に対してとても興味をもっているのだが、その他人と関係する方法がわからないのだ。その結果、のぞきみるような眼差しで遠まきにサインを送ってみたり、閉じこもることで何かを伝えようとするコミュニケーションの方法をとっているのだ。

磯崎さんの表現も、日常的なコミュニケーションの方法では伝えきれない内容を自閉症児が投げかけてくるようなデリケートなゲームを仕掛けることで成立させているように思える。空を飛ぶイメージや鮮やかな色の服は、確かに人を微笑ませ魅了するが、その表現のなかには彼の他人（世界）とのディスコミュニケーションが内包されているのだと思う。子供が他人との関係を初めて形成したり、未開の民族が他の種族と関係を構築していくとき等の、とまどいやもどかしさ、攻撃性や素直さを、彼は表現の土俵にあげているのだ。（磯崎さんのFUKU-MANの写真を初めてみたとき、チベットの人かと思ったのはあながち間違いではなかった!?）

今回のZOOMの展示では、ここ渋谷の交通渋滞の緩和ということがテーマになっているが、こうした問題の設定と行為の深層には、子供がひとりでおこなう遊びがやはりベースになっている。粘土でつくられた車のモデルの山をぺんぺんとつつき、おしたりひいたりしながら、将棋崩しのように車の山を整理していく…。彼の中でとらえきれない複雑だけど伝えたいこと（伝言）を、一人遊びを繰り返すことで（彼自身が自ら空飛ぶスーパーマンとなって車を操ることで!）、交通渋滞を緩和し、ギャラリーの中にやすらぎの空間を生成することを夢みているのだ。だれもが感じているが、どうして解けばよいかわからない問題を、彼は彼独特の方法でシュミレートし、表現していく。

この個展がはじまる9月から磯崎さんはACCの招きでニューヨークへ一年いくことが決まった。今度は親の転勤ではなく自らの選んだ道で、あえて他人と住んでいこうとしている。彼の複雑だけれどストレートな表現は、アメリカという他人との関係でより深く優しいものに育っていくに違いない。

もっと大きなライナスに再会できることを楽しみにしている。いってらっしゃい。

「おしたり ひいたり－渋滞緩和」＠ZOOM ゼクセルアートスペース 2001

高橋啓祐

2020年「高橋啓祐」カタログより転載

映像と幽霊

タルコフスキーは、映像はメタファー（隠喩）であると語った。シンボル（象徴）のように意味が収斂していくのではなく、水面の波のように生成しては消滅を繰り返す、具体的な現象の連鎖であると。

高橋氏は、実体から、みせかけのリアリティをはぎ取り、日常性のあるわかりやすい言葉で映像のもつ可能性を追求している作家だ。
氏の映像に幾度となく登場する、身体が鳥のかたちになって離散していく様子は、「チベット」の埋葬方法、「鳥葬」を思い起こさせる。しかし、そこには見るに耐えないであろう血肉と骨の残虐な世界はない。映像としての命（鳥）の飛翔、ここにある死の世界は、軽やかであっけらかんとしたグラフィカルな運動体だ。

高橋氏は、被写体である建築空間を極めて的確に読み込み、自己の映像表現を補完する借景（スクリーン）としてとりこんでしまう。例えば、1929年竣工の建物のクラシックな窓の中の人影の映像《public=un+public》は、ミケランジェロが好んだ人体とテラスの構図だが、私たちがみているのは映像としての人体と実際の窓枠そのものを重ねあわせた世界だ。小人のような光の人型が行進するイメージの作品《a world》も同様だ。木材の表面に連なる数段の人型の映像は、川俣正氏の作品に特徴的な木材のスリットと極めて計画的にリンクしている。

最近連作のように発表している青い映像パノラマ《The Fictional Island》は、これまでの作品群と少し趣を異にしている。プロジェクターからの光を重ね合わせ、被写体である砂山をトレースするという仕掛けは、まるで砂粒というレンズと光が溶け合い、新しい生命体を宿している艶かしい海面のようだ。

わたくしといふ現象は
仮定された有機交流電燈の
ひとつの青い照明です
（あらゆる透明な幽霊の複合体）
風景やみんなといっしょに
せはしくせはしく明滅しながら
いかにもたしかにともりつづける
因果交流電燈のひとつの青い照明です
（ひかりはたもち　その電燈は失はれ）

宮沢賢治「春と修羅」より

消す事ができる、重ねることができる、長さも重さもない。匂いや音や温度も触覚もない、死ぬ事も生きる事もない。原理的に幽霊である映像の世界に取り付かれ、実体と現象の重ね合わせを繰り返し試み、その仕組みを分析、統合し、真摯に作品にアプローチしてきた高橋氏の修行僧のような姿が、宗教的な体験や量子力学の理論を重ね合わせた賢治の詩を思い浮かばせてくれるのは、あながち偶然ではないだろうと思う。

《a world》BankART Life IV「東アジアの夢」 2014

《The Fictional Island》BankART Life V「観光」 2017

丸山純子

2017年11月「BankART1929ブログ」より転載

影のない花

丸山純子の花には陰がない。もっと正確にいうと丸山純子の花の写真には陰が写らない。実際に現物を見るとその環境が、自然光であろうと人工照明であろうと陰は確かに見えている。それなのに写真に写すとその姿は画面から消え、もともと存在感のない花が、ますますこの世の存在ではないかのような様相を帯びてくる。それはレジの極薄のビニール袋の透過性がなせる現象なのか？どうもそれだけではなさそうだ。

花を成立させている様々な条件を分析すると、ひとつ重要なことに気づく。丸山の花弁は、微風でも常に揺れているという事だ。そのゆらぎの振動数はカゲロウの羽の動きのように速く、眼で追いかけることはできない。静かに、揺れていないように高速で揺れ続ける。

もうひとつは、暗い空間の中で厳かに光る花弁を撮影するには、露出を絞り込んで、シャッター速度を遅くする方法しかないということだ。長時間露光の写真は、物体の動きを光の軌跡として捉え、花そのものをより実体のない世界へと導いてしまう。そしてそれを追随する花の陰は、より存在感を失い、空気のなかに溶けていってしまうのだ。こうした、「花のゆらぎ」と「長時間露光」という条件が相重なり、丸山の花から陰を消しさってしまったのではないか。

陰のない花と名付けたのはもうひとつ理由がある。もともとビニール袋は石油からなる加工品で、ビニール＝人工物という印象を誰しもが受ける。でもよくよく考えてみると、石油の元は動物性プランクトンの死骸が堆積したものであり、生き物によって生み出されたものだ。丸山の花が、人工物であり、チープな素材でできているのにもかかわらず、何か生きているような、というより、生きているのだか死んでいるのだかわからない「なまめかしさ」を有するのはこうした背景によるのだろうと思う。そして、植物でも動物でもない、この世のものでもあの世のものではない存在感が、花から陰を奪い取っているのだと云えよう。

《無・音・花》BankART Life V「観光」2017

丸山純子

2017年11月「Asian Cultural Council（ACC）推薦状」より転載

アメリカのハンターカレッジで美術を学んだ後、日本に戻ってきてから彼女は、「生命」に関する作品に取りくみ始める。とりわけ代表作である「無音花」のシリーズは、彼女を作家として確立させた評価の高い作品群である。今年の横浜トリエンナーレと連動した展覧会「BankART Life V」でも、その大規模な展示構成が、大きな話題を呼んだ。コンクリートの空間にダイレクトにつきさされた5,000本の花からなる花畑。スーパーのレジ袋でつくった花が、どうしてこんな美しい花に変身するのか?

光を取り込み丁寧に創られた花は、ビニールの起源までさかのぼる事ができる。太古の動物性プランクトンの死骸からなる石油、その石油製品であるビニール袋は、丸山の手にかかると人工物を越えて、生命の艶かしさが備わってくる。1000平米全体に広がる「無音花」の空間は、大げさかもしれないが、「この世でもあの世でもない世界」へと私たちを導いてくれる。

花で本格的にデビューをはたした丸山氏の仕事は、都市へと向かう。廃屋、廃墟、空き地、そういった類いのものが、彼女の新しい棲処だ。素材としてフォーカスした材料は「せっけん」だ。理科の実験のようなせっけんの生成のプロジェクト、あるいは、せっけんを使ってナスカの地上絵のような巨大なドローイングを描いたり等、身近にある素材を用いながら、非日常の世界へと私たちを誘う。雨の中、描いては消え、また描く行為を続ける丸山。こちらも背筋をのばし息をのんで祈るように見守る。こうしたアートとの接し方、あるいはアートの取り組み方は、まるで現代の修験道だ。同じ行為を続ける中、何か新しい風景が生まれてくるまでまっている。これが丸山氏の魔術だ。

《Utopia Totopia》 2011

丹下健三

2013年「丹下健三 伝統と創造 −瀬戸内から世界へ」（美術出版社）より転載

チャーミングな大建築家

僕らの世代の建築家といえば、安藤忠雄や伊東豊雄で、丹下健三ではない。とはいえ、広島平和記念資料館、香川県庁舎、代々木体育館や大阪万博お祭り広場、その他、全国に広がる丹下門下生の作品群も含めて、大建築家としてのイメージが強い。また村野藤吾の「民」に対して、「国・行政」との関係も深いという印象もある。

そんな中で丹下氏をある意味で愛着をもってみたことがあるのは、新都庁舎建設のときのこと。誰に聞いたか忘れてしまったぐらいの根拠のない話だが、新宿の副都心構想の最中、新都庁舎に対して、「そろそろポストモダンをやるか」といったそうな。都庁舎の建物としての評価は現在様々あるだろうが、当時、新宿の高層ビル群の中で他のビルに比べて、極めて元気よく立ち上がっていったことを記憶している。老体にむち打ってという言葉ではないが、大建築家も歳をとると、権威とは別にいつのまにか茶目っけと若いものを吹き飛ばす元気がでてくるもんだな、なんて思ったりしたものだ。

もうひとつは、同じ新都庁舎のゲスト用のお風呂が大理石で贅沢だということで物議をかもしたときのこと。僕の記憶が正しければ、当時の鈴木都知事がテレビインタヴューでこのことを聞かれ、苦し紛れの答弁をする中、丹下氏はその鈴木氏の後ろをすっと通り過ぎたような気がする。結果的には世論に破れてか、都庁の豪華なお風呂は幻のものになってしまったと記憶しているが、「こんなものかな、これでいいのかな」って感じたことは確かだ。新都庁舎には外国の要人も含めてきっと眼のこえた大切なお客さんがくるはずだ。そんなとき、もしお風呂がユニットバスだったらと想像してしまったのだ。ここは丹下氏、クライアントの都知事に代わって、「私はこれでいいと思います。重要な来賓に日本のお風呂を愛してもらい、心地よく過ごしていただくことで、文化交流が深まります。建築家として、お風呂は重要な空間として考え、少々お金をかけさせていただいたのです」てなことをいってもらいたいな、と思ったのだ。一番いい時代の、国家を背負った建築家だからこそ、そして政治家を超えれるのは、長寿の建築家だけなのだから、そういって欲しかったし、でも日本ではそれができないんだなとも思ったし、そういった複雑な構造の中にいる大建築家をみて、僕の中の建築家像が少し変化していったように記憶している。

最後に話は飛ぶが、丹下健三というと、ル・コルビュジエのおなかのでた裸のチャーミングな写真を思い出す。丹下氏本人は権威とか言われ続けて、戸惑っていたかもしれないね。

賴 珮瑜 (ライ・ペイユ)

2006年 展覧会チラシより転載 (横浜台北交流事業 交換 AIR プログラム 2005年度滞在作家)

新印象派のスーラに始まり、リキテンスタイン、日本では野村仁等、ドットをテーマにする作家は少なからずいる。こうした作家に共通しているのは、視覚を支える社会環境や概念がいかに不確かであるか、また逆に共有性をもっているかをテーマにしていることだ。リキテンスタインが「なぜドットの作品をつくるようになったのか?」という質問に対して「それは何かの絵のように見えるのでなく、物そのもののように見えるのです」とさらりと答えている。これは実像と呼ばれているものが、それらを構成する要素とは関係なく成立しており、少ない情報量でものを伝えようとすることが、新しい空間を創成する、という美術の本質を語っているように思える。

賴 珮瑜の「●city」シリーズは、一見すると都市の夜景のように見えるが、実際には大きさの異なる白い丸印を平面に打っているだけで、直接的に都市の再現を試みているわけではない。都市のイメージを引きながらも、丁寧に選択されたドットの大きさと数の制御によって、これまでみたことのない絵画=都市像を表出させている。

賴 珮瑜は「見えない都市」(イタロ・カルヴィーノ著/1972年)を引き、彼女の作品の構造を解く鍵を私たちに与えてくれている。

フビライの寵臣マルコ・ポーロは、フビライ皇帝のために、自分が知っているいろいろな都市について語って聞かせる。70の丸屋根が輝く都ディオミーラ、奈落の底に宙吊りになっているオッタヴィア等。実はこれらはどこにもない空想の都市ばかりだ。皇帝の「おまえは未来を再発見するために旅しておるのか?」との問いに、マルコ・ポーロは「他処なる場所は陰画にして写し出す鏡です。旅人は自己のものとなし得なかった、また今後もなし得ることのない多くのものを発見することによって、己の所有する僅かなものを知るのです。」と答える。

台北を離れ、未知なる都市をさまよい、少ない言葉(ドット)で都市を語る賴 珮瑜は、正当な絵画史とコンセプチュアルアートの延長線上にある作品を制作していると同時にすぐれた都市論を展開しているともいえるだろう。

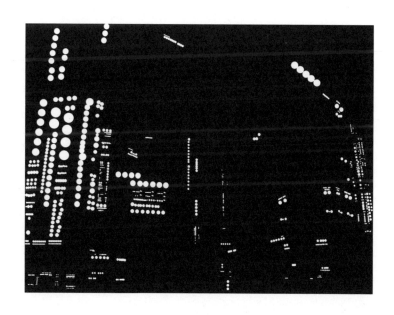

何 明桂（ホー・ミンクェイ）

「何 明桂カタログ」より転載（横浜台北交流事業 交換AIRプログラム 2005年度滞在作家）

何（ほー）さんって何? Ho(What) is Ho(What)?

ときにはアルコールもともなう何氏の徘徊は、日本に滞在した初日から始まった。昼間はどこで何をしているのかわからない野良な飼い猫のように、あたりを歩き回り、これみよがしに他流試合を決め込んで、知らないお店で飲食していたりする。放浪癖というよりも、どのあたりまでが自分のテリトリーなのかをさぐるように何氏は横浜の街を少しずつエリアを増幅させながら回遊していった。

何氏のもうひとつの趣味はテレビジョン。特にドラマを含む日本のテレビの大ファンの何氏は初日からBankARTにテレビが欲しいとリクエストしてきた。実際に、腹這いになりながら深夜までテレビを見続けている何氏を何度か目撃しているが、それは至極の時間を過ごす普通の人という趣だ。（何氏の滞在先であるBankART桜荘の1Fリビングはガラス張りで道路に面している）

もうひとつの何氏の顔はキャリアウーマンというか、ウーマンズパワーというか、仕事のできる女性だ。複雑で膨大な仕事を抱え、文句をいいながらもびしびしとやりきっていく。その疲労がたまりにたまって、いつか爆発するのをまるで楽しんでいるかのように懸命に働き続ける。

こうした何氏にまつわるエピソードと何氏のトポロジカルな作品群を安易に繋げるべきではないが、どうしても思い出してしまう日本の小説家がいる。それは60才代にして「月山」という作品で芥川賞をとった森敦（もりあつし）だ。彼は10年働き、10年遊ぶことを繰り返した。すなわち「ダム工事現場」「写植」「レンズ磨き」の三種の職業を極める間に彼の文学と思想を構築していった。小説「意味の変容」はそうした彼の集大成だが、そこに描かれてい

るのは、まさにトポロジカルな人生とでもいえそうな時空間だ。大きくて小さくて強くて弱い、黒くて白くて尖っていて円い、エッジと中心、天国と地獄、裏と表を往来する世界だ。まったく関係のない二人だが、何氏は森氏の孫のような存在に思えてならない。

さて前置きはこのぐらいにして、何氏の作品に入ってみよう。「カタストロフィー」を辞書で引くと次のような記載がある。

『環境に多大な変化が訪れること。変化に追従できないものは絶滅への道をたどる。フィクションなどにおける悲劇的な結末のこと。上記と合わせ、きわめて破滅的なニュアンスを持つことが多い。カタストロフィー理論の略。』

何氏の作品に幾度と無く登場するテーマ、破壊、崩壊、連結、合体、綻び……。こういった「壊れ方の論理」はややもすると、辛く、触れたくない、不幸せな世界だが、彼女の描く作品からは、こうした「破滅的」な印象は受けない。女のこのおっぱいをつなげた『筋肉少女帯』や頭がぶっ飛ぶ谷岡ヤスジばりのドローイングからは、見る人を不愉快に消沈させるどころか、くすっと笑わせ、わからないものをわからないなりに抱えさせてしまう強さを感じる。一見関係のないものがリズミカルに比喩され、トポロジカルに連結される様は、禅問答に参加しているような、インパクトはあるが心地よい軽快感を与えてくれる。それはエピソードにあるように、多種多様な生活と人生観をパラレルに運用する包容力が何氏に備わっているからであり、誤解を恐れずにいえばまさに人生をあっけらかんと楽しんでいるからであろう。

「干物女の最終電車」と名付けられた自虐的な展覧会タイトルとは裏腹に、何氏の作品群は生きいきとしている。それは、干物女の最終電車が、みずみずしい豊かな始発電車にトポロジカルに連結しているからに他ならない。

細淵太麻紀

2017年11月「Asian Cultural Council（ACC）推薦状」より転載

細淵氏は、ものごとが成立している状態に対して、そのフレームを支えている社会的、歴史的な構造を分析しようとするタイプの人間である。一見スタンダードで正しくみえるものに対して、アプリオリに肯定するのではなく、果敢に立ち向かっていく。常に何故そうなのか？を問い続け、展覧会や作品のコンテンツの善し悪しだけでは判断せず、コンテンツを生む背景までを分析、考察しながら、日本の現代美術について、そのフレームの変革をせまろうとする。これまでPHスタジオのメンバーとして作家としても多くの実績を残してきたが、とりわけBankART1929ではアートコーディネーターとして、極めて重要な仕事を行なってきた。それは既存の美術館や博物館ではなく、社会の運動体として、新しく台頭してきたアートイニシアティブについての研究やリサーチにおいてである。国際的なシンポジウムの開催や文化庁と協力しての二冊の書籍刊行などが、その具体的な成果である。それはまた本人の日常的な実践としても遂行され、スタッフの教育、財務管理等、地味であるがオルタナティブな組織にとってはもっとも重要な経営的な視線を絶えずもちながら丁寧に運営を継続してきてくれている。BankART1929という民間のオルタナティブな組織（施設）が行政と連動しながら、12年の歳月を超えることができたのは、彼女の献身的な努力なくしてはありえなかったと思う。

アメリカでは、BankARTで培ったスキルと理念をもって、日本にはない経営的な仕組みや新しい社会的な感覚、動向についての調査研究を行なってくれるはずだ。それは今後日本において最も必要とされる、「自由さと自立性のある組織／→オルタナティブな組織」の構築に対して、大きな示唆をあたえることになると思う。

《路傍のピクニック》BankART AIR open studio 2019

伊佐治雄悟

2013年11月「Asian Cultural Council（ACC）推薦状」より転載

伊佐治さんは他愛のない日常品を使って小さな作品を作りますが、（彼がいうところの盆栽のように）それはひとつの小宇宙を感じることができます。例えば、たまたま部屋に迷い込んだ昆虫が、その部屋全体の空間を支配してしまうように、伊佐治さんの作品は強い磁場を形成します。

本人はとても飄々としていて傍目から見ると何を考えているか分かりにくいですが、実に論理的に物事を考えていて、計画的に緻密な段取りを経て作品を制作するタイプです。

今回のアメリカでの「作品の移動」の調査研究は、きっと新しいスカルプチャーの可能性を見せてくれるものと思います。彼の作品を携帯電話と比較すると飛躍しすぎるかもしれませんが、まさにモバイルタイプの彫刻（インスタレーション）を試みているように思えます。作品として、ひとつの完成度を保ちながらも、移動することで異なる様相を見せ始める。そして、プロダクトと作品の間、日常と非日常の間を往来するようなイメージを抱いているように思えます。

こういった視線でストックされた彼のアーカイブは、帰国してからもきっと日本の造形を目指す人たちに、新鮮な視線を提供するものと思います。

「アートと都市を巡る横浜と台北展」BankART Studio NYK での展示　2015

サンドラム

2017年11月「Asian Cultural Council（ACC）推薦状」より転載

オルタナティブなバンド、というのが彼らを表すには最も適している表現だと思う。○○でもあるし、△△でもある、あるいは、◇□でもないし、○△でもない。アフリカ、沖縄、アジアの音楽と交通しながら変幻自在に楽曲を組み立て、飛び回るパフォーマンスは「混血アジア人登場！」とでもいえようか。

アフリカ好みのリーダーの坪内氏のボンゴのリズム、ジャズをベースにもつ荒井氏、アジア的な豊かなパフォーマンスやボーカルを奏でるメンバー。サバンナの草原の遥か彼方から聞こえてくる百花繚乱のリズムやメロディが、心地よいノイズとして私たちの身体を揺さぶる。

最近彼らは、アジアの各地を旅しながら曲作りをしている。台湾、韓国の都市部ではない少数民族が住んでいるような場所に入っていって、現地の人と暮らし、歌い、踊る生活の中から、彼らの新しい音楽を採取し、追求していく。言葉がわからなくても、音もビジュアルもそのまま自分たちの音楽に取り込んでいく。人なつっこさとそこにあるものをリスペクトし、好奇心をもって楽しむこと。それらが彼らの音楽の源泉だ。

さて、これから彼らはどこへいくのか？

メジャーになることを考えているわけではないだろうが、次のステップにいきたいと考えている思う。そのためには、これまでにもまして、多様な民族や風景に出会っていく必要がある。出会うたびに成長（脱皮）を繰り返し、密度の高い音楽へと辿りつつある彼らには、これからも豊かな出会いと混血を繰り返してほしいと思う。そして、地球上のありとあらゆる音楽を吸収しながら、地球上にはない音楽を生み出して欲しい。今回のプロジェクトがその一助となりうればと願うばかりだ。

坪内 敦

2017年11月「国際交流基金アジアセンターアジア・フェローシップ推薦状」より

多国籍音楽チーム「サンドラム」を率いる坪内氏の原風景はアフリカの大地だ。サバンナの草原の遥か彼方から聞こえてくるようなジャンベが奏でるリズムは、骨太で熱い。サンドラムの他のメンバーの百花繚乱のリズムやメロディがどんなに複雑にかぶさってきても、坪内氏の太鼓の力強く心地よいリズムは私たちの身体を揺さぶり続ける。

ここ数年、坪内氏は東アジア、特に台湾や韓国の各都市を巡っている。その大半が、都市部ではない少数民族が住んでいるような山間部だ。現地の人と暮らし、歌い、踊る生活の中から新しい音楽を探求していく。意味のわからない言葉をカタカナで書き写し、リズムを自らの身体にしみ込ませていく。そこにあるものをリスペクトしながら、人なつっこさと好奇心を武器に、生活と音楽を楽しむ、それが彼の音楽行脚のスタイルだ。

今回は東アジアから少し舵を切るようだが、きっとこうした「生き方＝音楽行脚」は、訪れる場所が他のアジアの国々になっても変わることはないだろう。
多種多様な民族や風景に出会い、創り上げる音楽はますます多層性を帯びてくるだろう。
そして豊かな出会いと混血を繰り返し、地球上のありとあらゆる音楽を吸収しながら、「地球にはない音楽」を生み出していくと思う。
今回の渡航がその一助になるに違いない。

河村るみ

2016年「BankART AIR 特別展」展示会場のキャプションより転載

in the drawing

BankART Studio NYKの3Fのコーナーにスタジオを2ヶ月間かまえ、制作した作品である。

最初、画面をみると複雑でわかりにくい印象を受けるが、実は、単純な作業の繰り返しによって、この作品は成立している。まず、本人がコンクリートの壁面にチョークを使ってドローイングを描き、それをビデオで撮影。次にその撮影した映像を同じ壁面にプロジェクターで投影。本人はその投影されているプロジェクターの光の中で、2回目のドローイング。壁面に映っている自分のドローイングしている姿をなぞるように描くらしい。あとはこの作業を繰り返し毎日重ねていく。今回の作品は42トラック（日）目だそうだ。

映像に戻ると、最後の日にドローイングする河村さんは、わりとはっきりした姿でみることができ、前日、前々日と日が下がるにつれ、映像全体が、霧がかかっているように白ぼけた状態になっていく。色チョークはプロジェクターで光に変換され、（色の三原色のように濁るのではなく）光の三原色のように白く乱反射し、ドガの踊り子のパステルドローイングのようにとても豊かで美しい。一方、フェイドアウトしているわけではないので、突然、数日前の河村さんが幽霊のように浮かび上がってきて、身震いするような怖さも秘めている。

この画法（と呼んでいいだろう）、大きな可能性を秘めているとみた。遠くない将来、様々な題材をテーマにした大規模な作品群に出会える日を待ちたい。

BankART AIR open studio 2016

マツダルーム（松田るみ、松田直樹）

2019年「sanwacompany Art Award / Art in The House 2019」に応募した際の推薦文

光る粒子と光る波動

ぼけとつっこみではないが、世の中には、意識せずにいつのまにか、お互いの役割を見事に演じきってしまう関係のふたりがいる。マツダルームの松田直樹と松田るみは、短いつきあいの中で、極めて効率よく、そうした関係を構築したチーム（夫妻）である。それは生まれながらといってもよく、粒子としての光と波としての光という、光のもつ二重性にも似たアプリオリに本質的な関係なのだ。

松田直樹氏の造る作品のお米は一粒ずつ独立していて乾いており、決して饅頭のように粘ってまとまることはない。米粒ひとつの輝きは、隣の米粒に反射され、その反射はまた異なる粒へとリレーし、ダイヤモンドのように光り輝く物質へと返還されていく。それは煙草の吸い殻、納豆、掃除機の中の綿ぼこり等で制作された他の作品でも適用され、集積することそのものが光を発する物質への装置のように思える。

松田るみ氏の映像作品も複雑そうに見えて、実は単純な作業の繰り返しによって、成立している。チョークを使って壁面にドローイングを描きそれをビデオ撮影。次に撮影した映像を同じ壁面にプロジェクターで投影。本人はその投影されているプロジェクターの光の中で、2回目のドローイング、壁面に映っている自分のドローイングしている姿をなぞる。あとはこの作業を繰り返し、最後のトラックでドローイングする、るみ氏ははっきりした姿で認識することができるが、日が下がるにつれ、その姿は光の三原色のように乱反射し、ドガの踊り子のパステルドローイングのように美しく白く輝きだす。

このように片方は、物質（粒子）を集めることで光を放ち、片方は、映像（波）を集めることで光を放つ作品をつくる。そして、松田家の「家」と「生活」をあっけらかんと見せる「マツダルーム」という2人の合作。何か不思議な魅力を放つ相補的な視線は、統一性とバランスをもち、極めて普遍的な日常生活空間の溶融を企てているように思えるのだ。

松田直樹の作品「食と現代美術vol.8」＠BankART KAIKO 2021

原口典之

2009年6月「BankART1929ブログ」より転載

「原口典之展‐社会と物質」が昨日終了した。原口氏
とこの世代を代表しての渾身の一撃だったと思う。
多くの人が勇気づけられた展覧会だった。
原口氏の作品は、オイルプールの「重力」による絶
対平面がそうであるように、目に見えないけれど社
会を支配している何かに対する怒りを可視化、顕
在化させ、観る人の背筋を伸ばしてくれる。原口氏
とBankARTとの今回の合い言葉は、「社会と物質」、
「パワーと品格」だった。各紙、各雑誌も数多くの
批評を重ねてくれた。BankARTとしてもターニング
ポイントの展覧会だった。

原口典之「社会と物質」@BankART Studio NYK 2009

朝倉 摂

2010年9月「BankART1929ブログ」より転載

朝倉氏の手の速さ

朝倉摂氏がついに現場（BankART）で手を動かした。これは、tptが主催し、岡本健一氏が演出をしている演劇作品の、舞台美術制作でのひとこま。白い壁面約20m（高さ3m）の長さの空間に一本の斜線を描くのだが、速いはやい。鉛筆をもつと、なんの躊躇もなく（なさそうに）、左端からゆっくりと右肩あがりの線をひきだす。途中で背が足りなくて、少しこう配が落ちてきても、おかまいなし。スタッフがすかさず、台座を用意し、朝倉氏は手を休めずにこの作業を続ける。しばらくすると再び背が足らなくなり、またこう配が落ちてくる。するとまたスタッフがより高い台を用意する。そんなこんなで、最後までいってしまう。この間、朝倉氏は一度も後ろに引いて絵をみようとはしない。最後まで、壁に近づいたままだ。出来上がって見ると、こう配が落ちたところだけがスピードが落ちて、いい塩梅にリズムがある直線（斜線）が完成している。まるで台を待っている時間さえも朝倉氏の手描きの術中にあるような出来映えだ。間髪いれず、その斜線に沿って、スタッフがボリュームと調子を整えていく。見事な連携プレイ。テレビ番組では何度もみた朝倉さんの絵を描く風景だが、これをNYKで拝見できるとは。

朝倉 摂「アバンギャルド少女」@BankART Studio NYK 2010

川俣 正

2015年「City Living BankART1929's Activites」より転載

川俣正はこの30年間、常に「美術と社会」との関わりについて、新しい話題を提供し続けてきた。壁、床、天井といった建築的なエレメントをテーマに、木材（廃材など）を用いての新しい空間構成は、インスタレーションという言葉を確立させた。また建物内外を木材が縦横無尽に貫入する建築的なプロジェクトや、都市を構成するインフラや部位（小屋、船、歴史的建造物、道、塔等）をテーマにしたプロジェクトは美術・建築の世界を超え、都市にインパクトを与えてきた。さらに「マイノリティ」にも視線を注ぎ、「放棄された建物」「スラム」「ホームレス」「障害者」「炭坑」等の可能性を深く探ってきた。このように都市の様相と関わりながら、その場をまき込んでいく表現は、造形的（空間的）なインパクトとともに、社会的なメッセージを発信し続けてきており、「ワークインプログレス＝現場性」は、多くの人々に影響を与え、関わった各人に新しいアクティビティの発芽を促してきた。 BankART Studio NYKでは、活動初期から行っている建物内外と関わるプロジェクトを展開。NYKの近くで解体中の団地から木製建具を大量に貰い受け、制作を行なった。もうひとつの素材は倉庫でよくみかけるパレット。そのパレットを数百基用い建物の内外にインストールした。

川俣 正「Expand BankART」＠BankART Studio NYK 2012

作家紹介4
岡﨑乾二郎
2014年「岡﨑乾二郎 Kenjiro OKAZAKI 1979-2014」より転載

岡﨑乾二郎は、初期の発泡スチロールの小さなレリーフから始まり、ポリプロピレンを用いての不定形の彫刻やパッチワーク形式の大きな平面作品、幾何学のエレメントを用いながらもゆったりとしたフォルムの立体作品、粘土、石膏をもちいた力強いボリュームのある作品、1992年ごろから多彩に継続している絵画等、次々と表情豊かな作品群を表出してきました。

また、コミッションワークやランドスケープデザイン、建築設計等、仕事のスケールが大きくなっても、コンセプトと色彩と形はぶれることなく、その自由さと緻密さは保持され、多様な表現を展開してきました。

さらにBゼミスクールから、四谷アート・ステュディウムなどにかけての教育活動へ、刺激的な論考や雑誌、絵本やマンガ等による視線は、美術のみならず、建築、社会にも強い影響を与え、多くのファンを獲得してきました。

今回の展覧会では、新作の大きな立体作品を中心に、いくつかの彫刻作品が出品されます。また全国の4館の美術館に収蔵されているパッチワークの名作も集結します。

軽やかに最前線でありつづけてきた岡﨑氏の現在をお楽しみください。

田中信太郎+岡崎乾二郎+中原浩大「かたちの発語」展@BankART Studio NYK 2014

中原浩大

2014年「中原浩大 Kodai NAKAHARA 1982-2014」より転載

中原浩大は、粘土を使った「持ち物」と名付けられた作品群からスタートし、真鍮や鉛等の金属、木や石、布等の様々な素材を用いた巨大な彫刻群を連続して発表してきました。とりわけレゴを用いた圧倒的な彫刻は、見るものに量とフォルムと色についての新しい感覚を刻みつけました。

また絵画においても「ギフチョウ」「海の絵」に代表される、大きく豊かな作品群は、ミケランジェロのように、量塊とデッサンについての新しい視座を与えてくれました。その後も身体と機械や家族をテーマにしたシリーズ、ツバメを撮影しつづけた日常と非日常の世界、その他、プライベートとパブリックを往来する作品群を次々と発表してきました。

今回の展覧会では、昨年、岡山県立美術館で開催した「中原浩大展 自己模倣」をリレーした形で展開します。初期の粘土の作品や巨大なドローイングが新しいスタイルを伴いながら、BankART Studio NYKに登場するでしょう。

同世代につくることの勇気を与え続けてくれた氏の現在を垣間みせてくれる展示になると思います。

田中信太郎+岡崎乾二郎+中原浩大「かたちの発語」展＠BankART Studio NYK 2014

田中信太郎
2014年「田中信太郎 Shintaro TANAKA 1946-2014」より転載

田中信太郎は、ネオダダ・オルガナイザーズのメンバーとしての活躍後、「ハート・モビール」で颯爽とデヴュー。1968年に発表した「点・線・面」は、美術界はもちろんのこと、倉俣史郎を筆頭にデザイナーや建築界に強い影響を与えてきました。その後、パリビエンナーレ、1970年の「人間と物質」展、ヴェネチア・ビエンナーレ等で、物質性の強い作品を表出しながら、ミニマルな表現形式での展開が続きました。

その後、病床に倒れ、約5年間の沈黙のあと「風景は垂直にやってくる」という言葉と新しい絵画形式を携え、静かにしかし強いインパクトを持って再登場し、饒舌な活動を続けました。そして数多くのコミッションワークは、ブリヂストン本社、越後妻有、サッポロドーム等の代表的な作品群へと昇華していきました。

今回の展示は、2001年に開催した国立国際美術館（大阪）での大きな展覧会を踏まえながら、氏の新たな断面が表出することを試みます。アトリエでの試行と視考、ミニマルな表現からリリカルな絵画表現を行き来する様々な時代の旧作群、現在73歳をむかえた田中が、当時の作品を参照しながら新しくトライする新作群。これらを編集しながら全体が構成されます。

時代をすーっと走り続けた田中信太郎の、大らかなそして繊細な地殻変動を感じとっていただければ幸いです。

田中信太郎＋岡崎乾二郎＋中原浩大「かたちの発語」展＠BankART Studio NYK 2014

柳 幸典

2016年「柳 幸典 ワンダリング・ポジション」より転載

「ワンダリング・ポジション＝さまよえる位置」。柳の1980年代の初期の活動は、この言葉に牽引されるような作品が続く。廃棄物を球体化し、糞ころがしのように大地を転がしたかと思うと、土の塊のような大きな鞠を巨大な採石場跡（地下）で浮遊させる。ドラム缶を絵の具のチューブに見立て、自らが色煙の中を彷徨ったり、モルタルで巨大（5m）な鯛焼を制作し、屋外につり下げ、魚拓にしたりもする。作品そのものが帰属感のない根無し草のような印象だ。こうした作品群のつかみどころのない浮遊感は、柳自身のその後の生き方を予感していたように思える。1990年、アメリカに渡った柳にひとつの変化があらわれる。初期の「ぼくとつな」とでも評せる表現から、ターゲットを見据えたシャープな表現へ、である。ここでいうターゲットとは、ずばりアメリカである。柳はアメリカに住むことで、アメリカという国家（自由／寛容＝ワンダリング）を強烈に刷り込ませた作品を制作しはじめる。「アントファーム」のシリーズは、その明晰さ、批評性とユーモラスさにおいて、高く評価され、メジャーなアートマガジンの表紙を飾るほどの話題をさらう。「あり」というアノニマス（記号性）な存在が、国旗（国家の記号）の中をさまよいながら解体（＝融和）し続ける。世界地図に変革をもたらそうとしているかのような試みだ。

『アメリカはゲームのような国である』と記した柳は、その後もアメリカの「正義」の中に潜む、勝利とルール（法）の力、そしてそれらのもつ矛盾を自己の問題として抱え込み、作品を展開していく。しかし、国家、天皇制、ウルトラマン、ゴジラ、原爆、原子力発電等、柳のこうしたアメリカから見た日本への眼差は、「さまよえる位置」をとり続ける巨大なアメリカという集合体の中においては、柳自身をダブルバインドで縛り、迷宮の空間へ連れ去ってしまう。

アイランド（島）。柳にとっては、サンフランシスコのアルカトラズ島のプロジェクトで既に経験しているが、1995年の瀬戸内の産業遺跡の島、「犬島」との出会いは、柳を興奮気味に新しい世界へと誘う。「近代化と産業遺構」というテーマは、アメリカでの経験全てを包括しながら、ひとつの構想へと柳を昇華させていく。しかし瀬戸内国際芸術祭における犬島の成功とは裏腹に、柳はこの島でのプロジェクトを封印し、脱出速度のごとくエンジンを逆噴射させ、再びワンダリングを繰り返す。

広島に居と職場を移してからは、自己の作品発表ではなく、都市に関係するプロジェクトのコーディネートが続く。そしてたどり着いたのが、瀬戸内海に浮かぶ「百島」だ。この新天地において、久しぶりに、背筋を伸ばし、ぼくとつとした、リラックスした姿で漂泊する柳が還ってきたように思える。BankART Studio NYK の個展では、そんな柳の現在の姿と出会いたいと思う。旧作、リメイク作品、新作も含めて柳が歩んできたワンダリング・ポジションを連鎖する大規模な柳幸典の展覧会を、私たちも彷徨いながら楽しみたい。

柳 幸典「ワンダリング・ポジション」＠BankART Studio NYK 2016

野老朝雄
2018年「BankARTブログ」より転載

東京造形大をでて、ロンドンのAAスクールで建築系の先生につき、様々な意味で自由に生きてきこられ、5年間程、横浜にアトリエを構えられていた野老氏。NYKではシメイビールが好きで、いつも陽気に飲んでいて、でもそれは、何かにのめりこむために飲んでいるような酒の飲み方で、とにかくとらえどころがなかったのを記憶している。
そして作品はいうと、そのデザインや構造は緻密だけど、アウトプットされたものは、あまりグラフィック的な印象はなく、手作りのようなやさしい感じがするのが野老氏の作品の特徴だった。野老氏の思考のベースに流れているのは、建築やデザインなのだろうか?それとも邪悪なものなのか、愛なのか?
エンブレムデザインをゲットしたときに開催したNYKでのお祝い会。たくさんの友達、先輩、後輩、関係者が駆けつけてくれた。国家的な仕事の頂点に立った野老氏は、特に変わる事なく、ずっとシメイを飲み続け、やはり何かに取り付かれているかのように仲間とずっと話していたのが印象的だった。

高橋 寛＋晶子
2018年「BankARTブログ」より転載

坂本龍馬記念館でデビューしたお二人は、この間ずっと丁寧に建築設計の仕事を続けてこられ、現在の安定感のある信頼を勝ち得たチームである。建物としては、横浜市仲町台地区センター等が有名だ。川俣さんが横浜トリエンナーレ2005のディレクターの際には、建築ディレクターチームのチーフも担当された。(アトリエワン、みかんぐみ、藤本壮介でチーム構成)
「なぜ横浜に1988年にアトリエを構えたのか?」の質問に対して、「行政かなって」とぽろり。当時ロングヘアの若き北沢猛がデザイン室を率いており、横浜市の都市計画のセクションはとても吸引力があったそうだ。また長い期間アトリエを構えていた大津ビルのオーナーもすばらしく、芸術活動に対して配慮の行き届いた方で居心地が良かったそうである。実際、日本を代表する建築家、室伏次郎さん、飯田善彦さん等そうそうたるメンバーが同ビルに居を構えていた。BankART1929のスタートは2004年からだが、横浜では既に1988年から、創造都市界隈が始まっていたのだ。

オープンスタジオ＠BankART Studio NYK 2006

BankART Life《ROOM LGS》2005

作家紹介10
丸岡ひろみ
2018年「BankARTブログ」より転載

丸岡さんのすごいところは、ふわっとしていて、何でも吸収してしまうところだ。いや、吸収というより、包容という言葉の方が近いかもしれない。企業がビックサイトや幕張メッセで商売として行っている展示会のような構造に近いTPAM「パフォーミングアーツの見本市」を文化交流のイベントに昇華させてしまう。この変換は丸岡さんたちの、したたかさと努力と愛情がなければ成立しないであろう。その結果、実際に海外に公演が売れていくという「縁結び」の仕事もすごいけれど、このTPAMの事業の成立の仕方そのものが、「縁結び」の機能をもっていて二重にすごいなと思う。

具体的にいうと、資金は国際交流基金を中心とした様々な行政機関から助成金を大きくゲット。施設は、KAATのような県立や横浜市が推進しているBankART Studio NYKやYCCのような創造界隈拠点等に協力をあおぐ。国、県、市というみっつの行政機関の資金と施設をバランスよく繋げ、国際交流の舞台を構築推進しているのである。池袋から横浜に移ってきて、はや7年。これからも私たちは、もっと深く連動していきたいと思う。

※2021年12月よりTPAMはYPAM-横浜舞台芸術ミーティングとして活動している。

作家紹介11
矢内原充志
2018年「BankARTブログ」より転載

ダンスパフォーミングアーツグループ「ニブロール」を率いる矢内原美邦氏の弟。

活動当初はダンス衣装を担当していたが、現在はファッションデザイナーとして、独立した活動を行っている。BankART関係では、BankARTパブの制服、続・朝鮮通信使のコスチューム、BankART妻有のカーテンなどを手がけてもらっている。また関内外地区のシェアスタジオではリーダー核的な存在で、新・港区（153名のクリエイターが居を構えていた巨大シェアスタジオでも）の多くのクリエイターとコラボレートしながら、スパイラル（青山）での大きなショーを成功させている。最近は、ファッションデザイナーの領域を越えて、都市計画のコーディネートのような仕事にその活動は広がっている。故郷、今治を中心に建築家伊東豊雄の「塾」を導入したり、建物を誘致したり、人と人のつながりに関係する仕事を展開している。ご存知の方も多いかもしれないが、矢内原兄弟は四国の名士の流れをくみ、矢内原伊作（ジャコメッティ研究／詩人）や矢内原忠雄（東大総長）の直系にあたる。大げさかもしれないが、全体を俯瞰しながら社会を牽引する、丹下建三や村上水軍を生んだ今治の血が流れているのかもしれない。

TPAM @ BankART Studio NYK

BankART Life III「新・港村」2011

村田 真

2018年「BankARTブログ」より転載

村田氏は、BankARTスクールの校長を14年間、継続して担ってもらっているが、横浜に関係してからのもうひとつの顔は、「絵描き」としての村田氏だ。元々造形大学の絵画（油画）科出身の村田氏であるが、大学2年の頃に絵を描く事は諸事情でやめたらしい。それからは「ぴあ」のスタッフとして、その後はフリーランスのジャーナリストとして、彼が日本の現代美術界ではたしてきた役割は大きい。

BankARTの関係で、横浜に関わってからは、大きくハンドルをきって長い期間封印していた「絵描き」としての活動を始めた。横浜の地に多くのシェアスタジオが誕生したのもひとつの理由だろうが、村田氏も個人アトリエを設け、淡々と絵画制作の活動を続けている。今回のトークでは、ジャーナリストとしての村田氏ではなく、絵描きとしての14年間の活動を話された。現在、ジャーナリストと絵描きの二足のわらじを続ける村田氏だが、BankARTスクールでのゼミや黄金町ゾーンで開いているレクチャーなどで、横浜の美術界の土俵を常に持ち上げてくれている。

西田 司

2018年「BankARTブログ」より転載

西田氏は、ヨコハマ創造界隈でも、群を抜いて成長している建築事務所、「オンデザイン」を牽引しているリーダーだ。最近は、都市に関わる大きな仕事も手がけており、建築家というよりもコーディネーターとしての役割が増えている。都市を開くというキーワードのもと、都市の中でコミュニティの形成や共有の新しい仕方を様々な建築的な手法で実験し、切り開こうとしている。10年前に計画したアパートメントが、そうした氏の代表作として位置づけられているが、現在は大学の寮のような大規模物件まで手がけるように展開してきている。さらに、最近は大手の企業とリンクし、都市再開発に関わる実験事業も手がけており、その勢いはとまらない。数人でスタートしたオフィスは、現在は数十人を要する大所帯。大きくなるとハードルも高くなるとは思うが、ここしばらくは地域のクリエイターとのコラボレーションも含めて、ヨコハマ創造界隈を引っぱっていくことだろう。

《絵画芸術》@BankART Studio NYKブックショップ 2011

ヨコハマアパートメント@横浜 2009

作家紹介14
中村恩恵
2018年「BankARTブログ」より転載

作家紹介15
松本秋則
2018年「BankARTブログ」より転載

中村氏は重要なダンサーとコラボレートした海外公演も数多く、芸術選奨文部科学大臣賞（2011）、紫綬褒章（2018）等の賞もとられているし、新国立劇場のような大きな施設でも見事な仕事をされる方だが、BankARTではむしろ小さめのものをこれまで数多くお願いしてきた。BankARTスクールでも少人数のゼミを担当してもらったことがあるし、NYK内にレジデントアーティストとしてスタジオを設けられていたので、日頃の活動もよく目にしていたからかもしれないが、すごい人だとわかってはいるけど、気軽に声をかけさせていただき、様々な催しにこれまで参加していただいた。

今日は、なぜコンテンポラリーダンスを行うようになったかという話を生い立ちも含めて伺った。立っているだけで美しい人で、こんな人が横浜にいるというだけで、横浜はもっと自慢してもいいと思う。本当にこれからが楽しみな人だ。

国内外で活躍する松本氏は、BankART1929横浜／現在のYCC（旧第一銀行）での「Bamboo Bank 緑陰銀行」（2006）を皮切りに、市庁舎ホールでの作品（2008、2014）や越後妻有、瀬戸内などの国際展、彫刻の森美術館での個展など、広い空間を使った大型のインスタレーションを数多く展開してきた。

2010年からは、BankART Studio NYKの年間レジデンスアーティストとして「アキノリウム」と称した小さなアトリエを拠点にしながら、ソウルや光州、ニューヨーク、中国の銀川現代美術館などの海外の空間での活発な活動が続いた。アトリエでは、朝9時〜17時頃まで黙々と制作されているが、NYKを訪れた家族（一般の）が窓から作業の様子を覗いているのを見つけると、サービス精神旺盛に、スタジオに招いていたのが印象的だった。

BankART Studio NYK閉鎖に伴い、現在は大磯に引っ越されたが、引き続き、元気に作家活動を続けられている。BankART1929でもまた、仕事をお願いするつもりだ。

《Twosome》BankART Life III「新・港村」 2011

「緑陰図書館2020」＠BankART Temporary 2020

対談：池田修＋XX

Dialogues: Osamu Ikeda + XX

「僕は田中信太郎さんの弟子だと思っています」

聞き手：北川フラム（市原湖畔美術館館長）
2020年「田中信太郎─風景は垂直にやってくる」（市原湖畔美術館）より転載

北川：田中信太郎さんは1940年生まれ。僕はその6年後の1946年生まれ。池田さんは17年後の1957年生まれです。僕が最初に田中信太郎さんにお会いしたのは、1969年のパリ青年ビエンナーレに田中さんが選ばれた頃。ビエンナーレのコミッショナーだった東野芳明さんと田中さん、そして宇佐美圭司さん、原広司さんとご一緒する機会がありました。僕はネオダダも、ホワイトハウスもよく知りませんが、田中さんは高校卒業後すぐのデビューを含め、時代の寵児のような存在で、日本の現代美術の山並みのいいところ、最も元気な時代を生きた珍しい作家だと思っています。今回の展覧会で池田さんには企画協力をお願いしているわけですが、現代美術の現場を裏方として第一線で支えてきた池田さんに、田中さんはどんな風に見えていましたか。

池田：田中さんとの出会いは、1982年、Bゼミに入った時です。ただ、その前から田中さんのことはかなり調べていて、田中さんがいたからBゼミに入ったと言っても過言ではありません。田中さんに憧れていました。ところが一年程で田中さんは病気になり、授業がなくなくってしまった。ですから田中さんの新作を見たのは、復帰してから。1985年に東京画廊で発表された「風景は垂直にやってくる」が最初です。

北川：田中さんがBゼミで教え始めたのは30歳の頃。「楽しくて楽しくて」とおっしゃってますね。

池田：面白い授業でした。最初の授業は、石ころ等をひろってきて、それを自由に設置してみろ、というものでした。リラックスした雰囲気でしたが、実践的で、厳しかった。

北川：ご自分と同じような経験を生徒にさせようとした。

池田：田中さんは早熟で、大人の世界にバーッと入っていった人ですよね。Bゼミはそういう役割を果たしていたように思います。アフタースクールには必ず野毛に行って、飲む。でも絶対にお金を払わせてくれなかった。「大人になったら出しなさい」と言われました。六本木とかのいい店にも連れて行ってもらいました。田中さんは、倉俣史朗さん、内田繁さん、安藤忠雄さんが子分のような存在で、そういう人たちを学生にもどんどん紹介してくれました。僕たちは興奮した。

北川：Bゼミの生徒にはどんな人がいましたか。

池田：大学を卒業した人、若い人もいましたが、大人の人が多かった。
芸大の学生だった頃、川俣正さんももぐりでよく来ていたそうです。Bゼミが気になって仕方ないという風でした。やがて川俣さんがBゼミで教えるようになって、僕は彼についていくことになるわけです。

北川：Bゼミを主宰していた小林昭夫先生がすごかった。

池田：講師の先生たちは一流でした。小林先生は、先生さえよければいいんだ、と言っていました。宇佐美圭司、柏原えつとむ、はじめ、元気なアーティストが教えに来ていた。針生一郎、中原佑介、多木浩二、藤枝晃雄、谷新など、優秀な評論家やジャーナリストもいました。小林先生は実にいいアンテナを持っていたと思います。
田中さんが病気でいなくなり、他の先生たちも文化庁の海外派遣などでいなくなってしまうと、僕たちは自主ゼミをやるようになりました。小林先生がすごいのは、僕たちが呼びたい人を自由に呼ばせてくれた上に、その講師料を払ってくれたことです。

「かたちの発語展」＠BankART Studio NYK　2014

浅田彰、中沢新一、村上陽一郎、三浦雅士、荒俣宏など、今考えると、すごい面々です。空白になったがゆえに、自由にできた。

北川：Bゼミの経験や雰囲気は、BankART schoolに受け継がれている。

池田：BankART schoolは、一般の人も入れるという意味で、大学のゼミとカルチャーセンターとの中間のような存在ですが、内容は大学院の講座レベル。カルチャーセンターと違うのは、半年、一年と続くので、チームが出来て仲良くなるというところです。

北川：ホワイトハウスはどんなだったと思いますか？

池田：壮烈ですよね。あれにはついていけないな、と思います。肉体的で暴力的。

北川：1960年代は社会も美術も坩堝にいるような感じがします。

池田：60年代は「個」と「社会」が一対一で対面する、個が侍のような感じ。それがだんだん「チーム」対「社会」になっていき、僕らの時代はどんどん温度が下がっていって、ぐるっとまわって再び「個」対「社会」になった。60〜70年代はアーティストの意識も、ポピュラリティも強い。評論家もバンバン出て、前衛が表に出ていた。今はそれがありません。

北川：田中さんが病気になられた時、どう思いましたか？

池田：実際は5年近く闘病されていたわけですが、もっと短いと思っていました。その間、音信はありませんでしたが、自分は田中さんの弟子だと思っていて、頭の中にはずっと田中さんのアーカイブが入っていました。

北川：池田さんは1990年にヒルサイドギャラリーで田中さんの展覧会をキュレーションしています。

池田：中原浩大さんとの二人展です。二人展になったのは、田中さんに個展をお願いしようとしたら、「東京画廊に挨拶してないだろう」と怒られたからです。2014年にはBankARTで「田中信太郎　岡崎乾二郎　中原浩大〜かたちの発語展」を開催しました。中原さん、岡崎さんは田中さんが大好きでした。

北川：田中さんには僕たちは随分コミッションワークをお願いしました。現代美術の作家はコミッションワークを「発注芸術」といって嫌う傾向がありますが、田中さんの仕事は本当にレベルがよくて、そうした偏見をなくす質をもっていました。

池田：田中さんのアトリエには模型がいっぱいあって、それも売っていました。田中さんは「作品で食う」ということを意識していて、頼まれたら何でもやる、という覚悟をもっていました。一方で個展を重要と思っていた。フルコースも、焼き肉も何でもできる、いつも料理をしている料理人、という感じです。何度も大学の先生になってくれ、と頼まれていましたが、断っていました。

北川：模型もいいレベルで、驚きました。毎日修練している感じが伝わってきた。

池田：コミッションワークも代表作は原点となる作品をダイナミックに引いた表現となっています。ブリヂストン本社ビルの作品は風景は垂直からやってくる、札幌ドームの作品や越後妻有の赤とんぼは「ハートのモビール」が原点です。

妻有 桐山の家にて、田中信太郎と池田修

北川：失敗作がないのがすごい。ひとつひとつの
完成度が高い。

池田：「風景は垂直にやってくる」は、ナイル川のデ
ルタと落雷を重ねて表現した作品ですが、Google
Earth の俯瞰図と立面図の一致を、25年も前に田中
さんはやってしまっているわけです。この作品で田
中さんは復活するわけですが、僕は田中さんは光
琳や宗達に向かったと思うんです。病床で田中さん
は、現代美術の潮流を引用して作品をつくっても、
海外からは亜流とみなされ、評価されない、では、
と考えたのだと思います。日本美術の装飾性は、イ
ンテリアや応用アートにつながった。田中さんが倉
俣史朗さんを尊敬し、デザインに興味をもったのも、
そうした嗜好があったからでしょう。

北川：田中さんは天才的にうまかった。だからなん
でもスーッと消化していけた。苦闘の痕を見せない。

池田：田中さんと日立との関係も見逃せないです
ね。彼は日立を捨てなかった。床からずーっと海を
見ていたといいます。日立の若い作家ともよくつき
あっていた。万博で稼いだお金でアトリエを作った
時、すでに一生ここでやっていこうと決めていたの
だと思います。

北川：田中さんには、定点があったのですね。

2020年6月24日　BankART Temporary にて

199

池田修×岡部あおみ

2007年11月15日
武蔵野美術大学岡部ゼミにて

岡部：池田さんはBankARTの立ち上げ、開館のころから関わってらっしゃって、今回2期目にあたるんですよね。今日は私のゼミ生を中心にアートスペースの活動に関心のある芸術文化学科の学生、また映像学科の研究生になっている英国のノッティンガム大学大学院生でキュレーションを手がけたり、アートスペースについて勉強している英国の学生も参加させていただいてます。

──池田修によるBankART事業等のプレゼンテーション（略）──

岡部：ありがとうございました。池田さんの個人的なPHスタジオの活動から始まり、現在にいたるバンカートのディレクターとしての運営や企画の幅広い活動についてよくわかりました。横浜は都市刷新の事例としても関心がもたれているので、多くの方々が研究にも来られるのではないでしょうか。

池田：おかげさまで視察が多いですね。何が珍しいのか分んないけど、地方や、外国からもいっぱい来ますね。

岡部：8,000万円の運営費を自前で稼ぐこと自体が、まずすごいと思ったのですが、内訳で一番多いのは、どういった領域での収益でしょうか。

池田：みんなバランス良いんですよ、パブが1,300万、ショップが800万、スクールが1,000万欠けるぐらい。それがベースであって、主催事業は当然、収益がありますから、あとは会場レンタル。レンタル費を安くしても、それは小さくないです。

岡部：BankART Studio NYKのスペースは広いですが、レンタル費はどのぐらいでしょうか。

池田：NYK全体で貸すわけじゃなく、2階のスペースが全部で1,000平米ぐらいで、それを3分割して1ブロック300平米。それが1日で6万。さらに長期減免で、2週間借りると半額になるんですよ。だから例えば42万×1/2ですから、21万で1ブロックを2週間借りられる訳。普通のギャラリーに比べたら絶対安いですね。公設だからやれるんですけど。美大や大学との共催はいっぱいあり、1〜3月は学生展が多くて、東京藝術大学の先端芸術表現学科は今回全館を使いますよ。高山登さんの指導でやってます。

岡部：何回も繰り返し使用するところもあるんでしょうね。

池田：リピーターは多いですね。持ち込み企画の開催の為に、主催の企画は『ランドマークプロジェクト』とか、屋外でできるものに切り替えたりしますね。タイムシェア、スペースシェアをしてるわけです。

岡部：1,000件の申し込みでは、展覧会系が一番多いんですか。

池田：イベントも多いですね。うちは展覧会、とかパフォーマンス、っていう区別はしないです。街づくり系の会議の使用も多いですね。最近だったら「福祉とアート」みたいなシンポジウムをやったりとか。やっぱり行政らしからぬ行政の施設ですから、ゆるさがあって使いやすいみたいですね。減免は多少しますけどお金はきっちりいただいてますけど（笑）。

岡部：ダンスとパフォーマンスの兼ね合いなどはどうでしょう。

池田：そこは区別してませんね。大野一雄さんのマネジャーをされてる溝端さんが、パフォーマンス系を見てくれてますが、パフォーマンス系のメンバーはちゃんと内部でいるので。あとニブロールの矢内原美邦さんに企画外部委員をしてもらってます。「カフェライブシリーズ」なんかそうですね。ダンスや演劇だからといって、スタッフを分けたりはしてません。

岡部：展覧会も演劇やダンスも、運営費の8,000万円の中から予算を立てて、区別なくなさってるんですね。

池田：8,000万貰っても、先ほど話したように結局残るのは2,000万ぐらいですけどね。だから人件費

BankART1929 Yokohama のショップ

アプローチの《ハンガートンネル》

も保証されてません。館の管理をする最低限の人員しか加味されてないんですよ。人件費を保証されてないのがこの施設の特徴で。企画展に3,000万かけて、100万しか回収できなかった、大赤字だ、となると皺寄せは人件費に行くんです。だから絶対に稼がないといけないっていう。

岡部：稼いだ中から、人件費がまかなわれるのですね。

池田：そうです。スクールの授業なんかは、ちゃんと人件費が捻出できるような計画を立てますね。

市政の中でのBankART

岡部：やはり横浜市としては、ここまでBankARTが展開してきたことを認め、評価した上で、2期目の事業継続を決めて、池田さんに依頼したわけですね。

池田：もちろんそれはあるでしょう。ただ実を言うと、2009年まで協定を結んでBankART事業は継続なんですけど、2010年以降については分からないんですよ。もし2010年以降も継続するんであれば、今のNYKの倉庫は借りてるものなんで、あれを土地ごと買わないとダメという可能性もある。恐らく60億〜70億円くらいなんで、いくら評価されてもかなり厳しい状況です。

岡部：それはNYKの倉庫の借用期限が切れるということですか。

池田：いや、持ち主の日本郵船さんが開発をするとなると、あそこはものすごい良い場所なんで、超高層マンションとか建てたらほんとにたくさん人がくるでしょうから。

岡部：川縁で、気持ちがいい場所ですから。

池田：そうなんですよ。横浜市としては、あそこを日本郵船に開発させると安定した税収が見込めるんですね。それを捨てて、逆にお金を払ってくれるかっていうとハードル高いです。市政にとっては、ほんとに大きな、十年単位の事業の一つなんですね。でもそれをためらってくれてることは確かなんですよ。100億使ってもいいって思ってくれる人がいるくらい。

岡部：でも今度は、それだけ多額の資金を出してもいいという人がいるなら、新しい建物を建てましょうということになったりもするのではないでしょうか。

池田：それはないですよ。倉庫そのものを使って、古い建物を残しつつやりたい、っていうのが横浜市の意向なんで。

岡部：若手の中田宏市長が現代美術が好きということもあるんでしょうか。

池田：いやたぶん興味ない人だと思います。彼は本当に勘がいい人ですが、自ら現代美術の本を読むとか、そういうことはしてないと思います。ただ、見た作品については素晴らしくきちっとした反応をしますね。

岡部：この事業が重要だとは感じてらっしゃるんでしょうね。

池田：そうですね。重要というか、ご自身がゴミ問題から出てきた人ですから、古い建物を利用して地域を元気にしていくことが、彼の政治的なポリシーに一致してるんだと思います。

第3回トリエンナーレに向けて

岡部：ZAIMの建物は、財務省か何かの管轄でしたね。

池田：もと関東財務局のものだったものを、現在は横浜市が持っています。だからって安泰って訳でも

《横浜かくれんぼ　ずいっと野毛山あたり》2004

《新潟 - 横浜チューリップフロープロジェクト》2007

ないんですけどね。建物自体の問題で、古いので耐震とかね。今の法律に合わなくなってきてますし、それを直そうとすると莫大なお金がかかってしまうんですよ。

岡部：古い建物は雰囲気もあるし安くていいんだけれど、改修の必要や地震などの危険性は常にありますね。

池田：ちなみに次回のトリエンナーレで、BankART Studio NYKを主会場として使うことになったので、2階3階を大きく改装します。みかんぐみさんにお任せして。でも横トリの間まったくスペースが使えないのは辛いので、BankART Miniというのを1ブロックだけなんですけど、1階のスペースに作ることにしました。そこがトリエンナーレ期間中、BankARTが使えるような空間になります。

岡部：トリエンナーレ期間は、トリエンナーレ専有空間として使わせてあげるわけですか。

池田：2階3階に関してはね。トリエンナーレの工事中の来年の4月から7月は構造や防災をテーマにした展覧会やシンポジウムもやっていきます。BankARTスクールでもそういったゼミを入れてます。今も建築系の相当優秀な方たちに来てもらってて、いろいろ研究をしてます。建物の改修は古い建物だと止まってしまうケースが多いんですね。手を入れようとするとほとんど1からやり直し、みたいな話になっちゃうんで。それに対する1つの範を示せると思うので、オープンにしてむしろ改修の様子を見せて、発信していくプロジェクトへの切り替えをしてますね

岡部：今は建築物の構造問題が話題になっていますし、構造や防災などの新たな形や可能性を示す

のはいいことですね。

池田：横浜だけの問題じゃなく、全国にある歴史的建造物や公安の倉庫を、活用したいんだけどお金の問題でできないという例は多いんですね。それをなんとか、きちっとした回答を出して示していきたいなあと思ってます。

BankART 妻有／BankART 桜荘

岡部：先ほどはご説明にはなかったのですが、妻有で新しくBankART妻有を作られましたよね。夏だけとか、妻有のトリエンナーレ期間だけではなく、それ以来ずっと活動拠点にしているのでしょうか。

池田：妻有の次のトリエンナーレに照準を合わせて、今は作業しています。あれはみかんぐみを中心に最初はやってもらいました。今は100人ぐらいアーティストを誘って、カーテンや取っ手や手すりといった部位を、彫刻家などにお願いして作っていってます。それで2年後のトリエンナーレでもう一度発表するという形にしようかと。使用だけでいうなら、今年の夏も合宿がありました。

学生：これまで運営などでトラブルや困ったことなどはありますか。

池田：よくあるのはダブルブッキングでもめたりね。そうすると市長に苦情の手紙が行ったりするんですよね（苦笑）。決定的なのはやはり忙しいってことでしょうか。スタッフも大分力を付けてきたのは事実なんですが、それよりも仕事の増加量が勝ってしまってまして。BankARTと組んでなんかやりたい、って思ってもらえるのは非常に有難いんですけどね。

岡部：アーティストインスタジオの場合は、バンカートでは制作の場所として使ってるだけで、住む場所

BankART 妻有 桐山の家

《Private EIZONE》 2006

はそれぞれ皆さん見つけているのですね。

池田：そうですね。原則はスタジオのみです。ただBankART桜荘ができたので、3名まではなんとか滞在できます。スタジオに入るときに桜荘の利用も込みという方は増えてます。滞在スペースはもうちょっと増やしたいですね。

岡部：その場合、滞在するアーティストはどのくらい支払うことになるのでしょう。

池田：桜荘の場合、一般の人で1日1,000円だったかな。

岡部：安いですね。スタジオの方はバンカートで選ばれれば無料ですよね。

池田：もちろん。借りる場合はだいたい北仲と一緒ぐらいですね。1平米で1,000円ぐらい、つまり50平米で5万。そんな大きなやつはないので、大体みなさん20平米で2万円ぐらいですね。

岡部：すごく安いですね。滞在しているアーティストに関しては、スタッフが必要であればいろいろアドバイスや手伝いもなさるのでしょうね。

池田：そうですね。基本的には自立性を重んじてるので、こちらとしてはオープンスタジオをしたり、会合を作ったり、チラシを作ることを進めたりね。それぐらいですかね。

学生：BankARTは横浜市内の方々にはかなり認知されていて、近場の方々が来られるという状況が生まれてるんでしょうか。

池田：住所録を見たら分かるんですけど、横浜より東京と地方の方が圧倒的に多いですね。勿論横浜でも認知はされてるけども、横浜市民は東京を向いて住んでるんですね。通勤したりとか。その人たちが注目するよりは、むしろ地方都市でこういった新

しい仕組みで何か文化事業をやりたいというアンテナ張ってる人が一番来てくれてますね。横浜市民は、住所録でも3万件のうちの6,000程度ですから。

岡部：現代アート系だと、若い人が多いでしょうか。

池田：いや、うちは多分年齢層が高いと思いますよ。例えばスクールはスーツの人ばっかりです。それも一流企業の課長クラスとか。授業料がちょっと高いのかな、はありますけどね。学生は大体授業のアシスタントを希望してきます。それならタダで授業に出られるので。

岡部：お話がつきませんが、時間になりました。今日はダイナミックなBankARTのお話をしていただき、本当にどうもありがとうございました。

文字起こし：望月紀代（学生）　編集：岡部あおみ

追記：武蔵野美術大学で教鞭をとっていた時に「カルチャーパワー」というwebサイトを創設した。ゲストで講義に来ていただいた池田修さんには、その講義とインタヴューを起こして、後にカルチャーパワーで公開したいという旨を伝えていた。非常に充実した内容だったので、文字起こしと編集に時間がかかってしまった。最終校を池田さんに見てもらいアップの作業に入る予定にしていたが、超多忙な池田氏のこと、彼からの校正が戻らず、残念ながら未公開のままとなった。今回見直しても池田氏のエネルギーを実感できる、学ぶことの多い内容である。早すぎる死を心から悼みつつ。（岡部あおみ）

アーティストが街に1人住めば…

インタビュー：2016年7月7日（BankART Studio NYKにて）　聞き手：浦 絵美・八田雅章・長澤 徹
2016年「JIA Bulletin2016年9月号」（日本建築家協会関東甲信越支部）より転載

歴史的建造物や産業遺構などを文化芸術に活用し、都心部再生の起点にしていこうという、横浜市が推進するクリエイティブシティプロジェクトのひとつ、BankART1929。旧日本郵船倉庫を改修したBankART Studio NYKを拠点に、現代美術の作家を育て、クリエイティブシティ実現に向けてさまざまな活動を行う池田修さんにお話をうかがいました。
（聞き手：Bulletin 編集委員）

BankART1929 の名前の由来を教えてください。
Bank＋ARTです。最初に活動の拠点としていた旧第一銀行、旧富士銀行のふたつの銀行だった建物を文化芸術活動の場にという意味を込めた造語です。1929年はこのふたつの建物がともに竣工された年であり、世界恐慌の中、ニューヨーク近代美術館が設立された年でもあります。現在は紆余曲折あり、元港湾倉庫の建物を運営しています。

どうして横浜で活動することを選んだのですか。
僕が選んだというより、選ばれたと思っています。じつは名古屋の港湾地区に大きな倉庫が残っていて、そこを将来的にアートスペースとして、どのように運営できるか案を作っていたのですが、実現には至りませんでした。たまたま同時期の2003年末にこの場所をどう活用するか、横浜市の運営者公募コンペがあり、名古屋で考えていた事をベースにした案が通り、2004年3月に事業がスタートしました。

BankART1929 の活動を教えてください。
横浜市はクリエイティブシティの実現に向けて、4つのプロジェクト（ナショナルアートパーク構想・創造界隈の形成・映像文化都市・横浜トリエンナーレ）を推進していましたが、この中で、「創造界隈の形成」が私達に与えられた最も大きな使命だと捉えています。

具体的には、カフェ＆パブ、ショップ、スクールなどのベースになる事業を重要視しながら、展示等の主催およびコーディネート事業で年間約350本に及ぶ事業運営を行っています。
横浜の都市の歴史や経験を引き継いで、歴史的建造物や港湾都市的なロケーションを生かしながら活動を行ってきました。この場所を文化芸術を発信する場にするとともに、街と協働し、食に代表される生活文化、都市、祭り等の多様なジャンルの人々と交わり、市民や専門家、国内外からの提案を幅広く受け入れ、この施設を開かれたものにしてきました。

最近BankARTでは韓国を多く取り上げています。
BankARTはアジアから見ると、アートについて経済も含めてきちんとやろうとしている実験事業なので、国内外の行政視察は年間200を越え、海外からの視察も非常に多くあります。
その中で特に韓国は芸術部門に力を入れていて、全国各都市から視察に来ていたのです。それに対して何かできないかと思っていたところ、たまたま朝鮮通信使のことを知り、まず2010年に日朝関係の歴史家である仲尾宏さんにBankART Schoolで8回授業をお願いし、さらにBankARTの日韓の都市や施設のネットワークとリンクさせて「続・朝鮮通信使」を実施しました。日本韓国間を何度も行き来する中で、日本の都市同士さらに韓国の都市が繋がり、だんだん膨らんできました。
台湾についても台湾と日本の作家を3か月ずつ滞在して制作するという交換レジデンスプログラムが12年続いています。そうした活動の中で、歴史的に横浜と台湾との深い繋がりを知ることができ、その大きな流れの中で現在活動していることを感じています。

ひとつ突き詰めると、広がりますね。

「ひとつ突き詰める」ことは僕たちのキーワードです。もともとのBankARTの活動テーマに「国内外のネットワークの構築」がありますが、国内外＝世界中となるとあまりに広すぎます。だからまずは、「続・朝鮮通信使」で韓国と国内と地方都市とのネットワークの構築、都市としては台北、最近ではベルリンだけに絞りました。何かひとつを突破した方が、結果的に全体性をもつことができるので、そのようなやり方をしています。

多くの人に現代美術に興味をもってほしいですか。

それはないです。「ひとりでも多くの人に」という考え方には時間軸が入っていませんね。千年や1万年という時間軸に耐えられないものは美術とは言えません。もちろん人が入らなくてもいいとは思いませんが、人数が来て成功だというあり方に僕はまったく興味がありません。その時に受けたとしても残るものはほとんどないことを歴史が証明しています。いま受けなくても、自分たちがいいと思ったものはやらなくてはならない。BankARTはそういうチームです。ただ、自らの企画も強く打ち出しますが、市民やアーティストなどのオファーを可能な限り受け入れ、コーディネートすることに最大の力点を置いてきていることも事実です。

横浜には至る所にアートがあり活性化しています。

前市長の中田宏さんの前の当時参与だった元横浜市都市デザイン室長北沢猛さんが大きく推進したことは確かです。北沢さんは、都市から切り離したアートではなく、街の建物、歴史、交通や人のとの関係のなかでアートの役割をとらえようとしていたかと思います。彼はアートのもつテンポラリーだけどインパクトのある瞬発力と都市の継続的な開発がリンクできると歴史的に理解していて、それを横浜で実践し

たかったのだと思います。だから横浜のまちづくりの試金石となるプログラムとしてトリエンナーレや創造都市を位置づけました。ところが現在は、残念ながら狭い範囲のアートプログラムになり始めています。

現在日本の都市に足りないものは何でしょうか。

現代美術のアーカイブはこの30年分ありません。現代美術の展覧会数は確かに増えてはいますが、常に接する事ができるパーマネントコレクションになってはじめて本物ではないでしょうか。

海外では、大きな倉庫などをリノベーション（転用）してアートスペースにしている施設が多いです。日本でもそれをやらなければならない時期に入っていて、そこで手を挙げるべきなのが横浜市だと思います。トリエンナーレ、倉庫群、土地が安くて広い……それに海運の面もあります。自分がBankARTを運営するとともに、新しいものにトライする重い腰をどうやったら上げられるか。そちらに力を入れないといけないと思っています。

建築家に向けてメッセージはありますか。

アートは、時代を先取っているというか常に予感を示してきました。そこを見ていてほしいです。単純に計画やデザインの参考として見るのか、それともリスペクトすべき存在として見るのか、それでアートに対する接し方が変わってきますし、空間の性質や街全体の見え方が変わってくると思います。

日常や建築の計画や経済構造の中で滑り落ちていく様々な「とらえがたい」ものを、アートは常にテーマにし、格闘し続けています。アートを腫れ物、わからないもの、変人だとして遠ざけるのではなく、アーティストが表現している世界に正面からつきあってもらえるといいなと思います。

le 12 Juin '96 Daikanyama   Kuzii

きちんとしたゲリラ
―PHスタジオ時代
A Well-Mannered Guerilla
– PH STUDIO Days

PHスタジオは美術＋建築＋写真家からなるユニット。発足は1984年。「家具」「家」「都市」「美術」といった既成の枠組みに対して、「棲む」というキイワードでこれらの解体と再読を試みてきている。活動は、美術館やギャラリーでの展覧会、野外でのプロジェクト、建築設計等、多岐にわたっている。

都市に棲み続けること

1999年「新建築住宅特集1999年8月号」より転載

PHって何?

PH STUDIO の PH って何の略なの? というのが、いつも聞かれる質問だ。命名は川俣正氏。PH STUDIO（以下、PHと略）の初期の頃につくった小冊子には Power Hip、Poor Head、Pure Heart、Parasite Host などと記してある。正式名称は不明だが"パワーヒップ"が通称だ。PHのスタートは、その川俣さんが磯崎新氏の設計した赤坂のバーのテナントビルの内装の一部と吹抜け部を担当したときに、Bゼミスクール（横浜にある現代美術の寺子屋）の学生と一緒にプランニングを行ったのがきっかけである。ゼミ終了後も何か一緒にできないかということで、他に建築系のメンバーも加わり、1984年に東京・原宿に小さな事務所を借りた。ところが川俣さんは、ニューヨークへ2年ほど留学してしまい、メンバーと事務所だけが残った。さてお父さんはいないし、何しようかということになって始まったのがPHスタジオだ。

《家具φ》 1984〜

家具φ

PHが始まったころ（1984）はバブルの最盛期。ありとあらゆるところで、建築工事中のビルや、現れては消えていく奇妙な空き地群を目のあたりにする。そこで私たちが強く印象を覚えたのはデザインされた建築ではなく、それらが生産され、捨てられていく「スピード」だった。そんな「スピード」としてのデザインの中で育った私たちは、新しい建築とは何か? 新しいデザインとは何か? ということを考える前に、デザインとは何か? ものをつくるとは何か? ということを考えざるを得なかった。

「壊れつつあるものをもっともっとこわすこと、捨ててあるものをもっともっとすててしまおうとすること」これは「家具φ」（1984、1985、東京）のコンセプト文の一部だ。

集まった人間が建築系と美術系の混交だったので、建築系は家具をデザイン、美術系は家具を使ってオブジェ（美術作品）、というわけにもいかず、自然と第三の道を求めることになる。それは、どこまでいったら（壊れたら）家具なのだろうか? どこからが家具になるのだろうか? といった原理的な「家具」って何? というテーマに収斂していくことになる。

> 捨てられた家具は、奇妙な表現だが、全てオリジナルである。私たちは、この廃家具を使って、リサイクルでも、美術作品でもない"家具φ"をつくることはできないものかと考えてきた。これらの家具のデザインは実際の古くなった（壊れた）家具からスタートする場合もあるし、まったくいちからデザインすることもある。共通しているのは、そのイメージの源泉はあらゆる家具のあらゆる使われ方（壊れ方）にあるということだ。生きられてしまった家具をそこからデザインすること。
>
> （1984、「家具φ」展カタログより抜粋）

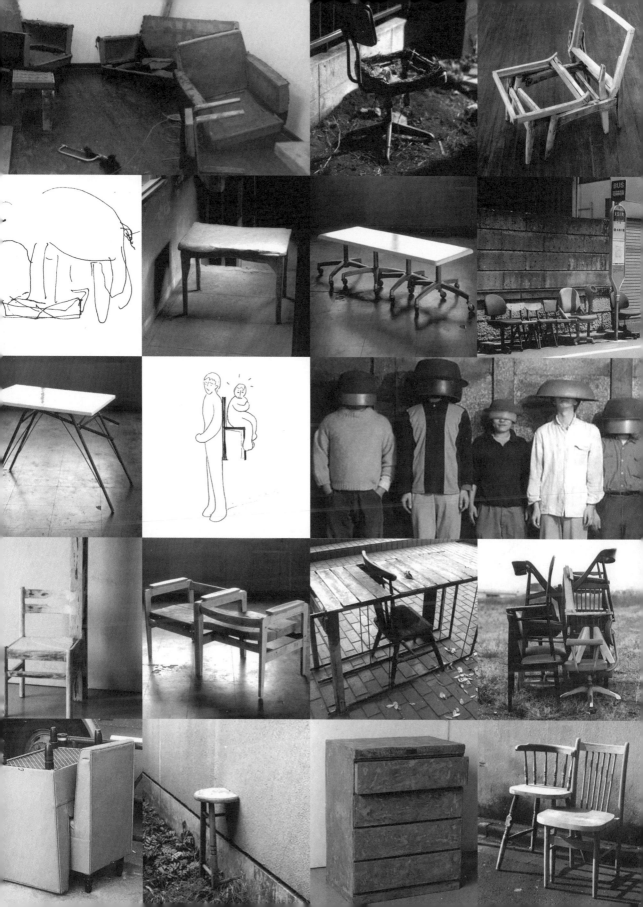

《ダンボール合戦in原宿》@東京　1985

《夏の虫の家》大倉山アートムーヴ'87@横浜　1987

大量生産された家具は、人が使うことによりオリジナリティをもち始める。私たちが家具（あるいは廃家具）を選んだのは、こうしたデザインを越えたアノニマスなエネルギーそのものの中に入っていくことに興味をもったからだ。またもうひとつの理由は、そんな家具のもっている特徴が、私たち集合体自身と呼応していたからかもしれない。個であること、集まりであること、建築（構造または構築）的であること、身体的であること、どこにでもいけること、捨てられるものであること、等々、集まった私たち自身の鏡面だったのだと思う。

ストリートチルドレン＝都市へ
始まりがそんな父なし子状態なもので、当然私たちの活動はストリートチルドレン化せざるを得ない。当時、原宿の街に落ちているものといえば、デザイナーズ・ブランドのきれいなロゴのついた段ボール箱。段ボール箱は積み上げると組石造のような感じもあり、弾性があり水平方向の梁のようなものも実現できる意外と構造的な素材。壊してはつくることができるスピード感もある。今思うとレゴ・ブロックを大きくしたようなものだけども、当時の私たちが、街に出て何かを表現していくには格好の素材だった。ホームレスに対する対抗意識（？）も手伝って、街の中に具体的な自分たちの場所を見つけていく突破口になっていった。それが「ダンボール合戦 in 原宿」（1985、東京）であった。

なくなっていくことの構築性
それから次の展開は空地。バブルでビルはどんどん建ち、土地はなくなっていくのだけども、建物の

襞だけは増えていく。そんな「ない」という空間を所有できることが当時の私たちには魅力だった。そんななかいくつかのプロジェクトを試みている。「ネガアーキテクチャープロジェクト」（1986、東京、1987、横浜）、「夏の虫の家」（1987、神奈川）、「ホームレスハウスプロジェクト」（1992、東京）、「HOUSE IN THE VOID」（1995、埼玉）などなど。これらはすべて「ヴォイド」から見た都市の像だ。空地からの都市像は内と外が反転し、生活と欲望とが背面と断面から迫ってくる。あらゆる情報を与えてくれる。「ない」ということのポテンシャル、「なくなっていく」という構築性を積極的にとらえようとしていたのだと思う。これらのプロジェクトも家具と同様に、「家」ってなんだろう？ どこからが家で、どこまでいったら家でなくなるのか？ という迷宮入りの疑義に対するアプローチだった（この頃はすでに実際の建築設計も手掛けていたが……）。この原理的に解けそうもない問いかけに対して、私たちは野外のプロジェクトを通して、何とか自分たちの感覚としてこの疑義そのものを引き寄せることを試み続けていたように思う。

きちんとしたゲリラ
「えびす—猫の抜け道」（1994、東京）というプロジェクトもこうした一連の流れのものだ。東京・恵比寿界隈にずっと事務所を構えていた私たちにとって恵比寿の再開発の方法は、何かとまどいを感じざるを得なかった。こんなとき、建築家やアーティストは、（というよりもそこに住んでいる人は）何ができるのだろうか？ 何を発語できるのだろうか？ その頃恵比寿に新しいギャラリーがオープンし、展覧会に誘われたこともあり、このプロジェクトを実行した。当時

《空き地の家 -House in the void》「風の通り道」展＠埼玉　1995

《「えびす」—猫の抜け道》＠オオタファインアーツ（東京）1994

ある美術館の広報誌に、私たちは次のような文章を
残している。

　過激なことや、変なことをするときは、新宿の
ホームレスの人たちのように、できる限りきちん
としていた方がいい。その方が、より長く生き続
けられるからだ。権威に向かってものをいうとき
も、ぼろは着てても背筋を伸ばして大きな声で
いいたいものだ。重要なことは届くことだ。この
百年間、「アジア」と「地方の知性」と「自然」か
らエネルギーを奪い取ることで成立してきた私
たち（都市）自身を覚醒させるためには、私たち
自身がより深く都市に入り込み、思考し、勇気
をもって発言していくことだ。宿主の不興を買わ
ないためには、自分の体を少しばかり変形し敵
意を歓待に変え（ミッシェル・セール）、都市の
経験を蓄積していくこと。そして、きちんとした
ゲリラを続けることだ
　　　　　（1995、埼玉県立近代美術館『美術講座』より抜粋）

意志ある建築家も同じ状況だったろうが、小さな集
合体であろうと、とにかく点を打っていくしかないと
いった当時の私たちの気持ちが強く文章に現れて
いると思う。

カンナシピモシリ（＝再びかえす世界：アイヌ語）
これは昨年大阪の国立国際美術館で行われた「芸
術と環境—エコロジーの視点から」というグループ
展での出品作のタイトルだが、そのカタログの中で
環境について次のようなことを書いている。

　局部的なエントロピーの減少を傘に、全体のエント
ロピー増に目をつぶることは、どう考えても偽善だ。
リサイクルという産業は、日本のどこかの地方やど
こかの外国の消費を速めているということをどうし
ていつまでも気づかないのだろうか？ 昔、おばあ
ちゃんから学んだ「もったいない」という知恵は、地
球にやさしいとか、リサイクルとか、エコロジーとい
う言葉で表現されるようなグローバルな正義として

《カンナシピモシリ》@国立国際美術館（大阪）1998

推進される産業構造とはまったく異なるものだ。もったいないという言葉で表現されるものは、もっと動物的な、個体としての環境に対する倫理的な配慮だ。それは、この世での自らの存在をある意味で否定しようとする＝死んでいこうとする、ことをも意味する。そう、死ぬことなどそんなにたいした問題ではないのだ。現在のエコロジー、環境運動がつまらないのは、自らの死をも含んだ動物的な自覚（というより、ごくあたりまえの動物としての本能）がないからだと思う。

これは環境に対してというよりもPHの作品（美術・建築問わず）のつくりかたそのものを示している。このアイヌ語とは別だが、「かえすこと」というのは故村野藤吾氏の名言だ。私たち自身もこの言葉から深く影響を受けている。一体誰に、どこにかえすのだろうか？これは建築であろうと美術であろうと基本的に変わらない問いかけだ。

建築設計以前のことPHで最近よく話題に上る建築設計の「ビフォア」（建築が建つ前の時間のこと）について。本当いうとアフター（建築が建った後の時間のこと）のことについても話題になっているけれども。

場所を選ぶこと（どこにつくるか、どこが力のある場所か？）

配置する（どの方向を向けてつくるか、どの方向に開くか？）

ボリュームとプロポーション（法規とは別に）

学生に対する課題設定のような設計以前のエレメントを、最近PHではくりかえし話題にしている。つまらなそうに見えるが、上記の項目をすべてクリアしている建物がほとんどない現実のなかで、これらのことを一生懸命議論するのも、あながち間違ってはいまい。たとえば立地が不便な公共建築の設計に携わったとき、駅からのバスの運行システム等にも建築家は口をだすべきなのだろうか？倫理と政治の問題として片付けるのは、せっかちだろう。そんなど

《カンナシピモシリ》@国立国際美術館（大阪） 1998

うにもならないことも含めて、設計していくことが重要なのだと考えている。

クライアントから設計依頼があると普通、プランを考えて模型をつくって事務所で会ったりする。でも最近PHはできるかぎり、クライアントといっしょに敷地にいって過ごすように心掛け始めている。敷地にテーブルを置く。一緒にお茶を飲む。こっちからいい風が吹くね、あっちは大きな車がよく通る、子供がたくさん遊んでいるね……などなど。そこらにある紙でも使って小さな模型をつくる。気さくなクライアントなら一緒に仮設のテントでも張って1泊くらいしてみる。通常のヒアリングを超えた設計以前の共有が可能となる。どこからを建築として楽しめるか？ どこまでを建築として考えられるか？ これらのたくさんの「ビフォア」が最近の私たちの関心ごとだ。

「棲む」ことと「住む」こと

建築設計するとき美術プロジェクトをおこなう時とどう違うか？ これもよく聞かれる質問だ。一番簡単な答えはそれは施主が違うからちがう。でも実をいうとそうではない。それは解く側の問題なのだと思う。建築家として解くか？ 美術家として解くか？ あるいはこの質問は次の疑問符に置き換えることができる。ある敷地があり、クライアントは10階建ての建物を建てたいという。建築家は、ここはこのまま草ぼうぼうの方がよいと思う。その時建築家は、10階建てをベストで設計する方をとるか、草ぼうぼうにしときなさいというか？ 私たちの解法は、たぶん建築でも美術でもなく「棲む」ということなんだと思う。都市に棲む動物として、自分たちの環境の生成について、より積極的に考えていきたいという意味だ。洞窟に

動物の絵を描いたネアンデルタール人はきっと自然のなかで住むことではなく、棲むことを強いられただろうと思う。その時に衣食住と絵を描くことが分離していたとは思えない。生命の危機に瀕するときさえ、ひょっとすると現在でいうところの「美術」を選んだ可能性だってある。現在の「住む（建築）」という言葉の中に、この「棲む」という言葉が欠落しているのだと思う。一方美術の世界は、動物として基本的な「衣食住（生活）」の問題をあまりにも見落とし過ぎているように思える。都市空間（生活空間）を忘れた美術など、そこに実際に棲む人びとに対して何の発信力ももち得ないと思う。私たちの活動に少し特徴があるとしたら、建築設計するときも、美術作品をつくるとき（といわれているジャンルで活動をするとき）も「棲む」という言葉を基底にすえているからだと思う。もちろん現在は原始時代ではないし、DIYを求めているわけではない。専門的、技術的にエスタブリッシュしていくことについて努力を惜しまないつもりだ。また建築設計を行うとき、住むことに対して誠実でありたいとも考えている（「設計の仕事は最低限誠実であるべきだ」。これはあるとき原広司氏から教えていただいた大切な言葉だ）。 ただ同時に、社会における動物としての空間の奪取の方法についても身につけていきたい。そして住まされるのではなく、より積極的に都市に棲んでいくこと、場所を見つけていくことが私たちのこれからも続いていくテーマだ。

祖母とインテリア

1995年「DREAM（どりーむ）1995年7月号」（どりーむ編集局）より転載

昨年永眠した僕の祖母は、毎朝六時に起きて、汚れてもいない障子や廊下を何度も何度も掃除するのが日課だった。また風の強い日でも、よその家の前までよく掃除していた。小さいころの僕は、何故汚れていないのに雑巾がけをするのか、何故よその家の前まで掃除するのか不思議に思っていたが、普段見慣れた廊下が、突然黒びかりしていたり、風の舞う日でも、うちの表だけゴミが散乱していないのに気がついて、時折はっとしたり、納得した記憶が残っている。また祖母は、水の使い方も上手だった。お茶碗のごはんつぶは、食後のお茶で落とし、ほとんど水を使わないで洗い物をしていたし、お風呂の水は、洗濯の水、掃除用そして庭や軒先の打ち水へと、順に使っていた（念のため付け加えると僕の家は別に不自由な暮らしをしていたわけでなく、むしろ恵まれていた方だった）。とにもかくにも祖母は、祖父に従い、僕にもとても優しい明治生まれの女だった。ただ、今思うと、祖母の内へ向かう日常性のなかには、家族や家の空間を越えて、現在問い直されている、コミュニティーや環境問題に対しての、普遍的な回答が内包されていたようだ。家のまわりを掃除すること、水をたいせつにすること、同じことを繰り返すこと等々、祖母の生活は閉じられてはいたが、本能的に世界（自然や他人）と交流する回路を用意していたのであろう。それは、まさに生きられた家（インテリア）を守り育ててきた人間だけが発することのできる社会に対する静かな批評性だったのだろう。

現在行われているリサイクル運動を、決して批判するわけではないが、僕の培われた感覚とのずれが気になることも確かである。すなわちそれは、祖母がよく口にした、おおいなる「もったいない」という言葉とも似て非なる現象なのである。リサイクルという消費構造にはペットボトルを回収するために

ペットボトルをたくさん買い込んでしまうというような、根本的な矛盾が存在しているというは言い過ぎだろうか。またインテリアと言えばシステムキッチンや出窓等々、ここぞ主婦の出番というのも早計で、生きられた家が織りなす空間の生成こそ、主婦が育んでいかねばならぬ課題であろう。ともあれ僕の持っている空間の感覚の一部は、この祖母から学んだものだろうと思う。禅の僧侶のような、掃除すること、できるだけ何もしないこと、同じことを繰り返すことは、僕の空間づくりの原点になっている。空いた土地にビルを建ててくれと施主に頼まれたとき、「ここは何も建てなくて原っぱのままでいいのでは」と言える自由さを持ちえるということを僕に教えてくれた、すぐれて社会的、都市的な「家（インテリア）」からの視線だったように思う。

《来光庵》@東京　1990

都市とデモクラシー

2001年「建築雑誌 Vol.116 No.147/22001年6月号」より転載

プライベートでもパブリックでもない場所

僕らの活動のスタートはバブルの最盛期。場所がなくなっていくな、というのが当時の印象だ。そう、パブリックでもプライベートでもない僕らの場所がなくなっていく……。パブリックでもプライベートでもない場所? 例えば、「家」。敷地や建築基準法により決められた空間の境界。それは、基本的にはプライベートなものと考えられている。本当にそうなのか? 本当に誰かだけのものなのか?

例えば、「公園」。そこは一般に行政によってつくられた公の場所。パブリックな場所だから、何々してはいけないという公の規則が居座っている。そこは本当にみんなの場所になっているのか? 小さいころ、僕らは家の前のまだ舗装されていない路上で、三角ベース野球や、ビー玉遊びをよくやった。また、少し遠出して行った、錆びた鉄や潮の臭いが混ざった埋立地の不思議な風景も記憶している。道や空地は、まさに「あいている場所」だった。誰のものでもない場所だった。そこは時折は、おっちゃんに大声で怒られるけれども、誰かに見守られているという優しい視線を感じることができ、僕らはそこで「社会」を身につけていったように思う。現在はというと、完全に管理された道や空地に、そうした場所がかつてもっていた機能はない。私達は、そして、私達の次の世代はどこに自分の居場所を見つけに行くのだろうか?

コルビュジエの喪失感

コルビュジエが近代建築の5原則を提唱したとき、彼のなかには、意識されているかいないかは別にしてひとつの罪悪感があった。それは、近代建築はたしかに機能的で自由な空間を与えるが、その代償に何かとても大切なものを失ってしまうという喪失感だった。建築を建てるということは、大地と空との直接的な関係を奪う。もちろん住まい(建築)は、原始の時代から、空と大地の間に人工を挿入することで成立してきた。ただ、近代建築以前までの建物は、素材的にも構造的にも自然の連続体としての存在だった。ところが、自立した構造をもつ近代建築がめざしたのは、そこからの乖離だった。大地と空を引き裂き、その関係を奪う行為だった。コルビュジエは「近代建築の5原則」を提唱する際に、この喪失感の伴うパラドキシカルな問題を抱え込むことになる。あるとき彼は気づく。そうだ、柱で床を持ち上げて、土地を解放し、屋上を豊かにして開放すれば、私の悩みは解決される。土地を奪わないこと(共有すること=ピロティ)。空や大地を捨てないこと(新しい大地と空の獲得=屋上庭園)。こうして、彼は建築を建てることに伴う喪失感をなんとか引き戻そうとする。

5原則の変容

さて、日本。コルビュジエの近代建築は賛美をもって迎えられる。しかし、導入されるにあたり、性急な日本人はコルビュジエを悩まし続けた喪失感をすっかり忘れ、都合に合わない部分を原則から外してしまう。まず、解放されたはずのピロティは、経済の論理から、そこを歩く人にそっぽを向いた私的な空間へと変容する。屋上はというと、がらんとした何もない物干し場だけの空間。屋上を豊かにつくることが、空中庭園の理念であったはずなのに、殺風景につくっておいて自殺者が出たから使用禁止というのはなんともへんな話だ。こうして、コルビュジエの5原則は変形されたかたちで導入され、建築を建てる、都市をつくる際に最も大切な「倫理的な配慮」を放棄していくことになる。東京を含む都市部はすべてこの原則を欠いたコルビュジエにより成長していく。

もちろんこの結果の導入は、一方では開発のスピー

《ネガアーキテクチャープロジェクトNo.2》@横浜　1987　　　廊下部分を消去することで、道と道をつなげていったプロジェクト

《ホームレスハウスプロジェクト》@世田谷美術館（東京＋横浜）　1992　　　小さな家が美術館を飛び出し、東京の街をさまよったプロジェクト

ドを早め、都市を豊かにしていったかに見えた。だが、この切り捨てられた空間の逆襲はゆっくりとだが、確実に進行する。原則を無視した開発、建築は都市において空間をシェアしていくのではなく、私的な財産で占有していく方法をとる。そして、それは結果的に都市のなかから土地や場所がなくなり、法外な土地の値上がりを生み出してしまう。人の住める場所ではなくなり、中心部を捨て郊外へと触手を伸ばしていく。拡大し続ける都市のイメージ。ドーナツ化現象と呼ばれるものは、都市空間のゆっくりしたバブル崩壊なのだ。今回のバブル崩壊は、10年単位のことではない。近代建築の導入はもとより、明治維新以降100年以上も続いてきた日本の国（都市）のベクトルに対しての疑問符だと思う。江戸時代に培い、一度完成をみた、都市の中で棲んでいくこと、高密度に共有していくことに関する根本的な崩壊の現れなのだ。開発者も建て主も建築家も建設会社も、空間の倫理観が欠落していたという意味では同罪だ。人の住む街ではなく、ビルと車のためだけの街を認めてしまったのだから。そして何よりも私達の次世代、すなわち子ども達から場所を奪ってしまったのだから。

再び都市に棲む

しかし、日本の都市空間が昔から他人とともに生活することを上手くやってこなかったかというと、そうではない。祖母の話だが、家の前を必ず掃除し、お向かいさんのそれと併せて道（パブリック）をきれいにしていたし、江戸時代のくみ取りのシステムや水路環境に関する規則、農家の入会地など他人と暮らすことにかけてはかなりの都市の経験を積み重ねてきたはずだ。また、上に否定的に記した近代建築の導入も、逆にその「いいかげんさ」を武器にして、新しい展開を見せ始めていることも事実だ。すなわち、暴力的な言い方だが、でたらめなぶん、残さな

ければならないものもあまりなく、壊して再生させることができるのだ。最近の都市部の超高層マンションは、再び都市に共有して住んでみようというベクトルの現れだ。内容は異なるが100年の歳月をかけて、拡大し続ける都市のイメージではなく、都市に高密度に棲んでいこうという方向転換を始めたのだ。とはいえ、この都市に棲み続ける「これから」という名の小説は、まだ誰も描けていない。かろうじて、リアルな都市空間を奪われ、コンビニや携帯電話のなかの情報空間に場所を求めて移動した若者や子ども達の行動にその問いを解くヒントが隠されている。ここでは、コンビニに特徴的なことをきっかけに都市に棲み続けるためのメモを記してみたい。
時間軸で空間をシェアすること。コンビニの特徴は年中無休24時間開いていること。店の営業時間とネットワークで店舗面積の小ささをカバーしている。図書館がもし夜11時ぐらいまで開いていたとすると、建築の面積はおそらく半分ぐらいで済むはずだ。ロンドンのある大学の付属のホテルに泊まったときのこと。長期休暇の期間だけ、学生寮を一般に開放して宿泊施設にしている。ロビーもきちんとしているし、普通のホテルだ。学生寮が、どうしてこんなふうに転用できるのか。ヒントは部屋に貼ってある一枚のメモにあった。部屋の使い方や、汚したり破損したときの賠償額のことなど、こと細かな規則が記載されている。学生は都市に棲み続けるためにきれいに住み、会ったことのない外国人とその部屋をシェアしているのだ。
パブリックとプライベートの交換。コンビニは雑誌の立ち読みOK。若者は本来プライベートであるはずの冷蔵庫と書棚をコンビニのなかに、そしてお店は人がいるという最大のセキュリティー（パブリック）を獲得する。これもロンドンの話だが、公園を歩いていたら、可愛いらしい小さなゴミ箱に犬の絵が描いてある。犬の糞専用のゴミ箱だ。日本だと糞の処

《プライベートボイド》@芝公園ファーストビル（東京）2000　　高層ビルの足下の公開空地。地下駐車場への導線と捨気口、広場のデザイン

理がきちんとされないという理由で、公園はペット立入禁止になるケースがままあるが、イギリスでは公園は犬と犬を散歩させる人のためにもあるわけで、スマートにプライベートな問題をパブリックに解いている。パリの美術館では複写をする人をよく見かけるが、彼らの入場料は無料。あるいは学校の授業だと思うが、子ども達が現代美術の作品の前で床にねっころがってスケッチしている。足をばたつかせながらも、まわりの鑑賞者に気を遣い、小さな声で話しているのを見ると微笑ましくなる。美術館というパブリックな空間にプライベートを持ち込むときこそが、至福の喜びであり、また、社会を身につける絶好のチャンスなのだ。僕ら鑑賞者は決してそうした人達に対して嫌な気持ちは抱かない。なぜなら、彼らはパブリックななかでいきいきとプライベートを楽しんでいるからだ。

道も建築も含めて1Fレベルは、まず人のためにあるべきだ。路面店舗であること、これはコンビニの必須条件だ。ちょっと立ち寄れること、車での客、頻繁に行われる物流。コルビュジエのピロティは、ここにきてようやく異なるかたちで実現する。最近の高層、超高層オフィス、マンションに伴う公開空地法の適用は、階数をボーナスして、地上を開放するという意味においては、コルビュジエの思想に合致しているかに見える。行政が、無理に公的な場所（公園）をつくっていくよりも、はるかに合理性があるし、その理念は決してまずくはないと思っているが、現実はどうか。開発者は有利な面積ボーナスのおかげで、グレードの高い住空間を提供し、居住者は新しい空と風景を獲得していくが、工事が最後になる肝心の空地は残念ながらあまりがんばらない。また、空地を管理するのが基本的に施主側なので、本音の部分、あまり使ってもらっては困る……。これではコルビュジエの5原則の再欠落で、公開空地こそ最も豊かな空間に設計、変換しないかぎり、都市のなかで高層建築など建てるべきではないのだ。

フレキシビリティとスピード感。客を待たせないスピード感、いい場所に速やかに街に登場すること。これらもコンビニの生命線だ。行政が道路計画を行うとき、最初から数十年もかかるのは予想できるのに、確保した土地は看板を立てて放置している。これは、空き家や空き工場、廃校になった学校などにはじまり、屋上利用なども同じこと。借りる人が立ち退かないと困るからなどという、あまり根拠のない理由を払拭して、すばやくキャッチ＆リリースして欲しいものだ。新しい都市は様々な意味でもっとスピード感を身につけるべきだ。そして、ちょっとしたすき間にするどく貫入していく勇気を持つべきだ。

democracy!

コルビュジエの願いは、大樹の願いに似ている。自分が大きくなるためには、まわりに優しくすること。大地を開放し、小さな植物に光を提供し、枝を大きく広げて小鳥達のために新しい大地と空を創出すること……。繰り返しになるが、都市に生活するとき、計画するとき、建物を建てるとき最も重要なのは「シェアすること」につきると思う。昨年僕らが海外で参加したグループ展のテーマは、コラボレーションだったが、展覧会タイトルはdemocracy！（デモクラシー）。直訳はもちろん民主主義だが、ここではコミュニケーションとか、環境に優しいとか、分かち合うとかいう説明的な言葉よりも、もっと意のある、強い、未来都市的な言葉の響きが含まれているように思う。積極的に自分達の場所を都市のなかに見つけ出し、共有していこうという願いだ。そして、ものをつくるときに伴う原理的な喪失感（何かを壊している、場所を奪ってしまうということ）を絶対に忘れてはいけないのだということも。

自分たちが見たものを伝える——「船をつくる話」の最終章

2006年6月号「新建築住宅特集」より転載

船をつくる話2005——船、山にのぼる

これまで12年間継続してきた「船をつくる話」の最終章。2005年8月6日に試験湛水がはじまり、2006年3月7日に最高水位247.3mに到達。船の制作場所の海抜が228mだったので約20m浮上したことになる。9、10日に国土交通省のボート2隻が，約4km離れている船の引越先である寺山の上部まで牽引。13日から0.6m/日で放流。着地点が少しずれたが17日に接地。徐々に船の構造部分が現れてくる。21日、地元の神楽団が船上で祝いの舞。4月5日、常時満水位232mに到達。試験湛水完了。「船、山にのぼる」のひとまずの完成。

12年間

今こうしてダムが完成し、水が入ってしまうと、どこに何があったのかを思い出せないだけでなく、12年間私たちが行ってきたことさえ、湖の中に飲み込まれてしまったようだ。静かな湖面の美しさは過去の痕跡をすべて忘却させてしまう。

30年以上ものダム建設反対闘争を経て、水没する町の周辺に再建地を造成し、そこに住み続けることを決断した広島県北西部灰塚の人びと。このダムエリアの環境整備と人的交流プログラムとして始まった「灰塚アースワークプロジェクト」で現地を訪れてから12年の歳月が経過した。当時、すでに大半の家屋は壊され、再建地の家屋の建設や、庭木や田んぼの土の移動、40数kmにもおよぶ周回道路の工事等がダイナミックに進行していた。町をまるごと入れ替えるような大引越。ダム工事の壮大さと、数千年続いてきた町が水没する日を目前にしながらも、淡々と日常を過ごしている地元の人たちの力強さを目の当たりにして、私たちの脆弱さとのギャップだけが浮き立っていた。この大きな引越時に、私たちに何かできることがあるのだろうか？

船、山にのぼる

そんなおり、当時の建設省の説明会でちょっと気になる話を聞いた。ひとつは道路をつくる際、山の細い木は補償の対象にならないので廃棄するということ。もうひとつはダム本体が完成すると、水位を堤体の最高位まで上げ、地崩れがないかなど実験する試験湛水の話。「これはひょっとすると森の引越ができるかもしれない」

プランはこうだ。水没する現地でこれらの伐採される木材（ヒノキ）を集め、船（筏）を組む。ダムが完成し、水がはいってくると水位の上昇と共に船は浮上し、最高水位になったら目標の山の上まで牽引する。その後水位は徐々に下げられ、山が姿を現し、船は接地する。さらに水位は常時満水位まで下げられるので、船は山に残される、という仕組みだ。プラン発表した当時、ほとんど誰も実現性については、信じてくれなかった。確かにプランはおもしろいが、誰が実際に60mもの巨大船をつくるのか？ 数km先までどのように船を引っ張るのか？ お金はどうするのか？

ローンプロジェクト

船をつくるには、どう試算しても数千万円かかる。どのように実現するのか、この不可能性を乗り越えるヒントがひとつだけあった。それはダムが完成するのは数年先で、時間があるということだ。「船をつくる話」としたのは、ダム建設という長い日常に反応して、私たち自身も物語のように一章一章、頁をめくっていきたいという気持ちがあったからだが、実際的にもプロジェクトを分割化して、長期ローンを組むしかないと考えたからだ。「船をつくる話1998」、「1999 - 木を集める」、「2000 - 船の上の家」、「2001 - 船をつくる」、「2002 - 続船をつくる」、「2003 - まっているあいだ」、「2004 - まっているあいだⅡ」というふうに、プロジェクトがいつ終わって

も大丈夫なように、毎年独立したプログラムを構築
した。経済的には芸術文化振興基金やアサヒビー
ル、資生堂等が継続的に支援してくれた。

ふたつのエピソード

このプロジェクトでさまざまな人びとと出会った。作
業をサポートしてくれたアーティスト・建築家仲間や
遠方からかけつけてくれた有識者や友人、継続的
に協力してくれた国土交通省等々。とりわけ現地の
人たちにはお世話になった。いつのシークエンスで
も、私たちを遠くから、近くから支えてくれた。
アースワークから独立して、われわれPHスタジオ
単独のプロジェクトになった1998年。現地でプラン
展示を行ったが、地元の人たちは誰も見にきてくれ
ない。仕方がないので、集落をチラシをもって一軒
一軒訪ねて歩く。それでもほとんどきてくれない。プ
ログラムもおしまいのころ、1枚のチラシが公民館
に貼ってある。「鍋を囲んで船をつくる話」。私たち
の状況を見るに見かねてか、月に一度行われる集
会に招待してくれたのだ。この機会がなかったら、
私たちはこのプロジェクトを断念していたかもしれ
ない。
1本の老木、通称「えみきの木」が水没予定地に取
り残されたままになっていた。地域の象徴ともいえ
るこの木は推定樹齢400年。移植費用の大きさと生
存率の低さから、補償の対象にならず、住民は半
ばあきらめかけていたのだが、私たちに協力してく
れていた人たちが中心になって「えみき爺さんをつ
れていこう」と地元住民に呼びかけ、募金し、自分
たちの手でこの巨木の引越を完遂した。もちろんこ
のプロジェクトは住民たちの強い意志によるものだ
が、私たちもこの移植プロジェクトに参加できたこ
とを誇りに思っている。

ふねはどこにいく

「このプロジェクトで何をしたかったのか」とよく聞
かれたが、今ははっきりと答えることができる。「自
分たちが見たものをきちんと伝えたかった」。ダム建
設は建設省と一地域の問題ではない。肯定も否定
もしたくない。そこに住む人と都市に住む人との共
有の問題なのだ。私たちは「船をつくる話」という労
働と日常を通して、そのポジションをとり続けてきた
つもりだ。
現在、船は生活再建地「のぞみが丘」と共に湖の上
に移動し、100年に一度クラスの大雨時まで水がこ
ない位置に鎮座している。まわりの風景は長い期
間水に浸かっていたのと、冬なので全体的に茶色く
荒々しい感じだが、これから初夏にかけての新緑の
季節は落ち着いてくるだろう。今後の船の行方は、
国交省との約束としては解体撤去が原則だが、地
域の人たちは「そのままおいとけ、崩れてそこから
新しい芽がふいてきたら、それが本当の森の引越
よ」といってくれている。ありがたい。
船の世話をよくしてくれたおじいさんから「君らは船
ができてしまったら、もうこないんだろうな」といわ
れてショックだったことがある。船は確かに山にの
ぼったが、私たちはこれからどこに行くのか? まだ
陸に上がってからのメンテナンスも終わっていない
し、周回道路が完成したら船のお披露目もしたい。
秋には水開きもある。現地には古い民家を借りたま
まになっているし……。きっとまた訪れて何かやって
いくのだと思う。

「船をつくる話」＠灰塚ダムエリア（広島）

PH STUDIO インタビュー

聞き手：村田真（美術ジャーナリスト）

2008年「PH STUDIO 1984-2002」（現代企画室）より転載

家具から

村田（以下M）：PHは最初は川俣のアシスタントグループみたいなところからはじまって、それから建築やったりとかアートプロジェクトをやったりとかしているけれど、最初にまず家具の展覧会でデビューしたわけですよね。で、あれこれやって、ファインアートの中に入りつつ、そこからちょっとまた外に出たりで、その境界線をいろいろいってる。そこらへんのことをお聞きしようと思っていまして…。最初になぜ家具のプロジェクトをやったの？

PH：あんまりはっきりした理由は覚えてないんですけど、ひとつは建築出身の人と美術の人がいたということで、おっしゃったようにその境界線みたいなころで、家具というのがなんとなくあった。それに川俣さんの影響もあって、最初からすでに建築というよりは都市空間に対して、すごく興味ありましたしね。美術オンリーではありませんでした。家具がメンバーの両方から近づきやすいというのと、オブジェ的になっ

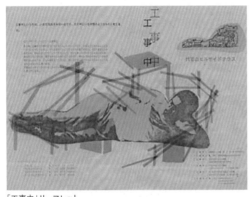

「工事中」リーフレット

てもだめだし、ただ単に家具の新しいデザインをしても、という感じでテーマとしては取り組みやすかったのでしょうかね。

M：売ろうとかいうことは？

PH：それは後ですね。どっちかというとコンセプトとして、家具というジャンル、すなわち家具ってなんだろう？とか、家具がどこまでいったら家具じゃなくなるのかとか、「家具」（かっこかぐ）というか、そんなことばかり考えていました。それが商売に結びつくものとは考えてなかった。

M：じゃあ建築でも良かったんだ。

PH：うん。建築でもね。でもまあ、家具が手短かだった。

M：その時は、どのように自分たちはしていこう、というのはあったの？

PH：いや全くなかった。

具体的な形

M：とにかくせめぎあってて、考えながらいこうとしてたの？

PH：たくさん制作もしたけれど、コンセプトの話が多かったかなあ。ああ、ひとつは、かたちあるものに対して反応していったチームではあるんですよ。具体的な形にね。川俣さんは抽象的な空間に対して豊かな想像力をもった人ですよね。それをみんな認めているんだけど、一方でポップアートとは違うけど、具体的な形に対して僕らの世代はなんか気になっている感じはありましたね。そのときに家具という形は残しておきたいというか、具体的なものの形は残しておきたいという感じがあった。

M：川俣に対して、同じことをやっちゃいけないって

「工事中」@ヒルサイドテラス（東京） 1984

「家具φ」展@ギャラリー山口（東京） 1985

いうか。

PH：それはあったでしょうね。川俣さんって、ちょっとずらしたり、かっこよかったりするんだけど、それがどんどん抽象化されていってすごい面白い空間になるんだけど、それをやってしまうと全部川俣さんになっちゃう。どこかで止めなきゃダメだという感じがあって、その具体的なかたちとして「家具」というのがあったのかもしれない。それは若い僕らの中でどうしたら大きな樹木から逃れられるかって感じでしょうかね。相当大きな領域を川俣さんがやっている感じはあったし、今ももちろんそうなんだけど、当時はそれに対して何か形をださなきゃだめだっていう気分は全員にありましたね。別に反発しているわけではなくって、自分たちの突破口みたいなものを探していた。形を崩さないっていうことで何か共同戦線をはっていたのかな。

PH のはじまり

M：じゃあもっとさかのぼって、川俣と一緒にはじめたっていうか、PHスタジオができたのっていつ？

PH：1984年頃、「工事中」とか「松山大街道インスタレーション」とか川俣さんと一緒にやってて、そのときは川俣さんの作品をサポートしているっていうかたちでやってた。

M：その時もう「PHスタジオ」っていう名前はあるわけ？

PH：あるんですよ。その前の歴史には今のPHメンバーは関わってなくって、現在のPHは第一次PHスタジオで、ゼロ次PHっていうか最初期のPHに奥野寛明さんとか三好範明さんとかが関わられていて、その流れはあったんです。

M：それが1983年の「スリップイン所沢」？

PH：そう、所沢くらいから始まってた。その時もうPHスタジオっていう名前はついてるんですよね。で、そのPHは一度名前だけ残してなくなっちゃって、再スタートは川俣さんと原宿に事務所をかまえたとき。一次PHのはじまりで、それが1984年です。原宿にあった、ほんとに小さなアパートの一室の小さな事務所。

M：で、PHって独立したのは川俣がNYに行ってから？

PH：そうですね、当時から名前は出してもらってたけど、でも実質的にはお手伝いの仕事でした。本当は川俣さんがNYにいってからも一緒にやるって話もあったんだけど、結局は事務所と人だけが残って。川俣さんが行っちゃったんでやることがあまりなかったんですよ。やることないんだけど、川俣さんが行ってる間に事務所がなくなっちゃうっていうのはどうかなって感じがあって。なんとか維持しようかという気分があって、それでぽつぽつやりだした。別に独立しようとかいうことは無かったんだけど、自分たちでやるしかないっていうところからスタートしちゃった。ただ川俣さんが一年半後ぐらいに帰ってきたときに、「もうPHもいろいろやってるから、今までの川俣正＋PHスタジオっていう形は解消ね」ていうのはありましたけどね。

M：捨てられた訳ね。

PH：そういうことですね。（笑）

M：じゃあ川俣がいない間は父の帰りを待ってたの？

PH：なんとなくそんな感じですね。ときどき仕事とか頼んでくるし、模型送ってきてこれやっといてとかあったんだけど、待てどまてど1年って言ってたのが1年半になって。

M：愛が薄れてきた？

《ダンボール合戦イン原宿》@東京　1985

《ゲストルームR》@東京　1987

PH：愛が薄れたっていうより育っちゃったんでしょうね。

はじめての展覧会

M：川俣がいなくなってからは？「家具φ（ファイ）」とかは？

PH：これはもっと前で、「工事中」のプロジェクトのどさくさに紛れてです。これヒルサイドギャラリーですからね。で、家具φ展の正式な個展ていうのは1985年のギャラリー山口なんですけど、その前に家具φっていうのはやりはじめてる。

M：事務所とギャラリーをひっくり返したのは？

PH：ギャラリー山口のときです。85年の2月だから川俣さんが出ていってほんとにすぐですね。工事中が84年の秋だから…。

M：いなくなった隙にやっちゃえっていうか。

PH：川俣さんが紹介してくれたんですけどね。川俣さんの父親心でしょうね。

M：おい、やってみないか。みたいな。（村田、川俣さんのまね）

PH：そんな感じですね。

外へ

M：「ダンボール合戦」は？これは3月か。

PH：ツルモトルームが企画した「東京パフォーマンスアートフェスティバル」がラフォーレ原宿であったんですよ。

M：ラフォーレとはそれ以前には？

PH：川俣さんが会場構成を担当した「懐かしきアメリカのフォークアート展」の実施をPHが担当した。そういうのもあって、誘ってくれた。

M：これは屋外に？

《カフェ・オリーブ》@神奈川 1987

《Bar ESPA II》インテリアデザイン@東京 1986

PH：バブルがはじまる頃ですよね。東京の街はすさまじく元気がよくって、ものをつくるというより、消費の中でどんどん空間が生まれては消えていく。僕らもそれに乗っかっていった。原宿ということもあり、デザイナーズブランドのきれいなダンボールがものすごくたくさん街にあふれていたし、ラフォーレ原宿との関係で、たくさんのダンボールが使えた。それを持って外にでていったという感じです。

M：ホームレスがダンボールハウスをつくりはじめたのはこの頃？

PH：もっと前でしょ。

M：その前はダンボールじゃなかった？

PH：うーん。そうでもないと思うけど。でもまあ、きれいなダンボールが豊富に出てきた時期ですよね。野菜の箱とか、みかん箱だとホームレスも嫌なんじゃないですか。このへんのは本当にきれいで、匂いもないし、しっかりしていて撥水性とかあったり、強度があった。例えば礎石造みたいな感じで、アーチのようなこともできたんですよ。最後の一個をぐっと差し込むと橋みたいなものが。建築素材的な側面もあった。それとは別に、ホームレスの人に対しての対抗心みたいなものもあったかも。彼らはバラバラに分解してやるんだけど。いい場所はみんなとられているし。

M：こっちの方が丈夫だし、保温性があるんじゃない。

PH：そうそう、断熱性もあるし。

M：これは何ヵ所かでやったの？

PH：原宿ばっかりですけど、いろんなところで2週間ぐらいずっとやってましたね。つくっては壊し、つくってはこわし。

M：川俣に「フィールドワーク」ってシリーズあるじゃない。あれより前じゃない？

PH：それはそうだと思いますけどね。

M：これをぱくったのかな。

PH：?!……。僕らはちゃっちいけれど、街の中に出ていく勢いはありましたね。美術作品という構えもなかったと思うし。川俣さんはダンボールかぶってうろうろしたりするのはできないっていうか、しない人ですよね。

M：うん、しないよね。

PH：僕らは平気でできちゃったというのもあるんですよね。無名で、捨てるものなんか何も無かったわけだから。訓練を積んで、経歴を持ってデビューしていったというより、本当にそういうこととは関係なしに、都市の中で何かやっていきたいという人たちが集まっていたというのがあったのかもしれませんね。

PHのスタイル

M：メンバーなんだけども固定しないの？ 最初からこだわっていないの？

PH：川俣さんとPHの仕事のスタイルを話し合っていたときも、出入り自由みたいな言い方はしていて、プロジェクトごとに。のるかそるみたいな。プロジェクトがあると、手をあげた人が基本的に責任持って関わる、それはベースとしてはありますね。でも今は設計の仕事とかしているので、継続性の問題がどうしても問われる。そこのところで、そんな簡単に出入りできない側面も持ってしまった。それがいいか悪いか別にして、現在はかなり固定してきている。出入り自由というのが理想なのかもしれないけれど、そうもいかない。

M：インテリアなんかはどうしてやったの？

PH：アルバイトして稼いで、それをつぎ込んでPHス

《ネガアーキテクチャープロジェクトNo.1》＠東京　1986

タジオを運営するというスタイルにはしたくないな、というのがみんなの中にあった。純粋美術にももちろんこだわりはなかったし。ストリートチルドレン的な感じもあって、食うことに対して貪欲で、自分たちのやっていることで、安い値段でもいいから仕事にしていきたいというのは、最初からありましたね。だから頼まれた仕事は何でも一生懸命に、オーバーワーク気味にやっていったと思います。結果としてそんなに多くはないのですが、いろんな方が声をかけてくれた。だからインテリアなんかもまだ始まってから半年も経っていないのに、1本、2本とやっているんですね。何も営業活動とかしていないんだけど。

M：ダンボールなんかはギャラは？

PH：プロジェクトとしてはもちろん全くないですよね。ラフォーレのイベントの時に、搬入日とか経費みたいなのをいくらか貰ったと思いますけど。だけど外のプロジェクト自体は全然ないから。そうそう、そのとき営業みたいなことやったのをいま思い出しました。積み上げた構築物の写真にデザイナーズブランドのダンボール箱だからロゴが入っている。それをリーフレッ

トやチラシに強調して掲載して、協賛してもらおうとしていましたね。安いんですけどね。まあお金目的っていうよりは、やってることに対して僅かでいいから報酬を得て、進んでいきたいっていう感じはありましたね。プロジェクトそのもので、なんらかのお金を得ないと次にいけないというのがあるから、へたくそだし、微々たるものなんだけど、そんな風にやってた。

M：それで実際生活できてたわけ？

PH：できてたのかな。少なくともアルバイトはしないようにしてましたね。

M：あっそう。

PH：当時は家賃もまだ安かったですね。原宿のアパートの事務所の家賃が2万5千円くらいかな。小さな空間の仕事とか、とても安いんだけどやってましたね。時給にしたら200～300円ぐらいかな？労働時間18時間とかで、なんとか辻褄あわせていた。

M：ここらへんは注文があったわけ？

PH：そうです。でも設計事務所にちゃんと依頼があるというよりも、「おもしろそうな人たちがなんかやってるぞ」みたいな。若いし、安く使えそうだっていう感

《ネガアーキテクチャープロジェクトNo.2》@横浜　1987

じかもしれないけど。ゴールデン街のバーもそうだし。

M：どこかでつながりがあったわけね。

PH：あったのかな？ 営業活動とかはしたことなくって、噂でお声がかかったんです。100万くらいのインテリアデザインの内容って、業者さんでいったらほんとにちょっとやったら終わりじゃないですか。それを設計も施工も1ヶ月間ぐらいかけてずっと現場にこもって、みたいな感じですよね。当時の僕らにしたら100万貰ってものをつくるっていうのはうれしくって仕方がなかったわけですよね。

M：それで150万くらい使っちゃう？

PH：そうそう、そうなんですよね実際は。

M：それじゃ暮らせないよ。（笑）

再び街へ

M：「ネガアーキテクチャー」っていうのは2回？ これはどこからきたの？

PH：さっきと同じ話だけど都市のスピードっていうか、デザインがいいとか悪いとかでなくて、できては消えみたいのがあって、その素材としてさっきダンボールっていうのがあったでしょ。それと同じょうに空き地っていうのが、ガン細胞のように、できては消え、消えては生まれ、実際の建物が建築っていうよりも空き地そのものが建築だったんでしょうね。空き地っていうのをよくよく考えてみると、小さいときに結構遊んだ記憶がある。鉄線とかしてあって、入っちゃダメっていう場所があちこちにあったんだけど、それでもみんな板塀とか外して入っちゃって、野球とかしてて、まわりのおっちゃんに、こらー、と怒られて、わーって逃げるみたいな、そういう遊び方を普通に空き地でしてた。いつのまにか大人になってまわりを見渡すとそう

いう場所がなくなっていて。でも本当は決して空き地が無くなったのではなく、そういうワクワクするような場所として空き地がなくなってしまって、管理されてしまった。そんな場所に、別に開放させようとか大それたコンセプトはないんだけれど、なんか関わっていきたいって感じですね。ちょっとだけ勝手に使わせてもらってもいいかな、みたいな。

M：これはもう勝手に？

PH：そう、「No.1」は完全にゲリラ。この作品の前に、路地に照明を当てたりしてたんだけど、それじゃもの足りなくって、やるしかないかみたいな。

M：これは東京のどこ？

PH：恵比寿です。ほんとに駅のすぐ近くです。当時まだガーデンプレイスもなかったし。でもざわざわしていてビビッドな感じだったんでしょうね。このとき僕らの事務所も恵比寿に移ってましたしね。86年です。

M：この頃って地上げ屋とか活躍し始めた頃？

PH：そう。やりながらびびるっていうか、もしやくざみたいな人がでてきたらどうしよう、という恐れはありました。ただリスクもパワーのうちで、やりきるぞみたいな勢いはありました。かなり作戦も練ってやりましたよ。夜逃げの反対みたいな感じなんですけどね。用意周到にパネルをつくっといて、ぱっと半日で設置して、まるでもともとあったようにやりました。あと毎日朝早く起きて、掃除したり、きれいにしたり、雨で汚れたりしたら塗装をもう一度やったりとかしていたので、いわゆる不法投棄みたいな印象はなかったはずです。だから1ヶ月も続いちゃった。電話番号だけは書いてあったんですけど、それなりに責任はとんなきゃと思っていたので、で、最後には電話がかかってきまして、こわい人でした。猫や犬じゃないんだから、す

《建築交換プロジェクト》横浜パフォーマンスアートフェスティバル '87「MAY GARDEN II」@横浜開港記念会館（横浜） 1987

ぐに撤去しろって。その日の夜に、逃げるように撤去
しました。

M：その時、作品のコンセプトとかその人に説明しな
かったの？（笑）

PH：それはしても無駄だと思った。黒塗りが来るって
いうか。

M：言葉以上の説得力があったんだ。

PH：無断で使ってるのはこっちの方だし。

M：だれに頼まれたわけでもないんでしょ？

PH：そうですね。でもダンボールの後、次にはもう
ちょっと強いものをやりたいって感じはあった。ダン
ボールの時に、やっぱりちょっと負けたって気分が
残ってしまった。車にも雨にも、世間にも。自分たちの
場所をみつけていきたいっていうのは同じなんだけ
ど、素材とか構成を、街の持っている骨格に反応さ
せたいというのがでてきたんでしょうね。だから合板
のパネル構造なんだけども、塗装はしっかりさせてみ
たいな。

M：「No.2」のほうは「メイガーデン」の続きですよね。

PH：「メイガーデン」のとき僕らは「建築交換」という

プロジェクトをおこなったのですが、そのとき古い空
き家を貸してもらった。今のYCS（横浜クリエーション
センター）の場所です。その建物は再開発で壊すとい
うのを聞いていたので、「メイガーデン」が終わった
あともプロジェクトを続けた。「No.1」とどう繋がって
いるかというと、さっき空き地の話で出たように、空き
地というのは誰かのものというよりも、誰のものでも
ないというような感じがあって。すごい突飛ないい方
かもしれないけど、家もそんな風にとらえた部分が
あったんですよ。家の中にもう少し他人が入ってきて
もいいのではと。確かに昔の家には庭づたいにしょっ
ちゅう誰かが入ってきてたし、家はそんなに独立して
いる場所ではなかった。寅さんなんかでも、たこ社長
なんかがしょっちゅう裏から入ってくるけど。最近の
家というより「家のたちかた」が閉じているみたいな
感じがあって。ちょうどこの建物は真ん中に廊下が
あって振り分けの建物だったので、通りと通りをつな
げる、道と道をつなげていくみたいに家を開いていっ
た。誰かに所有された場所に、もうちょっといろんな
人が入ってきてもいいかなと。「オバケのQ太郎」で

《夏の虫の家》大倉山アートムーブ '87「真夏の夜の現代美術展」@横浜
1987

松岡邸@長野　1989

小池さんがラーメンを食べていると、勝手に人がは
いってきて通っていくじゃないですか。ありかなってい
う感じで。

M：ギャグ？

PH：?! 空き地から空き家へ、かな。空いているなら
使わせて、みたいな。もっと開いてくれ!? って。

M：この写真って結構いろんなところで使われている
と思うけど。写真見たという人は多いんじゃない。

PH：『美術手帖』や『デザインの現場』にでているか
らかな？ 建築雑誌にも何回か出てるけど。宮本隆司
さんの写真です。

美術プロジェクトと建築設計

M：これをみて仕事を頼んできた人は？

PH：ないです。

M：まったくない？

PH：次のプロジェクト「夏の虫の家」はあるんですけ
どもね。当時、『美術手帖』の三上さんがこの夏の虫
のプロジェクトはネガアーキテクチャーの裏返しだみ
たいなことを書かれてましたけども。ネガアーキテク
チャーの中に立ち上げた壁で囲まれた家型の部分が
外にでてくる、といった感じで。ネガの裏返しだから
ポジ？ それでひょんな話で実際の建築設計に繋がっ
ていく。

M：ポジアーキテクチャー？ 夏の虫で家型は初めてな
んだ。

PH：そうなんですよ。「No.2」で実際の家に関わった
ことが強く影響しているかもしれない。壊すといろん
なことがわかるんですよね。建築的な様々なデータ
とかもそうだけど、艶めかしいものとか。内部の層が
ものすごい量で見えてくるんですよ。なぜ家型になっ

たのかはよくわからないけど、そうした複雑な「家」を
明確な形あるもので代表させたかったのかな。家を
複雑なものとしてとらえることを嫌っていたのかもしれ
ない。強引かもしれないけども家は家型であると。記
号化して、形を崩さずに、具体性を持ちつつ次の空
間にいきたいという意識がありましたね。そこからど
こまでいけるか。美術言語や建築言語で入るのはい
やで、一般言語で入っていきたい、みたいな。

M：入射角は広いんだけれど乱反射するね。ひとつ
の角度に反射しない。思いつきでいってるけど。乱反
射する空間。それで実際の建築をつくっちゃうわけで
すよね。

PH：これがちょっと無理がある行為なのですね。頼
まれた仕事はまあ一生懸命やるわけですよ。例えば、
ディスプレイの仕事を頼まれると、普通の作家は自分
の作品とは別ものと考えるけれど、僕らはディスプレ
イの仕事を引き受けると、ディスプレイの世界にのめ
りこんでいくことになる。その文脈でどこまでいける
かみたいな。そんな感じで建築も関わってしまった。
夏の虫の家の写真を見た人が、僕らのことをちょっと
誤解していて、建築設計を結構やっていると思ってい
て、本気で頼んでこられたんですよ。その時インテリ
アなどはもちろんやってましたし、メンバーには建築
事務所に勤めていた者もいましたけど、PHスタジオ
としては建築は未経験でした。やれないとは言えなく
て、猛勉強して実現してしまったのがこれですね。も
ちろん、何もわかっていなかったわけではなく、工務
店の人に怒られながらも、実施設計、監理をやる頃
には、まあなんとかやれるようにはなっていましたけ
れど。

M：それでやってみて、懲りないっていうか。もっとや

《Water Mark（水標）》＠ファーレ立川（東京）1994

《風鈴の家》岩倉市シンボルロード「音のアート」＠愛知　1996

りたいと思った？

PH：うーん。どうでしょうね。いっぱい勉強することは
あるなということはよくわかりましたね。続けるか、み
たいな。今でもそうだけれど、当時ものをつくる世界
のなかで建築系がとても強くて、美術が下部構造に
見られていて、どうみても世の中の人は美術よりも建
築の方を信じている。でも建築はよくできてるけど面
白いものばかりではない。どこかおかしい。その人た
ちに対してきちんと面白くないことを面白くないという
ためには、その内部に入っていくしかないって感じで
すよね。実際的な、役にたつものばかりに向かってる
日本という国が、どうもうさんくさいし。ドロップアウト
していく方法もあるけど、一方でその人たちがやって
いることをもっと見ていきたい、みたいな。

M：建築のチームになろうとは思わなかったの？

PH：ぜんぜん。

M：別にそういうふうに転んだって良かったわけでしょ。

PH：PHはさっきからでているみたいに、メンバー構
成もそうだから、そんなに簡単に転ばないんですよ。
転ばないのがずっと続いてて。

M：だからPHスタジオなわけね。

問題の答え　答えの問題

M：アートプロジェクトをやるときと、実際の建築をや
るときとやっぱり意識的にはずいぶん違うんじゃない。

PH：それはよく聞かれるんですけど。やっぱり問題
が違うから答えが違うとしか言いようがない。こちら
の態度としたら一緒ですよ。問いかけてくる問題が違
うから、解き方というか答えが違う。美術の場合は多
少危険でもパワフルな部分をよしとする世界があっ
たりする。一方で建築でパワフルなことを良しとして、

ドアが閉まらなくてもいいというようなことはありえな
いし、それは施主さんの細かい要求も含めて応じる
しかないというか、応じることの方が気持ちがいいと
思っていますね。応じられなかったときは自分たちが
人のお金を使って裏切り行為をやっている、というか
罪の意識を持ってしまう。

M：どちらもその期待に応えようとしてる？

PH：うーん、それだけではないけども。だから時々問
題に対して、ひっくり返すこともあるけど、基本的には
やっぱりリクエストに乗っていきたい、反応していき
たいというのはありますね。美術の文脈でも自分たち
がやりたいことをやるというふうには考えていない。
リクエストがあった方が面白くなるときの方が多い。
彫刻家の人が建築やっているのをみても、建築とし
て建築をつくってないですよね。

M：彫刻家としてつくってますよね。

PH：その答え方は僕らにはない。

M：分裂しないの？1人だったら分裂しちゃうよね。
どっちかにしたいと思うよね。

PH：そうですよね。それはそう思います。でもそうは
ならない。

パブリックアート

M：いわゆるパブリックアートということでいうと、最
初のやつは？

PH：うーん、何をパブリックアートというかにもよるん
だけど。

M：一応半永久的にというか。

PH：「ファーレ立川」かな。

M：あっそうか、立川か。これは94年か。

PH：もっと前にインテリアがらみでブティックの壁面

《ホームレスハウスプロジェクト》「都市と現代美術─廃墟としてのわが家」@世田谷美術館（東京）1992

に何かっていうのはあったけど。だから世代でいうと
タナカノリユキさんとかいろいろやってましたよね、カ
フェとか。

M：うんうん。

PH：それの、こまいの。それってパブリックアートって
言わないですよね？

M：内装ね。それはともかくとして、「ファーレ立川」と
か岩倉市の「音のアート」とか、ああいうパブリック
アートの仕事と、こういうインスタレーションの仕事と
建築の仕事っていうふうに分けてみると、ていうか分
けられると思うんですけど、ある分け方をすれば。そ
れらをやるときの意識の違いっていうか、あるいはや
りやすさとか、そういうのはどうですか、違いますか？

PH：まあ、アートと建築との違いと同じで、こちらの
アプローチとしたらあまり変わらない。そのアートと
建築って2つだったのが、アートとパブリックアートと
建築っていう。

M：パブリックアートはその真中へん？

PH：そうそう、まさに印象としてはそうですよね。

M：まあ、うん。そんなもん。（笑）

PH：まあそんなもんだと思いますよ。

M：まあ特に語ることはないということね。

PH：そうですね。（笑）

動産美術・不動産美術

M：特に場所に関わる仕事で、僕の言い方でいうと
「動産美術」と「不動産美術」という分け方になるん
ですけど、90年代、特に92年の世田美あたりで今度
は「移動」が入ってくるという印象がある。引越とか。
世田美とかアトピックサイトとか灰塚とか。不動産美
術というか、場所に関わるインスタレーションであり

ながら、それが移動を始めるというところが面白いと
思って。そこら辺のことを話してもらいたいんだけど、
この世田美のあたりは、なんで外に出ていこうという
ことになったんでしょうか？

PH：これは最初から外に出るつもりのプロジェクトで
はなかったんです。

M：あれでしょ、美術館から拒否されたんでしょ。

PH：モビール状に美術館のエントランスに吊るすプ
ランだったので、全部で120キロを越えないように、
ベニヤの量とか構造とかを絞っていた。でもどこでど
う間違ったのか出来上がったら250キロあった。

M：最初からいくらまでっていうのは分かっていたの？

PH：設計事務所に確かめて250キロまでは全然平気
だという話ではあったんだけれど、ぎりぎりのところ
までいっちゃったんです。ただ、最終的にはその重さ
がアウトだった訳じゃないんです。見た感じがすごく
危なそう、というのが…。大きくて、動くじゃないです
か。学芸の人がというより、管理の人ね。で、学芸
の人といろいろ話し合って。いったんセッティング作
業を中断して、ミーティングを30分したんです。ただ
単にプランを変更してしまうのは嫌だと。で、一休さ
ん的にこのプランが思い浮かんで、じゃあ降ろしましょ
う、と。外に出ちゃった方が面白くなりそうなので、い
いですよという感じで、外に出ることにしたんです。
学芸の人とも外にでた場合の責任の取り方の役割分
担をして。

M：吊り込みがOKだったら、そのまま外に出ることは
考えなかったんだ？

PH：そうですね。とりあえずなかったですね。

M：じゃ、この「ホームレスハウス」というプロジェクト
はそこから始まったわけね。

《シャトルハウス》「On Camp/Off Base」＠東京ビックサイト　1996

PH：そうです。

M：そもそもの世田谷美術館でのアイデアというか、タイトルではないわけね。

PH：そうそう。最初は「おりひめとひこぼし」。

M：それがだめになったから「ホームレスハウス」。

PH：そうそう。

M：それで、織姫と彦星だから、しばらくは別れててもいいんじゃないかと?

PH：7月7日が会期に含まれていたので、それがあったからそういうタイトルをつけてたんだけど。6日まで出ていって、残りの会期でドキュメンテーションを見せるにはいいと思って。6月の頭くらいから約1ヶ月ぐらい、あちこち、ぶらぶらしていた。

M：ぶらぶらしてきたって、どこをどうぶらぶらしてきたの? これは都内ですか?

PH：だいたい都内と、あとは神奈川、横浜とか。そんなに遠くまでは行かなかった。でも菊名ぐらいまでは行ってたね。いろいろです。

M：車に乗せて?

PH：うん。都内はガラガラ押して。大きなキャスターをつけていましたから。

M：あ、押してたんだ。

PH：遠いところはトラックに乗せて。止まると怒られるという感じがあった。そこらの道路においておくと、横幅が2.4mぐらいあったので、どうしても車の邪魔になっている。何度かおまわりさんに呼び出し書を貼られて、始末書を書かされたりもするんだけど、どこかに行くしかない。動いてても怒られるし、止まってても怒られる。あと、あんまり同じ所に置いておくと、壊されるとか汚されるとかいう感じもあって。実際に大森の方の公園に2日間ぐらい置いてたんですよ。そし

たら中に新聞紙とかひいてあって。やばいと思って、またすぐ動かしてとか、そんな感じです。

シャトルハウス

M：「アトピックサイト」は、そのときの経験というかアイデアを、使えるんじゃないかみたいな感じはあったの? その時は全く発想が違う?

PH：うーん、「ホームレスハウス」はもうちょっと現実的な対応からでてきたプロジェクトだと思うんですけど、アトピックサイトは東京都の展覧会、あの都市博が中止になって、その還元事業みたいな形でのプロジェクトだったじゃないですか。そういうのもあって、ちょっと距離感みたいなのがあって。やっている人には申し訳ないんだけど、ちょっと遠いところにいる感じで参加した。もともと展覧会場のブースを制作しない代わりに、トラックかコンテナを会期中貸してくれるっていうのが最初にあった。参加者はおおかたそれらを使って、その中で展示していたけど、せっかくトラックを一ヶ月も貸してくれるんだったら、中でというよりは、いなくていいやって。いないということを作品にしようと。そういう意味では世田谷と似ているといえば似てる。

M：似てるというか、正反対というか。いたかったけど出なきゃいけなかったのと、こっちはいたくないから出たちゃったっていう感じだね。(一同笑)この時は、PHは会場では何かやってたの?

PH：いや、ほとんど何もしてない。ほんとに昼間お客さんを会場まで運んで、夜、車庫代わりに会場に置いて、また外に出ていくという感じでしたよ。一応シャトルバスですから。

《ホワイトモデル》「4th 北九州ビエンナーレ—感覚の庭」@北九州市立美術館（福岡）1997

外のプロジェクトと美術館

M：90年代の半ば以降になると、いろんなところから呼ばれることが多くなりますよね、美術館とかギャラリーとか。美術館でやるようになってきて、何か変わってきたことってありますか？ 割と同じような気分でやってる？ 要するにこう、外に出たり、中に入ったりというか…。

PH：美術館が嫌だっていうのはあんまりないよね。嫌で外に出たわけではない。

M：ああ。気分転換？

PH：どうでしょうね。ちゃんとリレーするといいなと思ってる部分はあるわけですよ。外でインディペンデントでやることと、ギャラリーで応援してくれるところでやることと、美術館という公的なところでやることと、そのおおまかにいって3つぐらいのことを、ちゃんとリレーというか相乗効果があるといいなと思ってる。

M：それでバランスをとっているっていう感じ？

PH：そうですね。というか、これも共同戦線ですね、社会に対しての。美術館でやるときは決して公的な

お金を使っているからきちんとしなきゃだめだとかそう思っている訳ではないんだけど…。そんなに特別には考えてないんだけど、今はドキュメンテーションが多いですね。見せ方は変えてるけど。暴れている部分を整理して、分かりやすいというよりは、インパクトのある形で伝える場所として美術館を考えているんだと思います。だからそういう展示が多いのかもしれないですね。北九州市美も大阪の国立国際なんかも。

フィールドワーク

M：こういうのは基本的なプランは、誰かがイニシアティブをとってやってきているの？

PH：もちろん誰かがひっぱっていくプロジェクトもなくはないですけど、ブレーンストーミングという古い言葉があるけれど、昔からやっぱりメンバーで話し合いながらやってきている。普通の建築事務所の場合はだれか固有名詞の人の樹系列になるけど、そうはならないですね。施主さんに会いにいくときも、最初から結構一緒に会いに行きますね。展覧会に誘われ

《リンゴ箱のコロシアム》「キッズ・アート・ワールドあおもり2001」@青森

ても、建築の施主に誘われても、わっと行っちゃう。一緒に聞いて、用意ドンという感じを続けています。ただ、この十数年はものをつくる上でのリクエストの捉え方がだんだん変化してきたように思いますね。それまでは、施主のリクエストとか現場の状況とか、わりと近傍の空間に対しての反応だったと思うんですけど。

M：即物的！

PH：うんまあ。それがもうちょっと…。

M：賢くなったのかなあ？

PH：ゆっくりとらえたいと思うようになった。今まで「たいしたことないや」と思っていたところが、すごいなと思えてきたり。施主のリクエストの無意識の部分を探してるような感じですかね。自分たちで、もっと別のリクエストを探しに行こうみたいな感じにだんだんなってきた。

M：うんうん。余計なことしはじめた？

PH：例えば直島だけど、形はいつもの家型。海ひこ山ひことか、神話を引いてはいる。でも家型ばかり

ではちょっと、っていうのがあるわけですよ。入口が一緒で異なる空間を探すって言ったって、何か足りないと。だからこっちからもっと動いてみたいということで、このプロジェクトでは島を2週間ぐらいかけてうろうろしましたね。島の中の88箇所巡りをしたり、ありとあらゆるところにいきました。

M：最初にプランを考えたときは歴史性とかいうのは考えないで、形からはいっていったの？

PH：そうそう。ボリュームとかロケーションから決めた。確かに「海ひこ山ひこ」ってタイトルつけていたし、島っていうことで神話や物語みたいなものを引きたいというのはあったんだけど、急いでたのもあって、そのまま形から入ってプランを出しちゃった。そしたらなんか欠けてるって感じがあとからじわじわきちゃって。90％まではいいけど、10％足りない。その10％を求めて、うろうろすることになる。共同経験、共有、散歩を一緒にしているみたいな。でもそういうのがだんだん豊かで、プランを育むっていうのが分かってきた。それからは、一緒にうろうろすることが

《海ひこと山ひこ》「Open Air'94 "Out of Bounds" 海景のなかの現代美術館」＠直島コンテンポラリーアートミュージアム（香川）　1994

チームにとっては重要な方法論になった。それ以降のプロジェクトって、そういうリーディングみたいなものを基調にしているのが続く。オオタファインアーツの「えびす─猫の抜け道」とかは、リーディングそのものを表現として打ち出している。何かをつくるためのスタディというのではなくて、一緒に見たもの歩いたものそのものを出していった方がいいかなあと。写真をやっている人間がいるのも大きいと思いますね。個人が撮っている写真っていうよりも、メンバーで共有する写真っていう意識はあると思いますよ。

M：それが一種の方法論になったといってもいいわけね。

PH：そうですね。

M：逆にそのことによって家型っていうのは変えなくてすむというか。

PH：そうですね。

M：むしろ変えたら違ってきちゃう。

PH：うん。ちょっと休みましょうか？

ミニマルとアノニマス

M：PHの世代はミニマル志向みたいなものは？

PH：ありましたよね。僕らの世代はすごくミニマルなものに憧れた部分もあるし、だからこそそれはできないっていう、両方ありましたよね。

M：（ミニマルにならないように）意識的にやっている？

PH：具体的なものから入った方が進める感じがある。じゃあ純化、抽象化してないかというと、ごちゃごちゃしているのを残しながらも純化していこうとしている。でも決してゼロに還元していく方向ではない。世の中にはいろんな人がいっぱいいて、複雑にできていそうなんだけど、でもひとつしかなくって、でもやっぱりたくさんいるというのを、作品の中に残しておきたい。アノニマスという言葉を使うのは早計かもしれないけども、やっぱり僕らの中にアノニマスというものに対する憧れは、ずっとありましたよね。都市から受ける影響力は美術作品や建築作品から受ける影響力よりも遥かに大きかった。都市において歴史とか地理とか生活のレイヤーが織りなす、やわらかな、でも強い

237

《海ひこと山ひこ》「Open Air'94 "Out of Bounds" 海景のなかの現代美術館」@直島コンテンポラリーアートミュージアム（香川）1994

アノニマス性が何よりも刺激的だった。家具φの定義文のところで書いているけれど、壊れた家具や使われた家具がもっているアノニマスなオリジナル性みたいなものにすごく憧れていた。それを自分たちがどっかで引き受けたい。そんなことしていたら作家としては成立しないんだけれど、矛盾する部分なんだけども、そういうふうにもっていきたいと思っていた。ではアノニマスっていうのと「家具」とか「家」とか「都市」とかと具体的な形はどうつながるんだというと、やっぱりアノニマスという限り、具体的なものの連鎖がないと駄目なんだ、と。ひとつのものに還元されるのではなく、様々な具体的な比喩が重なり合っていく。どこかで形を残しておきたい、痕跡を残しておきたい。そんな感じかなあ。PHのチーム構成と作品の考え方って鏡面関係になるところはありますね…まあそんなに単純な図式ではないけれど。

美術と教育、美術と社会

M：最近ワークショップって増えてる？

PH：最近は多いですね。教育と美術、街と美術というのがものすごく多くなってきた。

M：ワークショップっていうのはいつ頃からやってます？

PH：えーと、古いところだとそれこそ「カンナシピモシリ」。最初期の。あれは85年。

M：最近は主催者からの要請が増えてきたという感じ？

PH：住民や子供と何かやってくれっていうリクエストが多い。基本的にはあんまり好きじゃないんですよ、教育とかは。でも結構やっているうちに「よろこんで」って感じになって、はまってしまう。住民の人たちや、子供からパワーをもらえる感じがあって、面白くやれてるんでしょうね。ただ哲学よりも教育という気持ちはずっとありますよ。いいものをつくることも大切だけれど、伝わらなかったら仕方がない。これは逆説的な言い方だけれど、川俣さんや北川（フラム）さんから学んだことが大きいかな。僕らの方は見てくれないけど、誰もまだ戦ったことのない場所で戦っている、その後ろ姿だけは見せてくれる…。

M：社会に対して強く何か言っていきたいとかそういうのはあるの？

PH：社会に対して何かテーゼしようとかそんな感じはないですね。僕らは結構壊れたようなことをやってますけど、決してアナーキーなチームじゃない。世の中に対して反旗を翻しているわけではない。ただ、普通じゃないことがたくさんあるし、普通じゃなくなってしまったことがたくさんあることは確か。そのことはちょっとゆっくりと考えていきたい。あくまでも一般ピープルです。

M：小市民？

PH：うん。

M：そういうのはっきり言っていいわけ？

PH：いいですよ。善良だし。こそっとプロジェクトとかやってきてるわけだし。「ダンボール」だってどきどきしてたし、「No.1」だって逃げながらやってきた。堂々となんか全然やれてないもの。

M：自分たちで一番代表作と思っているのは？

PH：どれもそんなにすごいなっていうのは無いんです。（笑）

M：淡々とこなしてって感じ？

PH：そうそう。順々にっていうか。これだっていうのはないなあ。（笑）

《カンナシピモシリ》「横浜パフォーマンスアートシアター」@横浜　1986

M：じゃあPHスタジオの中で転機になった作品は？

PH：それぞれあるんですが。インテリアはやめたとか、こんな世界は向いていないなあとか、いっぱいありますよ。まあやめていくうちに一人前になってきた感じはあるかもしれませんね。

船をつくる話

M：それで話は急に灰塚にいくんですが。

PH：だいぶん終わりに近づいている。

M：そう。灰塚の方も引越しということですけれども、これはどういうところから引越しがでてきたんでしょうか。というかこれはまあ、いきがかり上、僕が話しましょう。「灰塚アースワークプロジェクト」っていうのが94年から広島であったんだけど、そのプロジェクトっていうのはダムに沈む地域に、何人かのアーティストとか建築家に来てもらって現地でこれからできるダムエリアで何が可能かを考えてもらい、プレゼンテーションしてもらうわけですね。その中の1人として僕がPHスタジオを選んだわけです。いわゆるパブリックアートの延長というかそういうかたちのプレゼンが多かったと思うんだけど、PHの場合はちょっと違うやり方というか、なんか物語性をそこに与えるというか、時間性というか動きというか、そういうものを持たせるやり方だったと思うんだけど、そのアイデアはどういう風にして思いついたんでしょうか？

PH：ダム工事が決まり、町が再建していく最中に訪れたんですけど。そのときに、遅れてきた青年ではないんですけれど、何かもう大半終わってしまっている場所に来てしまったという感じがあった。なぜかというと、そこに急にダムができることになったわけではなくて、30年間の長い反対闘争の時間があって、そ

してどこかで建設承認があって、それで再建地をつくりはじめて、その再建地も大半ができててというかたちで、そういう大きな歴史的なところでずっと彼らは関わってたのに、なんか急に呼び出されていって、脆弱な現代美術や現代建築でいったい何を言えばいいんだみたいな。まあ圧倒されたというのがあったんですね。それが最初の印象。

M：言ってみれば最後の仕上げというか、トッピングだけまかされたような、そういう感じだよね。

PH：うん。でもこれはかなわんなという印象が、やっている規模とか動いてるお金とかこのエリアで美術作品をつくってもかなわないな、みたいな感触の方が強くって、どうしようかっていうことで、いろいろ聞いてると、全てのモノは引越ししてしまうわけですよね。お墓はもちろんのこと農地の土までダンプカーで運んでいっちゃうし、ありとあらゆるものは引越しさせているんだけど、唯一引越しさせないのが、木だって聞いたんですよね。ダムエリアの森林はダムをつくるために何十万本も切ってしまうと、それからそれらを原則は廃棄するという。それが移動できないかなというところがスタートですね。森の引越しというのはちょっと大げさだけど、そういうことを考えた。そのときはアーティストが5人きてたんですが、ダムエリアに関する勉強会があって、植物の先生や建設省からいろいろ話をしてもらったんだけど、そのときに聞いた話が、ダムができたときにおこなう湛水実験の話。人工的な洪水をダムができたときに起こし、通常はあがらない水位まで完成した瞬間だけ水をいれる、そしてまた最高位までいったら水位を下げる。という話をきいて、これはと思った。これがさっきの引越しの話と結びついてプランまでいったということです。だから

239

「船をつくる話」@灰塚ダムエリア（広島） 1994〜

プランとしては94年の最初に招かれたときにできていた。タイトルは違うけど、「森の輸送─船をつくる話」という絵本みたいなプラン書をまとめている。だけどプランとしてはわかるんだけど、できるわけないみたいに言われたし、みんなそう思ってましたね。僕らも。

M：でもいいアイデアだなって、自分たちでも思ったの？

PH：思ってたんだけど、まだそのときは本気でやってみたいとは思ってなかったと思う。リアリティがまだなかったですよね。で、96年に再度実行委員会が呼んでくれたんですよ。船のプロジェクトを進めてくれと。それまで全く無反応だったから、動かないと思ってたのに。

M：96年にリピーターでいったときは、その船の話を進めるということで？

PH：そうそう。

M：ああ、なるほど。

PH：もう一回新しいプランとかじゃなくって、もう一度滞在して、船をとりあえず進めてくれていいと。やれるとはもちろん言われてないんですよ、別に。

M：うんうん。

PH：それでかなりリアリティーを持ちはじめたんですよ。5m大の12分の1のモデルをつくったのもその時だし、実際に木を伐りにいったりとか、どういう木を使うといいかとか、水に浸かってまた水から出るプロセス上、腐らないためにはどうしたらいいかとか、どこに不時着することが可能かなど調べたり、かなりプランを進めました。

M：実現できるかも、と。

PH：かもしれないというところまではいきましたよね。

M：うんうん。火をつけちゃったわけだな、むこうが。

PH：そう。でもね、割合きちんとプランをまとめたものを提出したんだけれど、それでもまた無反応で、97年になっても何の反応もなくって。それで97年に呼ばれてもいないのにおしかけたんですよ。続けたいんだけど、と話しにいった。プランとしてはPH内部でも盛りあがっていて、実現できたらいいねっていう気になっていたから。でもダム工事の事業としてはなかなか乗ってこないのはわかりますよね。役に立たないプログラムですから。難しいっていうのはわかるんだけど、なんらかのかたちで続けられないかなと。まあ一期一会の気分もありましたね。こういうのってもう二度と出会えないから。それで話しに行ったら実行委員会はいいよと。

M：勝手に続けるならいいと？

PH：そうそう、事業の直接経費は出せないけど、協力体勢は敷けると。あとアースワーク全体の枠組みの中でも協力はできると。それで、じゃあやりますということで、98年から芸術文化振興基金とかから助成を受けて、自主財源でプロジェクトをもう一回スタートさせた訳です。話は戻るけど、さっきの引越しの話のときの、かなわないなっていう話でいうと、96年の滞在で火がついたっていうのは2つの意味があって、本当にプランとして自分たちがものすごくやってみたいという意味で火がついた部分。もう一点は現地の人たちとインタビューとか下調べとかいろいろ協力してもらっているうちに、結局もっともっと関わっていくことでしか、負けている部分を跳ね返せないみたいな感じがあって、もうちょっとつきあいたいみたいな感じがでてきた。彼らも長い時間かけて、日常生活の中で大きな変換を行ったわけですよね。僕らも僕らの日常の中にこれをプログラムとして入れないと、非日

常的にこれに関わってしまうと全然太刀うちできないと思ったんです。

M：うんうん。で、毎年1ヶ月とか2ヶ月とか？

PH：経済の方からいうと、もともと94年とか96年の頃に計画の予算書を書いてくれと言われたこともあって、それなりに検討してみたんですが、具体的な数字では出さなかったけど、規模からいうとどうしても何千万の単位になってしまう。それが事業化できないっていうのは良くわかったんです。それじゃあ僕ら自身が誰かにスポンサーになってもらってプロジェクトをやりますからお金をください、とか集められるかとかいうと、それもできない。それとダムができるのが5年も先だという時間の余裕もあったんで、これは分割だ、と。ローンプロジェクトでいいと思った。基本的にはローンを組んで毎年数百万とかを集めて、分割でワンプロジェクトを続けていくことだったら数千万は動かせるぞみたいな気分はあって。それでスタートしたという感じですよね。あと、最初にはじめたときは、本当にこのプロジェクトが実現できるという確証がなかったから、1年1年のプロジェクトを独立させないと

いけなかった。うそになっちゃうっていうか、うそになりたくないというか、うそでもいいんだけど、うそでも本気だぞ、みたいな感じで。1年1年のプログラムに関しては実際の船の進行とは関係なしに、現地の人、あるいは外部の人にちゃんと見てもらいたい、発信していきたいという考え方をしていましたね。何々のために今年はこれをやる、という考えはつまらないと思っていた。だから象をつくるときは象の人たちでいいと思ってたし、子どもたちには象のプロジェクトをやってる人たちがいるということだけ伝わればいいかなと。

M：例えば川俣正の「コールマイン田川」なんかを参考にしたりなんかは？

PH：参考というか、川俣さんがやりはじめたな、っていう感じはあって、それに対して僕らもやっぱりやり続けたいみたいな、親父が頑張ってるから、こっちもがんばんなきゃみたいな感覚はあった。

M：あ、親父やっぱりやりやがったな、みたいな感じある？

PH：うん？（笑）

「船をつくる話」＠灰塚ダムエリア（広島）1994〜

M：先を越されたみたいなのは？

PH：川俣さんは既にルーズベルトとか、長期プログラムも成功させているし、田川のプロジェクトのフレーミングはもっとしっかりしていると思うから、そういう意識はないですね。でも僕らも長い時間がかかるプログラムに向かいはじめた時期だから、遠くに離れていても、もちろん反応しているところはいっぱいあると思いますよ。

M：ちょっと、言い方というか聞き方を変えると、向こうでも「コールマイン田川」みたいなプロジェクトをやってて、心強い？

PH：すごい大げさだけど、たまたまなのか、ダムと炭坑って、日本の近代の二つの大きな基幹部分に関わってるみたいな、どっかで同調する部分はあると思いますね。

M：で、これは山の上にのせられるわけですよね。のせた後のことは、ここは何かに使うということに関してはもう任せるってこと？

PH：任せてしまうとはなかなか言えないところもあるんですけれど、一方で僕らが責任持って管理しますという言い方もできないんで。今までも現地でインタビューとかアンケートとったりしているんですけど、僕らは船を山にあげるところまでで、基本的には住民の人たちの意見や直接管理する国土交通省との関係で、自然に決まるのがいいかなと思ってます。そうはいっても技術的な面からと、責任問題などでいえば、一応上がったあと半年から1年ぐらいで撤去します、というのが基本になっています。ただ国土交通省の内部の人も、まあ住民の人たちが置いとけっていうんだったら置いておく方向でいこうか、という話もでてる。まだ僕らにとってもリアリティがなくて、実際水

に浸かって水に浮かんで、沈んでいる山の上まで移動して、不時着というのが、実際どんな状態で行なわれるかなんてわからないですからね。着地点はある程度平滑にしてもらえそうだけど、船は斜めになっちゃうかもしれないし。長期間キープするために経済的にも技術的にもがんばるとかは、あまりしたくないですからね。まずなんとか不時着さえすればいいかなと。住民の方たちの意見としては、今では朽ちるまで置いておけっていうのが一番多いですけどね。木が腐って、そこからまた木でも生えてくれば本当の森の引越しになるっていう言い方をしてくれてますけど。

M：ふうん。一応この尾根の上まで水がくるんでしょ？

PH：そうです、ここからさらに10m位上までいきます。

M：じゃあ、水がひくまでうまく着地できるかわからないんだ。

PH：いったん最高位まで水があがったら今度はかなりはやいスピードで下げるんですよ。1日1mぐらいのスピードで下げるっていってましたね。だから上がってしまったらもう時間がない。3日とか4日しか。

M：じゃあ、ずっとそこにいないと。

PH：船の着地点までの移動のこととか、いろんなこと考えると、うーん。船に寄り付くために小型ボートの免許をとったり、スキューバダイビングを練習したりとか、いろいろとやることはあって、不安もありますけどそれはそれで楽しい待ち時間です。まっているあいだに現地の人といろいろなことを考えたり、また新しいことをはじめようと思っています。

M：うんうん。

《河岸段丘 - ノジュール》越後妻有大地の芸術祭アートトリエンナーレ@新潟　2000

《森のレストラン ファーブル》「ネイチャーアートキャンプ2002」@神戸

《国境の家》「topica」＠エステルゴム王宮美術館（ハンガリー） 1996

《駅の中の小さな映画館》「segona estacio」＠ベニファレット（スペイン） 2000

《住宅コロシアム》「ミュージアム・シティ・プロジェクト2002」＠福岡　2002

《外の家》「ニュータウン・アートタウン」展＠山陽団地（岡山）　2002

10

エピローグ
Epilogue

本をとどける──BankART出版のDNA

2014年「芸術批評誌『REAR』no.32」(リア制作室)より転載

BankART1929は10年間の活動を通じて、これまで約100に近い書籍やカタログ、DVD等のコンテンツを発行してきている。『BankART Life I〜III』は、BankARTの3年ごとのドキュメンテーションであるとともに運営管理学の構造を示した書物だ。『Under35』という35歳以下の若い作家を紹介するシリーズでは、小冊子をつくり、今後の活動のプレゼンテーションに活用してもらっている。日本を代表する作家の個展では、海外を照準にした分厚いカタログを作成してきている。活動を支えてくれている関係者と協働した書物も多い。横浜市創造都市構想を創立したひとり、北沢猛さん率いる東大都市工と共に行なった都市論や市役所の街づくりを支える人たちと行なったゼミをまとめた本、アートイニシアティブに焦点をあてた文化庁に委託された出版物もある。その他、北川フラムさんと共同出版している中原佑介選集も現在6巻まで発刊。ジャーナリストの村田真さんや評論家の福住廉さんの著作もある。

なぜこんなに多く本を出すか? このDNAは川俣正と北川フラムによるところが多い。このふたり、出版に対する情熱は極めて高い。関わっているプログラムを必ずといっていいぐらい本という形式で世に問う。ふたりから学んだことは、情報と歴史は異なるということだ。プロジェクトが話題になり、評価が高くても、世間は浮き世であり、忘れられるときがくれば、簡単に忘れられる。彼らの活動は、現在進行しているプロジェクトと少し前の活動が、微妙にずれながら反応してくようにプログラムされている。活動の継続性は、まさにこの情報発信と歴史的な定位(本)のレイヤーの増幅エンジンの成せる技だ。

大分前、本はいくつかのレベルで、電子メディアに勝っていると思っていた。モニターでは1画像ずつしかみられないが、本は瞬時に250頁をパラパラめくれる。物としての本の方が情報量の把握が直感的でスピーディだと。この神話は、高速スクロールの登場で消滅しかかっているといっても過言ではない。数百頁を一瞬で把握できる電子機器人種の登場もそう遠くはあるまい。その意味において電子メディアも本と同じように物に変身しつつある。

そんな時代に何故本を出し続けるのか?

それはアーティストに対する何故作品をつくり続けるのか?という問いかけと同じで自明の答えが用意されている。1冊の本は、美術作品の1点のように、臭いや劣化も含めて全ての表現を埋め込むことができ、つくり続けないと生き続けることができないぐらい愛すべきメディアだからだ。

池田 修の本─ちいさな群への挨拶として

池田修はかねてから、自分の本を出したい、と、口癖のように言っていました。また逆に周囲の友人に対しては「そろそろ本を出さないの?」と、突然けしかけるのも日常でした。

多分あれは、相手をけしかけ肩を押すことで、自分自身が元気や勇気をもらい、そして自分を奮い立たせようという、池田さんのやりかたなんだろうと思います。

長いコロナ禍での「まん延防止等重点措置」が間も無くあけようという2021年11月、いつものようなやりとりの中で「だったら半年後の自分の誕生日に本を出せばいいじゃん」という会話から、この本をつくるプロジェクトが始まりました。しかし実際は、過去のいくつかの文章と写真を選んでデザイナーの北風くんに送り、残りの文章を探し集めだしていたところで、2022年3月16日、突然帰らぬ人となってしまいました。

池田さんが急逝してからの約2ヵ月の編集期間、池田さんだったらそうしたであろうように、BankARTの日常や事業を切れ目なくまわしつつ、今後のBankARTの展開をさまざまな人たちと相談しながらの作業となり、これらを纏め上げるには充分な時間だったとはいえないかもしれません。それでも18年前に、運営者決定から2ヶ月あまりでBankARTを立ち上げたことを思えば、いつでも私たちはそんなペースで仕事をしてきたな、ということを、この本の内容を見ても、改めて思い知らされた3ヶ月でもありました。

そしてさらに、今はBankART立ち上げの頃とは比べものにならない程、実に多くのアーティスト、クリエイター、アートファン、関係者、応援者、協力者が、すでに我々の周囲にたくさんいて、池田さんのつくったBankARTの骨格はそれでもゆるぎなくゆっくりと日常を紡いでいっています。

偶然にも同じ命日となってしまった吉本隆明の、池田さんの好きだった「転位のための十篇」から言葉を借りれば、池田修という直接性はたおれたけれど、ここあそこと自由になった池田さんの意志は猫のように抽象的に、わたしたちの中にとどまっているように思います。

本来ならここで池田さんの新しい言葉が入って終わるはずの本ですが、かわりに池田さんとゆかりのある方々からの寄稿と年表を附すことで、締めくくりたいと思います。
また池田さんに関係するさまざまな人々の想いや文章を、この期間でこの本に納めるにはそれこそ不十分であると思ったため、web上に「池田修への手紙」というサイトを立ち上げています。そちらも併せてお読みいただければと存じます。

2022年6月
BankART1929
代表　細淵太麻紀

「池田修への手紙」
http://bankart1929.com/letters_to_ikedaosamu/

寄稿：池田修を追悼する
Tributes: In Memory of Osamu Ikeda

池田君の死

川俣 正

[美術家]

今、フィンランドのヘルシンキに来ている。ここの美術館に依頼されたプロジェクトの作業をしている。天気も良く、スムーズに今日の作業を終え、ホテルに戻り、この文章を書いている。ホテルの窓から現場が見える。窓からボーッと外を見ながら、池田君のことを想う。まだ事実として、彼の死を受け止められていない自分がいる。

BankARTの細淵さんから池田君が亡くなった知らせをもらったのは、イタリア、ミラノのホテルだった。ちょうどプロジェクトの作業を始める前日だった。電話を置いてベッドに横になっても、何にも考えられない。しかし次の日の朝からは、何事もなかったかのように、とにかく仕事をこなしていった。 結局彼の葬儀にも出られず、悶々とした時間を目の前の作業で紛らわしていた。作業のあと、現地のスタッフと雑談しながらビールを飲んで、話が弾んでいても頭の中は、空虚な感じだった。

展覧会のオープニングの時、ジャーナリストから、いつものように質問を受けた。「テンポラリー(仮設的)な作品を作り続ける意味は?」と聞かれた時、「作品に限らず、全てのものは一時的にしか存在していない。パーマネント(恒久的)なんて、限りのある人間のファンタジーから作られたものだ。だってみんなテンポラリーにしか生きていないじゃないか。みなさんも、みんないつか必ず死ぬんですよ!」と言った瞬間、頭の中が真っ白になった。多分自分は、池田君のことを言っているんだと思った。あまりにも近しい友を失くしたことが、まだ整理ができていない状態だからなのだろう。

池田君が急に亡くなって、まだ日が浅い。相変わらず、こちらでバタバタと仕事をしている合間のぽかっと空いた時間に、池田君のことを思いだす。あまりにも急にいなくなったので、実感が湧かない。まだBankARTで、スタッフに指示している彼のことしか思い出せない。

BankARTは、最初から彼が立ち上げた場であり空間であった。その活用も全て彼がコントロールしていた。旧銀行跡の建物の再利用からBankART(BankART1929)という名称ができ、その後、海運倉庫に場所が移り、本格的に場所のリノベーションが始まり、さまざまな企画がそこで行われた。近年、みなとみらい線の駅の使用

されていなかった空間に場所（BankART Station）を移し、再活動が始まった。
そしていくつかハブの展示スペース（BankART KAIKO）や若いアーティストのためのスタジオ（R16）を横浜界隈に立ち上げた。そこでの彼の企画力やアイデア、それを遂行する行動力は、抜群であった。そのため、いつも彼の周りには、若いアーティストや建築家、デザイナーが集まっていた。

ただ、BankART が、横浜での歴史的建造物のアートを用いたリノベーションの成功例だということだけが、彼の業績だとは思わない。
彼は、人が気軽に集える場とプログラムをここに組み立て、ジャンルの違う多くの人たちを呼び寄せ、交流させるために、寺子屋のようなプログラム（BankART School）も長年おこなってきた。演劇、音楽、ダンス、美大生の卒業展など、さまざまなことを企画し、彼はこれらのすべてに関わり、毎晩遅くまでここをオープンしていた。それは、今までアートと関わりのなかった人たちが BankART で繋がり、新たなコミュニティが作られた。ここに集う人たちは、ほかでは得られない作品の鑑賞体験や、実際の制作現場をこの建物や施設の雰囲気の中で感じ取っている。
「横浜に、今までにはない新たな文化コミュニティを形成する。」
この事が彼の行ってきた成果だと思う。
例えば、定期的に若いアーティストにスペースを提供して、発表の場を持たせたり、海外のアーティストを多く招いて、ここで行っているレジデンスに参加してもらったりなど、さまざまな人たちが行き交い、交流する場と時間を、この新しい施設を利用して、時間をかけ、丁寧に形作ってきた。
仕事帰りのサラリーマンがここのカフェやバーに立ち寄り、書籍棚からアートのカタログを取り出して、ページをめくっていたり、作品の展示されている場や、実際に制作しているアーティストがいる部屋などを覗いたりしている光景を、何度も見た事がある。

そして BankART には、いつも黄色いコンクリートの型枠パネルを使ったテーブルや、いろんな形の椅子やソファーが、カフェに配置されていた。この安普請なテーブルや椅子は、彼の嗜好のセンスに合うもので、実はそれは原宿で四畳半のアパートから出発した PH スタジオの当時の事務所から始まった家具のセンスだった。

ここで PH スタジオについて少し明記しておきたい。

1980年代、Bゼミに在籍していた池田君とそのほかの学生数名で、アートと建築、インテリアデザインなどを行うアーティスト集団を作った。当時、私は、インテリアデザイナーの杉本貴志（スーパーポテト）さんに声をかけてもらい、一緒にブティックやバーなどのインテリアデザインを手がける仕事をしたり、建築家の磯崎新さんが建てられた商店建築内に、アート作品を設置するプロジェクトに関わったりと、アート活動と同時に、デザインや建築関係の依頼が自分に来始めていた頃だった。我々は、原宿に四畳半の事務所を持ち、ワープロで企画書を作り、いろんなところにオファーして回った。アーティストが事務所を持って、インテリアデザインなども手がけるようになる初期の時期で、ちょうど日本はバブル経済が始まるところだった。

1984年に代官山で行った「工事中」を彼らと行ったのを最後に、私は海外のレジデンスに旅立った。そこから池田君を中心とした新生PHスタジオが発足し、インテリアデザインや建築なども手がけるようになった。

PHスタジオでは、あまり紹介されていないが、海外でのプロジェクトも彼らにとって大きな経験だったと思う。

ヨーロッパにおいては、フランスの映像作家ジル・クデール氏の招聘で、スペインの小さな村、ベニファイエットで行われたプロジェクト（Estasio）に参加している。また、ロンドンに留学中だった難波祐子さんの企画で、2000年にPHスタジオが、ロンドンのロイヤルカレッジ・オブ・アートのグループ展（democracy）に招待された事もあった。当時において、日本国内以外に海外でも既に注目されていたグループだったことは、特筆すべきことだと思う。

BankART発足後は、海外での活動の経験を活かして、特にアジアを基盤にしたアーティストの招聘や「朝鮮通信使」の歴史的、地理的な経路をたどるプロジェクトを定期的に行っていた。彼が若い時に、海外で現地制作と展示を経験したことが、後年のBankARTでの活動に繋がっていったのだと思う。

そして私が住むヨーロッパでは、相変わらずさまざまなことが起こっている。

現在、ウクライナで多くの人たちがロシアと戦っている。そしてどちらの国でも、多くの人たちが死んでいる。もちろん戦争で戦って、死んでいく人と、池田君の死を同等のものだとは思わないが、彼はBankARTで、深夜まで作業をしていた時に倒れたと聞いた。自分の造った現場で、彼は最期を迎えたのだった。それはある意

味、幸運だったのかもしれない。もちろんまだ色々なことをやろうとしていた時だったとしても。彼は、そういう意味で、まさに戦場の戦士だったのだと思う。

そんなことをホテルの窓から、外の忙しく行き交う人たちを見ながら思った。

まだ微かに肌寒い、5月のヘルシンキにて。

BankART1929 オフィスにて、2012年

かわまた・ただし｜1953年北海道生まれ。フランス、パリ在住。1984年 東京藝術大学博士課程満期退学。1977年より発表活動をはじめ、第40回ヴェネツィア・ビエンナーレ（1982）、ドクメンタ8（1987）、第19回サンパウロ国際ビエンナーレ（1987）、ドクメンタ9（1992）、第3回ミュンスター彫刻プロジェクト（1997）、越後妻有アートトリエンナーレ（2000〜）、第4回上海ビエンナーレ（2002）等、国内外で多数のプロジェクトや展覧会に参加・発表を行っている。1999年〜2005年3月 東京藝術大学美術学部先端芸術表現科教授、2005年 第2回 横浜トリエンナーレディレクター、2007年9月〜2019年7月 パリ国立高等芸術学院教授。現在、フランス・パリを拠点に欧州・アジア地域で活動を展開している。

美術がとにかく好きだった。

北川フラム

［アートディレクター／アートフロントギャラリー主宰］

《1》

池田修さんという生き方をもって多くの影響を与えてくれた魅力的な年少の友人を喪って以来、彼のやってきたこと、やろうとしていたことを考えることが多くなりました。もともと彼の活動は私たちを鼓舞することが多かったのですが、その全体を知った今はますますその思いが強い。その出会いから遡ってみれば、個人的なことは殆ど知らず、仕事上の接点が40年の間に折にふれてあっただけでしたが、しかしずうっと続いていたのだと改めて思います。今回初めて知った縁が多かったのは、私が怠惰だった以上に彼の動きが激しかったのだと今さら思うのです。そしてここで述べておきたいのが（後ほど話しますが）彼と言うのは彼らとでも言うしかないチームの総体のことでもあるのです。しかし美術という、何かと定義しにくいブラックボックスの奥底で赫く透明に輝くものの引力に今もひかれている私を導いてくれた一人は、明らかに池田修さんだったとあらためて思います。ありがとうございます。喪失感は決定的なのだけれど、決して寂しくはないと自分に言い聞かせて、彼がやろうとしていたことを、その仲間達についていって少しでも役に立てればと思っています。

出会いは1984年、代官山のヒルサイドテラスに招かれて最初の展覧会を川俣正さんの、今では伝説的になっている〈工事中〉を始めた時、川俣さんのチーフアシスタントのような役割で懸命に働いていたのが池田修さんでした。そのすぐ後に、ヒルサイドギャラリーのディレクターとして活動してもらうことになります。池田さんが紹介してくれたアーチスト、こだわったアーチストを挙げてみます。ヒルサイドで個展をやったアーチストでは、川俣正、田中信太郎、中原浩大、岡﨑乾二郎、柳幸典、牛島智子、白井美穂、牛島達治、坂上チユキ、西雅秋、山口啓介、宮本隆司、山崎博、白川昌生、日高理恵子などです。この時期の池田さんは（以後もそうなのですが）やっていることの本題は話さずにそこにまつわる諸現象、事、風景、人の断片を一言と、チラシを渡してくれるぐらいです。私はそのプロジェクトのいくつかは拝見しました。近年では、開発好明、磯崎道佳、原口典之、丸山純子、ニブロール、中村恩恵、曽我部昌史、北風総貴、高橋啓祐、中谷ミチコ、片岡純也＋岩竹理恵、渡辺篤、などです。

ここで氏の略年譜を見れば、面白い共通性があることに気づきます。学生時代の興味はバスケットボール（中学）、剣道（高校）、馬術（大学）になっていますが、こ

こにあるのはそれらが皆、美しいスポーツであることです。スピードある球回し、ゴールへのジャンプ、切先に集中する踏み込み、飛越時の人馬一体の姿。この身体の美しさに対する趣向は最後まで一貫していたように思います。それはダンディズムとでもいうようなものです。

田中信太郎ゼミに入ろうとしてBゼミに通学とありますが、田中信太郎さんが亡くなったあとまで、氏に対する敬愛は変わらなかった。偲ぶ会をBankARTで催していることでわかります。田中信太郎作品の特質は常に素材がその内部に厚い質料をもっていながら、軽やかに空間をつくっていることです。ヒルサイドギャラリーでも田中さんの個展を企画していたし、田中さんの健康の都合で出来なかったが、その死後市原湖畔美術館では2020年に開催されました。このコンセプトは池田さんに相談しました。川俣さんの仕事を通して池田さんを知りましたが、私は池田さんを通して田中信太郎さんの世界に導かれていきました。以後、私は池田さんが薦めるアーチストを殆どそのまま評価していったように思います。川俣さんもそうですが、田中さんを信頼できるのはその応物象形の適確さにあるような気がします。（勿論、隋類賦彩、経営位置もですが）

今、改めてその年譜を追ってみれば、1984年（27歳）からのPHスタジオとしての活動、2004年からのBankARTを中心とした活動のおびただしいプロジェクトの数とその展開の変化率、そして質に驚いてしまいます。BankARTが現代日本美術の最良のプラットフォームだとはこの十数年ことある度に言い続けてきたことですが、その移動や旧施設の使用など行政の都合を含めて、横浜という急激な発展都市のなかで行政の大枠と格闘し、これだけの創造的な仕事をし続けたのは世界的にも珍しいのではないかと思います。

この充実した活動のなかで、私が知っているのは僅かしかありません。実際に行ったり、時には参加したりしましたが、そのタイトルや趣意書では到底知りえない多くの政治的軋轢や組織間の考えの差異があった筈だし、仲間のなかでの異論もあったでしょう。実際にスタートしたものでも、途中で中止になったものもある。それが移動する展覧会に変化したものもあるし、年譜上で驚くのは改修、引越の多さです。その"転んでもただで起きない精神"、あれだけの資料、資材、道具を何度でも動かす"移動はあたりまえのタフさ"、それらは池田修さん、PHスタジオ、BankARTに共通する性向です。そのいくつかの活動を二つの時期に分けて記していきます。

《II》

まずはPHスタジオ時代

1984 　家具φ展（ヒルサイドギャラリー、ギャラリー山口）

1985 　ダンボール合戦 in 原宿

1986-87 　ネガアーキテクチャー プロジェクトNo.0〜2

1992 　ホームレスハウスプロジェクト（世田谷美術館）

1994 　えびすー猫の抜け道（オオタファインアーツ）

1994 　Water Mark（水標）（ファーレ立川）

1994-2005 船をつくる話（船、山にのぼる）（広島県灰塚ダムエリア）

1995 　空き地の家—House in the Void（大宮市街）

1996 　国境の家—House on the Border（ハンガリー）

1996 　パラサイト・ハウス（同潤会代官山アパート）

2000 　河岸段丘・ノジュール（越後妻有大地の芸術祭）

2000 　りんご箱のコロシアム（青森市街）

1984年〈川俣正＋PHスタジオ〉で発足して以来、PHスタジオ時代、BankART時代の芯には川俣さんとの関わりがあり、その川俣正的所作は池田さんの美術的骨格の大切なものとなっていることは多くの人が知っていることなので詳説は止めますが、一言で言えば制作のスピードと協働によるズレがもつダイナミズム（プロセスプランニング）の面白さです。当初想定するイメージが多数の他者の手が入り続けることによってベクトルが少しづつ変わっていく。その面白さ、可能性を池田さんは川俣さんを通して知り、そこに魅かれ続けていたように思います。

その活動は一言で言うと、家具の断片と場所の特性をうまく合わせ、（建築的な）小さな特異な空間を都市の中に挿みこんでいく（具体的な形と抽象的な空間）。美術シーンの中では新鮮なもので、常に新しい前進があって面白いと思っていました。それ故〈ファーレ立川〉や〈大地の芸術祭の第一回〉に参加してもらっていたのですが、やがてそれは「あまりにも正解であって作品の面白さ（個々の生理の強さ）が薄くなっているのではないか？」と池田さんに話したこともありました。PHスタジオの特徴を挙げれば

壊れた家具・捨てられた家具／家・家型・都市／路地・猫の抜け道・空地／パブリックとプライベートの境界／建築・美術・デザインの横断／時間的なものでも建築的に

仕上げる／セルフビルド／写真の多用／皆で散歩する（フィールドワーク）
等々で、それらはグループで議論し、一緒に散歩し、ゲリラ的にちゃんとやることでつくられていった作風です。池田さんは最後まで作風にこだわっていたように思います。それがチームでやり続けられた基本だったのではないか。

PHスタジオのプロジェクトには目を瞠かされるものが多いです、その最たる大プロジェクトが〈船、山にのぼる〉でしょう。ヴェルナー・ヘルツォークの映画〈フィッカラルド〉はブラジルのマナウスに、ドイツ入植者がオペラハウスを作る話なのですが、アマゾン川の本流を、資材を満載して遡る船を、高い所を流れる別の川に引き上げた実話をもとにしています。これが有名な密林の中にあるヨーロッパ人入植者の夢〈マナウスのオペラ劇場〉なのですが、PHスタジオの方はダムができる際に水没する場所200haにある森林、30〜40万本の引越プロジェクトです。（また引越！）伐採される木材を使って60m大の筏状の船をつくり、湛水実験時に山の上に上昇させ、以降水が減ってとり残されるままにすると山頂に船が遺るという仕掛けなのです。このプロジェクトは地元、国交省、行政、企業協賛を受けるなどして12年間かかって成就しました。その間のあれやこれやが面白い（本田孝義の映画「船、山にのぼる」参照）。
これはダムをつくるという全体が見えないプロジェクトのなか、その時々で行政、地域の情況、判断が変化してくなかでPHスタジオが独自に情勢を判断して、一年完結型のプロジェクトを成立させていき、それが総体として地域の暗黙の了解を経て〈船、山にのぼる〉という奇想天外な大プロジェクトを実現させたという信じられないものでした。

《Ⅲ》
現在、BankARTがやっていることは次のことです。（数値はこれまでの実績）
- **日常の仕事：受付業務 芳名を丁寧にもらうなど、実質をもった開口部**→芳名をもとにした住所録85,000件、メールニュース配信20,880件／**カフェ・パブ（パテ屋、タイレストラン、地ビール）食が大切だ**／**ブックショップ**→取扱3,500アイテム／**出版**→書籍およびDVDなど140アイテム
- **寺子屋のようなスクール**：320講座 のべ1,100講師
- **主催事業：大型個展**として、原口典之「社会と物質」、朝倉摂「アバンギャルド少女」、田中信太郎・岡崎乾二郎・中原浩大「かたちの発語」、柳幸典「ワンダリ

ングポジション」、川俣正「Expand BankART」「都市への挿入」等／グループ展シリーズとして「食と現代美術」「ランドマークプロジェクト」等／ダンスパフォーマンス「大野一雄フェスティバル」「カフェライブ」等／若い作家の紹介シリーズ「Under35」→54組紹介
●コーディネート事業：2,900事業
●AIR：のべ600組参加
●創造界隈の形成：空きビルの活用、シェアスタジオ、北仲BRICK & WHITE、本町ビル45シゴカイ、宇徳ビルヨンカイ、ハンマーヘッドスタジオ「新・港区」他
●他都市とのネットワーク：続・朝鮮通信使、台北とのエクスチェンジ、BankARTベルリン
そしてそれらの総合としてのBankART Life、過去5回の横トリと連動

BankARTを始めてからの活動を印刷物で知り、時々池田さんにその断片を聞き、たまに参加することもありましたが、「都市にあって何が出来るか？」というその活動の意味と実践は圧倒的でした。理念と経営を包括しています。BankARTはプラットフォーム（寄せ場）。多くの組織、個人が利用している。都市（行政）の動きに伴走している。良いアーチストを生んでいる（関わっている）。

そんななかでの深いかかわりは越後妻有の〈大地の芸術祭〉の参加（BankART妻有）と続・朝鮮通信使の〈瀬戸内国際芸術祭〉への参加、市原湖畔美術館での田中信太郎個展等がありますが、共同事業としては〈中原佑介美術批評選集全12巻〉の刊行です。2011年3月10日、高松のホテルにいた私に池田さんから中原佑介さん死去の電話がかかってきました。東北大震災の中での打ち合わせが続きます。アーチストとの切実な動きの中での話です。ご逝去に関わるいくつかの話とともにすでに共同で進んでいた中原さんの著作集をしっかりやろうという話になりました。この時期、池田さんとはほぼ毎日、いろいろなことを打ち合わせていました。私は美術史という広大な沃野を仏教彫刻史研究の水野敬三郎先生から、時代のあれこれに表れてくる精神史としての美術を未知の林達夫さんから、愛情がなければ作品が見えてこないことを大岡信さんから学んでき、美術の社会的な意味と影響力を中原佑介さんの、特に〈大地の芸術祭〉への関わりのなかから学んできました。その中原さんの著作集をBankARTと共にすすめられたことを僥倖だと思っていますが、今回池田さんについて考えるにあたって、池田さんこそが私を美術の発

生の現場の面白さをよく教えてくれていたのだと改めて思ったことです。中原さんの話をしながら私は池田さんをよく知っていけました。それは池田さんの死去の現在と重なってしまいます。

最後に、横浜でのBankARTの師匠である北沢猛さんは「都市とは何か? 夢の総体想像力が都市をつくる。自由な議論と行動の場」と語っています。その北沢さんの考えをもとにBankARTは横浜市が推進する歴史的建築物や倉庫等を文化芸術に活用し、都市部再生の起点にしていこうとする創造都市プロジェクトに関わっています。

1. ナショナルアートパーク構想
2. 創造界隈の形成→都市における新しい町屋・コミュニティ
3. 映像文化都市
4. 横浜トリエンナーレ

このなかの主として創造界隈の創出をBankARTは担ってきましたが、それは徹底的なものでだんだん間口も広くなっていますが、その徹底度とやり方は半端なものではありません。それは横浜だけではなく、国内、海外にまで深く伝わっていきました。国内だけでなく海外の人や組織がBankARTの門を叩いたかどうかはその後の展開を左右するぐらい運命的だったと私は思っています。

池田さんがともに生きてきたBankARTは次のように進んでいました。
「モチベーションなくできた美術館はモチベーションもなく消えていく」「街づくりの子細なリアリティのある感覚が大切だ」「アート、レイヤー、クラウドのような実体の伴わない構造への深い理解をもち、敵意を歓待に変えるようにしよう」「志をもった都市に向かって」

池田修という美術好きな、恐るべき熱量をもった人間の志をどれだけ享けてやっていけるか、身が引き締まります。

きたがわ・ふらむ|1946年新潟県高田市(現上越市)生まれ。アートディレクター、アートフロントギャラリー主宰。「大地の芸術祭 越後妻有アートトリエンナーレ」「瀬戸内国際芸術祭」をはじめ、「いちはらアート×ミックス」(千葉県市原市)、「北アルプス国際芸術祭」(長野県大町市)、「奥能登国際芸術祭」(石川県珠洲市)などの地域づくりプロジェクトの総合ディレクションを手がける。2017年度朝日賞、2018年度文化功労者、2019年度イーハトーブ賞他を受賞。

再開できる場所

岡﨑乾二郎
[造形作家/批評家]

同時代を共有した、というよりはもっとパーソナルに絞られたものであるけれど、池田修とぼくは（芸術というよりもっと広く文化全体へ関わる）問題意識、構えにおいて多くのものを共有していた。彼がいなければ作られること、実行されることができなかった多くの仕事、プロジェクト、作品が（彼がいてくれたゆえに）実現した。その意味で池田修さんはプロデューサーでありサポーターであり、協働制作者（池田以外の自称プロデューサーで自らノコを引き、釘を打ち、塗装をする人にあったことがない）であって、どれだけ彼に助けられたことか、何よりも恩人でした。けれど、実感として、池田修はぼくにとって同胞（ハラカラ）だった。いわば同じダンボール箱に捨てられていた捨て猫のように暗黙に通じる共通感覚があった。ぼくらはそのダンボール箱のなかで、不安とぬくもりと希望を共有した。貧しさゆえに感じることができたぬくもりともいえよう。が、この貧しさはぼくらの問題ではなく、日本の文化の構造的問題なのだ、とぼくらは感じていた。考えていた。それを考えられること、それを共有することができること、それがぼくらが経験した独特のぬくもりだった。

池田くん（とぼくは彼を呼んでいた）と知り合ったのは、1980年代中頃、あの伝説的なＢゼミである。年齢はそれほど離れていなかった、がＢゼミを修了し数年後に講師として呼ばれたとき彼はそこにいた。すでに彼の存在感は大きく、学生たちの中心にいて今ではアーティストコレクティブといわれる制作者集団の先駆ともいえるＰＨスタジオを始動させていた。80年代は妙な時代だった。表向き文化活動は拡張したように演出されていたが、内実は空虚だった。つまり、その表向きの拡張を支える生産構造も土台もなかった。それをいかに実現するか具体化するかの生産構造の裏付けなしに、妄想のような、あるいはたわいない思いつきに基づいただけの、その場かぎりの企画が、その場かぎりという弁解のもと日夜量産されていた。その意味で『ひょうきん族』などのT.V.のバラエティ番組の（浅はかな）企画の作られ方が文化全体のモデルになっていたような時代であった。それを貧しい、冷え冷えすると感じることができたわれわれは矜持があった。道端に捨てられたダンボールや家具などの粗大ゴミのもつ「（いまだ）使える」、「何かができる」という具体性にこそ、はるかに豊かな可能性を感じていた。この潜在性を使えば、いかなる場合でも何かができる。この潜在的な場所に立ち、そのフレキシビリティを保持し、いかなる場面においても可変的に再編していく力こそが文化の豊かさなのだ。いわば文化の下部構造を一から練り上げ、作り上げる。池田くんは40年前にすでに

そう決意していたように思える。

事実、池田くんのそれからの人生は（堅苦しい言葉を使えば）生きる下部構造であった。やさしく言えば、池田修は（文化を育てる）大地だった。池田修は都会の片隅に荒れた土地を見つけては開墾し、肥料を与え、種をまき、苗を植え、灌水し、日照り、寒波から守った。が見かけはもとの荒地のまま放置されたままだったから、植物たちは雑草のように育っていった。彼にとって芸術はどんな小さな都市の隙間でものびのび育つ雑草であるべきだった。干上がりそうになると、こうして水やりをしてくれる人がいるから、ときに雑草たちは自分が雑草であることを忘れることもあった。甘えもうまれた。アーティストばかりではない。結局のところ、資金も時間も人手も足りない、無理難題でもなんとか形にしてしまう便利な存在として重宝がられるということも起こる。80年代末から90年代にかけて文化の入れ物だけが巨大化され、増幅されていったが、それを埋め合わせる生産構造が日本にはなかった。この時期、PHスタジオに続いてたくさんのアーティストコレクティブのグループが出現したけれど、その背景にはこんな情けない事情があった。数日の仕込み（つまり徹夜の連続）、限られた予算で、巨大な空間をにぎやかに埋め合わせるモノをでっちあげる。もちろんそれは一過的で会期が終わればすぐ解体される仮設物でなければならない。そのときアートとは単なる使い勝手のよい隙間産業だった。仕事は徹夜の連続できつかった。3Kでブラックである。内実を支える構造を用意せず表向き華やかな業界＝デカイだけの展示施設を作り上げ、こうしたアーティストたちに頼って、回していった人々は反省するべきだろう。このとききちんとした文化の下部構造が構築できていれば、といまさら回顧する余裕はもうない。

けれど池田修はあきらめなかった。それは今では多くの人が知っている。彼に支えられ、助けられたアーティスト、文化芸術という語の周辺で暮らす人々は数えきれない。彼が耕し、組み立てあげた土台は、いつしか広く評価される晴れ舞台にも成長した。だが最後まで、池田修はその晴れ舞台の上に自ら立つことには馴染まなかったし似合わなかった。昔通りに徹夜つづきで、仕事（展示や舞台）を構築し終われば、その場にいるのは、もはや居心地悪いとでもいうように池田くんは舞台の袖に消えてしまう。

思い出すのは、誰もいない夜のBankARTの巨大な空間の片隅にある事務所に一

人残っている池田修である。大きな体の池田くんだけがまだいる（きっといつもい
る）。腕組みして椅子を回転させながら唸っている。そっと近づいたのに、はじめか
ら察知していたように、「おかざきさん、これでいいでしょう、これじゃだめ?」とい
きなり問いかけてくる。いったいいつ池田くんは家に帰っているのだ（お互いさまで
しょう）。たとえ数ヶ月ぶりであっても数年ぶりであっても、池田との会話はいつも、
こうして、いままで続いていた会話の続きのように再開された。あるいは突然、何ヶ
月ぶりかで電話がかかってきて、先ほどからの用件のようにいきなり池田修は問い
はじめ話しはじめる。池田くんとの会話は、こうして、いつでも再開されるはずのま
ま、つまり再開されるはずだという信頼として強く残る。それは池田くんがこの世を
去った、今も変わらない。忘れることのない、今も確かに残る感覚である。

思えば、いつでもそこに行けば会える、存在するという安心感を与えてくれる意味
において、ぼくは、池田修を懐かしいふるさとのように頼ってしまっていたのではな
いか。池田修は器量が、ずば抜けて大きかった。優しさの度量が大きかった。ぼく
は何度も彼に助けられ、ふつうなら無理だと退けられそうなプロジェクトを実現して
もらったけれど、「しょうがないなあ、わかった、やりましょう」と苦笑いをしつつ、池
田くんがどんなに無理をしていたか、もちろん勘づいていた。どんなときでも「でき
るように用意した!」と、結局は告げてくるから、だからぼくも無理をした、がんばっ
たよ、お互い強情で無理を競いあっていた。が結局のところ、ぼくは池田修を勝手
に同胞と考え、その大きな体に甘えてしまっていた。池田くんこそが（アーティスト
たちを抱擁する）あの仮設のふるさと＝ダンボール箱であるかのように思い込んで
いた。

おかざき・けんじろう｜1955年東京生まれ。豊田市美術館（2019-20）、BankART Studio NYK（2014）、
東京都現代美術館（2009）、セゾン現代美術館（2002）などで個展を開催。『ルネサンス 経験の条件』を
はじめ、その批評活動は多くの刊行物として結実している。2014年、スミソニアン・アーティスト・リサーチ・
フェローに選出。2019年、『抽象の力 近代芸術の解析』で芸術選奨文部科学大臣賞（評論等部門）受賞。
現在、東京大学および武蔵野美術大学客員教授。

BankARTは家である

小林晴夫

[blanClass ディレクター／アーティスト]

池田修さんが逝ってしまって、お葬式の日に、僕は、BankARTって「家」だと思った。池田さんは「都市」のなかにいろいろな生き方をしている人たちが、気軽に訪れることができる「家」をつくろうとしたのではないか…、そのとき初めて思ったことのように確信した。

池田さんはBankARTを始める前は、PHスタジオの人だった。PHスタジオといえば「家」とは切っても切れないアーティスト集団。そのPHスタジオのアートワークをBankARTが終着点だと思って見なおしてみたら、家具φから始まって、ショウルームやゲストハウスのデザインになって、街の隙間に家型のインスタレーションを置いて、民家を真っ二つに切って、さらにシンボリックな家型のアイコンが登場すると、さまざまなシチュエーションに現れては、意味を反転させたり、機能を拡張してみせたり、そうこうしていると本当に建築家になって住宅をつくり、家型アイコンも成長していき、あるいは飼い主を失ったペットのように、都市のなかを彷徨ったり、転がって辿りついた先に、とうとうBankARTという定住の「家」を獲得する…。まるで一本に繋がった物語のようだ。

時間を逆から見るから当たり前に思えるけれど、池田さんにとって「家」とはどんなものだったのだろう？

Bゼミ

僕が池田修さんに最初にあったのは1984年2月、BゼミSCHOOLの主宰だった父に誘われて見にいった、島州一ゼミのパフォーマンス公演「経験の大豆―橋上の獣」の会場だった。僕は高校休学中の16歳、池田さんはBゼミ在籍中の26歳だった。1984年は僕にとって特別な年。それは今していることのほとんどを始めた年だから。池田修との出会いもその1つ。それ以来、この人は、僕の人生の曲がり角に、必ず待ちかまえて、僕に無理難題を課してくる。とても厄介な友人になった。

その年の4月から僕はBゼミで父の助手を務めることになった。5月にはBゼミが開講し、すぐにBゼミ展「死んでやる」が始まった。このBゼミ展は、展覧会のほかに、「阿片とカナリア」中岡芳夫パフォーマンス、ノイズライブMERZBOW（秋田昌美），NULL（岸野一之），NORD（片山智）＋Bゼミ、安斎重男GYM公開パフォーマンス、西田仁パフォーマンス、森康浩パフォーマンス（ゲスト：芝井直実）、身体気象研究所ワークショップ、「詩のような美術のようなイベント」ゴジラ（さとう三千魚ほか）＋鈴木志郎康＋Bゼミ、シンポジウム「畸形論'84」（荒俣宏、中沢新一ほか）など、毎日なにかしらが開催され、横浜市教育文化センター全館を巻きこんだ騒音

騒ぎもあって、一大イベントになった。池田さんはイベント企画の中心的な存在だったと思う。僕は、搬入から搬出まで毎日横浜市民ギャラリーに通い、助手の仕事をそっちのけで、ほとんどのイベントに参加した。

そのころの僕はおそろしく暇だったものだから、Ｂゼミの手伝いのほかに、当時井土ヶ谷に住んでいたＢゼミ生たちの作品や展覧会の手伝いなどを買ってでていた。Ｂゼミ展が終わると、程なくして、池田さんはPHスタジオの活動を本格的に始め、井土ヶ谷周辺ではあまり見かけなくなっていた。実は立ちあがったばかりのPHスタジオのメンバーから、勧誘されたことがあった。そのとき「PHスタジオって、なにをするんですか?」と尋ねたところ、「たとえば富士山に鉢巻を巻くんです」と言われて、丁寧にお断りしたのを覚えている。

部屋φ

1984年当時、池田さんはＢゼミがある井土ヶ谷のアパートに住んでいた。南星荘というそのアパートは最初に住みついた牛島智子さんを筆頭に、1人また1人とＢゼミ生が引越し、最終的に住人の全員がＢゼミ生になり、倉庫を共有したり、光熱費の節約を画策したり、展覧会を開催したりと…、スクワット的なレジデンスと化していった。夏までの日曜日、アパートの各部屋と前庭も開放したパーティーに何度か参加した。南星荘は崖の中腹に建っていて、前庭はその崖側に面して、横長に広く、開放的だった。パーティーには、Ｂゼミ生以外の人たちも、ちらほら、池田さんは人々の間を縫って、せわしなく、みんなを紹介してまわっていた。BankART Studio NYKに足繁く通っていたころ、僕はいつもこの南星荘の崖に面した前庭のパーティーを思い出していた。

今回、池田さんが亡くなるまでお家で保管していた資料を見せてもらった。そのなかに1985年からずっと書きつづけていた池田修ノートというものがあって、この文章を書くために、特別に1985年と1986年のノートをお借りすることができた。ノートは日記のようで、詩の手帳のようで、手紙のようで、プランノートでもあるというすごい代物なのだが、「家具φ」展を終えて考えていること、部屋に感情移入する「部屋φ」計画のこと、廃墟を手にいれて改装する計画のこと、子供のころの思い出のほとんどが「家」と深く関わっていることなど、頻繁に「家」についての考察が書かれている。

1985年ノートでは南星荘の5号室を借りたまま、PHスタジオの活動が急に忙しく

なって、1年近く、東京の誰かの家を転々と、ねむくてねむくて、たまらない日々の
ことが書かれている。5月には、代官山のヒルサイドギャラリーのディレクターを始
めたこともあって、いよいよ引越しを決意するのだが、それでもこの部屋をスタジ
オとしてキープして、Bゼミに近いことを活かした企画展示室にしようと悩みなが
ら、南星荘に住んでいたころに想いを馳せて書かれた一文に、

―――――

いつも僕はこの部屋の上にある"ゾーン"のことを内部に、この丘からみえる、風
景を外部にみていた。この部屋は、丘のちょうど中腹にあり、坂道をくだっていく
民家が視線を散乱しながらも一方向に向けていた（抜粋）

―――――

という一節があった。部屋は思考の装置のように語られている。部屋と自身が一致
して内部を形成し、その上で外部には、折り重なる民家が、風景のように存在する
隣人たちや犬たちや猫たち、さらに街並み、遠くの山の輪郭、丘の外に放りだされ
るような感覚、近くにいる友人たち、少し遠いところにも友人がいて、さらに向こう
に「都市」が控えている。

家族写真

1986年になってすぐ、池田さんから父と僕にオファーがあった。それはTomomitsu
Watanabeという洋服のブランドの展示会用に小林家の家族写真を撮影したいと
いうもの。父は教え子の頼みだから叶えてあげたいというのだが、僕はまだ十代
で多感なお年頃。「家族と一緒に広告写真になるなんて、とてもじゃないが無理で
す」と断ったはずなのに、井土ヶ谷の小さな喫茶店で長々と説得され、最終的には
僕が折れ、「池田さんのために一肌脱ぎます」という、なんか変な結論に達して、結
局、2月2日にBゼミの2階で朝から撮影が行われた。
このブランドのプロジェクトノートも出てきたので、あらためて見ていたら、5人の
家族の微妙な関係も写ることを期待していたことがわかった。さらには、その後の
コレクションイメージのメモもあって、秋は兄弟のイメージ（小林家の3人姉弟と周
囲の関係）、冬は友人のイメージ（川俣正とイラン（?）と小林家とPHの人たち）、春
は晴夫のイメージ（晴夫が嫌いだと思う人と好きだと思う人5人の差異）と書いて
あった。ほかのページには川俣さんと僕が墓穴に埋められて上から撮影するプラン
まで出てきた。結局、デザイナーの渡邉友光さんはしばらくしてバリ島に移住してし
まったから、これらのプランは頓挫してしまったのだが…。

それにしても池田さんは小林家をなんだと思っていたのだろう？ 孤高のインデペンデントみたいなＢゼミと小林昭夫のイメージと、否応無く関わってきた母や姉たちと、反発するくせに受けいれてしまう僕の組みあわせで生まれる、なんともいえない雰囲気を面白いと感じたのか？ もしかすると、小林家の住居の上に仮設されているＢゼミ、言いかえるなら、「家」のなかにいる「家族」の上に乗っかっている、家型をしたＢゼミの、その姿を面白がっていたのかもしれない。

ネズミのお家
1986年から1987年は池田さんに会いに、代官山ヒルサイドギャラリーによく遊びにいった。近くにＰＨスタジオが手がけたハリウッドランチマーケットのゲストルームを案内してくれたことがある。それは怪物がかつて潜んでいた場所で、怪物の化石を見つけることができる部屋。床近くの壁の隙間には怪物の卵らしきものが見えるのだが、そのほかにも実はネズミさんのお家やゴキブリさんのお墓もあった。池田さんはニコニコしながら、小さな子供に説明するみたいに教えてくれた。

池田さんがＢゼミの期末提示（1984年3月20日）のために書いたメモにでは、「ゴキブリに手をのばしたら、遠ざかってしまって、彼らとの間にあるのは"遠ざかり"という関係しか見いだせない」とある。そこには「家」のなかを共に生きているはずなのに、まったく違うスケールでその場所にアプローチ（ゴキブリが"這う"ように）することへの関心が語られているのだが、メモには続きがあって、「靴みがきのおばさんや道路にダンボールを敷いて寝っころがっている人たちを見ると修行したいって気がします」とあって、きっと「家」のなかと同じ目線で「都市」のなかにあるレイヤーを眺めていたのだ。

BankARTは家である
池田さんは家具にも部屋にも家にもそこに住む猫や犬や鳥やネズミやゴキブリにさえ、感情移入して、そこに住まい、考えをめぐらせながら、外に出ていくのだけれど、外には途方もなくたくさんのものがあって、想像を絶するほど多様な人々や生きものが生きているものだから、途方にくれただろうけれど、それでも、どんなものにも感情移入しようとして、「都市」を生きるための、途方もない「家」をつくろうとしたのだ。
そしてBankARTは内側に「家」を備えつけ、外側に「都市」を抱えこんで、ものすご

く多くの人たちを呑みこみながら、衣食住だけじゃない、できるだけすべてのことを提案することで、何層にもなって見通しが悪くなっているような考えや問題を引きよせてきたのだ。それこそまるで「社会」みたいに…。

小林家（真ん中が筆者）

こばやし・はるお｜1968年神奈川県生まれ。1992年よりBゼミ（現代美術の学習システム）の運営に参加。2001年Bゼミ所長に就任、2004年Bゼミ休講。2009年blanClassを設立。以来毎週Live ART＋公開インタビュー＋アーカイブを運営してきたが、2019年10月、10周年を機にLiveイベントを休業。現在はWEBアーカイブのみ運営。作家活動は個展に「Planning of Dance」（ギャラリー手/東京/2000）、「雪 −snow」（ガレリエsol/東京/2001）。グループ展に「SAPアートイング東京2001」（セゾンアートプログラム/東京/2001）、パフォーマンスに「小林晴夫 & blanClass performers [Traffic on the table]」（新・港村blanClassブース/神奈川/2011）など、編著に『market by market 12 −原口典之 スカイホーク特集』（マーケット発行/1997）、『Bゼミ「新しい表現の学習」の歴史』（BankART1929発行/2005）がある。

おいくらですか？

村田 真

[美術ジャーナリスト／BankART school 校長]

すでに数年前から身体はボロボロで、いつ倒れてもおかしくない状態であることは
自他ともに承知していたが、それにしても急だった。せめて病床に見舞うくらいの
いとまは与えてほしかったのに、仕事中に倒れてそのまま逝ってしまった。まあ池田
くんらしい死に方ではあるけれど。

ぼくが池田くんと知り合ったのは、1982年11月22日。その夜、池田くんが通って
いたBゼミで、福岡から来たアーティストの山野真悟氏と江上計太氏、福岡市美術
館の学芸員だった帯金章郎氏の3人による特別講義があり、当時『ぴあ』にいたぼ
くも聴きに行った。講義が終わってから飲み会になり、ぼくは池田くんの部屋に泊
まったらしい（実はよく覚えていない）。これが池田くんとの最初の出会いだから、
かれこれ40年になる。ちなみに、3人のうち山野氏はその後「ミュージアム・シティ・
天神」を立ち上げ、川俣正氏が総指揮をとった横浜トリエンナーレではキュレーター
を務め、現在は横浜の黄金町エリアマネジメントセンターの事務局長として采配を
振るうなど、池田くんともぼくとも縁を深めていく。
池田くんはその後、川俣氏のアシスタントチームとしてPHスタジオ（以下PH）を
結成。川俣氏がニューヨークに行くと、美術だけでなく家具や建築も手がけるチー
ムとして活動するかたわら、個人では北川フラム氏の率いるヒルサイドギャラリー
のディレクターとして、多くの展覧会を企画。このギャラリーで学んだ展覧会のつく
り方、アーティストとの付き合い方、お金の集め方、パブリシティ戦略などは、その
後のPHの活動やBankART1929の運営に大いに役立っていくだろう。その間ぼく
はぴあを辞めてしばらく海外に遊んでいたので、池田くんと再会するのは80年代
半ばのこと。とりわけ1987年に横浜の2つのアートイベント「横浜パフォーマンス・
フェスティバル MAY GARDEN II」と「大倉山アートムーヴ87」に関わってから交流
が密になる。どちらもPHが出品作家、ぼくはコーディネーターという関係だった。
このとき「MAY GARDEN」にボランティアで参加した横浜市の若き職員たちは、約
20年後、池田くんたちによるBankARTの運営に市の幹部として再び相まみえるは
ずだ。

90年代に入ると、山野氏による「ミュージアム・シティ」を皮切りに、全国でアートプロ
ジェクトが活発化し、PHも各地に呼ばれるようになる。代表的なものをひとつ挙げれ
ば、1994年から広島で始まる灰塚アースワークプロジェクトだ。これは灰塚ダム建
設予定地をアートで活性化させようというプロジェクトで、ぼくは事務局から依頼さ

れ、参加作家としてPHと韓国の陸根丙を送り込んだ。PHは、ダム造成で伐採される大量の木を使って巨大な船をつくり、水位の上昇とともにダム湖畔に乗り上げようというプランを作成。ダム建設により住人も田畑も引っ越しするのだから、樹木も引っ越してもらおうというアイディアだ。題して「船をつくる話」。まるで「ノアの方舟」のように壮大でメルヘンチックな発想なので、ぼくは（おそらく事務局も）机上のプランとして受け止めていた。ところがPHは、というか池田くんは本気だった。事務局からゴーサインが出ないので、PHは実現に向けて独自に動き出す。遠隔地なので毎年時期を決めて滞在制作するだけでなく、建設省（当時）や自治体との交渉から、資金集め、展覧会やシンポジウム開催、広報活動、地元住人とのつきあいまで、すべて自分たちでやらなければならない。それを10年にわたって続け、2006年にほぼプランどおり完成にこぎつけた。その2年前から池田くんはBankART1929の運営に集中していたので、「船をつくる話」がPHのライフワークになった。

それにしても、推薦したぼくがいうのもなんだが、よくも実現したものだと感心する。ぼくが雑誌の取材で訪れたときは、空港への車での迎えから道の駅でのランチ、数カ所の役所の職員へのインタビューまで、分刻みのスケジュールを立ててくれていた。おかげで助かったというか、適当に酒でも飲みながら話を聞いてまとめようと安易に考えていた自分が恥ずかしい。あとで聞くと、このプロジェクトは3町にまたがるため、各自治体の話を聞いてもらう必要があると考えたそうだ。いつの間に池田くんはこんな根回しや気配りまでできるようになったのだろう。その実行力とタフネゴシエーターぶりは、その後のBankARTでも遺憾なく発揮されるはずだ。

BankARTについてはおそらく多くの人が語ってくれると思うので、個人的なエピソードを述べるにとどめたい。BankARTが始まってから1年ほど経ったころ、ぼくは美術雑誌からBankARTの記事を依頼された。ちょうど、2つの建物のうちのひとつが東京芸術大学大学院に新設される映像研究科の校舎として使われることになり、横浜市から移転を通告されていた時期だったので、市の対応を批判的に書こうとした。すると池田くんは、横浜市が国立の芸術大学を誘致したのは「文化芸術創造都市構想」にとって喜ばしいこと、それはBankARTの活動が認められて場所の価値が上がったからであり、またBankARTも代替地を保証されたのでむしろよかったと、大人の対応を見せたのだ。あれ？ 最初にその移転話があったとき池田くんは怒ってなかったっけ、と思ったが、そこはホンネとタテマエ。いずれにせよ、結果的にBankARTは日本郵船の巨大な倉庫を使えるようになったのだから、感情を

抑えてウィンウィンの関係に持ち込んだ池田くんの手腕には感服せざるをえない。あるとき、もし信頼する上司が不正をしたとしたら、上司についていくか、それとも告発するかと聞いたことがある。池田くんの答えは「上司に従う」だった。意外にも思えたが、そうかもしれないと納得もした。池田くんは祖母に育てられたせいか儒教的なところがあって（修という名からもうかがえる）、基本的に目上の人に従う。彼にとって絶対的に信頼する「上司」は川俣正氏であり、北川フラム氏であり、そして横浜市の都市デザイン室長を務めた故北沢猛氏だった。BankARTを単なるNPOのアートスペース以上の存在に育て上げたのも、敬愛する北沢氏が「創造都市構想」のレールを敷いたからにほかならない。そのミッションをまっとうするために豪腕をふるい、文字どおり自分自身の命を削ってミッション以上の成果を出してきた。味方につければ強いが、敵に回したくない相手ではある。誤解を恐れずにいえば、彼はビジネスマンでも、いや軍人でも出世したに違いない。

最後のエピソード。ロシアが軍事侵攻してからぼくはウクライナに関連する2点の絵を描いて、画像を知り合いにメールで送った。数人からいろいろな感想が寄せられたが、池田くんはただ一言「おいくらですか？」と。最初カチンときたが、池田くんらしいなと思い直した。値段を聞くということは、買う意志があるということだ。それに、彼がいつもいっていた「アーティストは絵を描いて終わりではなく、作品を売ってなんぼ」というメッセージでもあるだろう。さっそく値段をつけて返したが、返事がないまま逝ってしまった。寂しいなあ。もっともっと話がしたかった。

『void chicken』に書いた追悼文から抜粋

むらた・まこと｜1954年、東京生まれ。ぴあ編集者を経てフリーランスの美術ジャーナリストに。2004年、BankARTの立ち上げに関わり、BankARTスクール校長を務める。翌年、共同スタジオの北仲ホワイトに入居し、絵画制作を再開。SNOW Contemporary、表参道画廊などで個展。著書に『美術家になるには』『アートのみかた』、共著に『社会とアートのえんむすび』『日本の20世紀芸術』、編集に『工事中KAWAMATA』『いかに戦争は描かれたか』など。

池田君のこと

乾 久子

[美術家]

池田修さんのことは、池田君、というふうに、君づけでしか呼ぶことができません。僕のことを、池田君、だなんていうのは、乾さんとフラムさんぐらいしかいないよ、BankART Station の事務所で笑ってそう言われたことがあります。

同級生だった男性に対して、女性は幾つになっても君づけで呼んでしまいますが、呼ばれる側の当事者はどうだったのでしょう。今となっては当人の気持ちを確かめることはできません。でも池田さんは案外、この呼ばれ方を好んでいたのではないかと思います。その呼称の中にある、かすかな何か、ある時期の自分を誰かに肯定される懐かしいような気持ち、それを感じていたのではないかと思うのです。

池田君は、静岡大学のときの同級生でした。

同級生といっても、池田君は理学部、私は教育学部でしたから、同学年に過ぎずクラスメイトということではありません。まみえる機会は本来ならなかったのですが、彼は大学の美術部に属していて活動場所が私たち教育学部美術棟のアトリエだったのでした。

池田君の恋人は私の友人のてるちゃんでした。彼女も私と同じ教育学部美術科に学んでいました。さらに、池田君の理学部での親しい友だちに吉本さんという人がいて、彼は私と同じサークルの人でした。つまり私は池田修さんを大学時代に、自分の親しい人たちと親しいということで知ったのです。静岡大学は、私たちの入学した1977年当時は国立大学二期校という存在で、学内には一期校に落ちた人たちのルサンチマンがあちこちに散在していました。負け犬たちはそれぞれの内側に固く熱いものを噛み締めていたのかもしれませんが、そんな鬱屈した若者たちの上にも静岡の光はいつも明るくやわらかに降り注いでいました。

池田君は田んぼ道を歌いながら自転車で走っていたねとてるちゃんは言います。てるちゃんと二人乗りして私も静岡の田んぼ道を自転車で走りました。ボブディランとかイエスとか中島みゆきとか、そんな音楽を聴いていたあの頃。埴谷雄高の『死霊』は読まねばならず、わかったふりで持っていたあの頃。池田君は、サブロクのベニヤに大きな馬の絵を描いていました。教養棟から下ったところにある『さぼおる』という喫茶店で飼われていた犬と友だちでした。

やがて池田君は卒業を待たずに上京しました。てるちゃんと吉本さんと私は、卒業後に上京しました。追いかけたのでも、しめし合わせたのでも無く、それぞれが別々に決めて、結果としてそうなりました。静岡の4年間では収まらないものが誰の心に

もあったのだと思います。てるちゃんは版画を、吉本さんは自然人類学を、私は美術史を、それぞれの場所で学ぶ人となり、池田君は働きながら絵を描いていました。Bゼミに入ったのはその少しあとのことだと記憶します。

新宿の紀伊國屋書店の前で4人で集まったとき、池田君だけが自転車で現れました。後ろの荷台にその日配達する夕刊がくくりつけられていました。西新宿の彼の部屋をみんなで訪れたときに見た壁の緑色が強烈でした。前の住人が塗ったのだと言っていました。スマホもないのにどうやってバラバラに住んでいた私たちがあんな風に集まれたのか、今となっては全く思い出せませんが、王将という名の安い飲み屋さんではおつまみが30円のものがあったとか、そんなことは覚えています。

さて、それから長い時間が経ちました。

80年代後半からの、池田修さんの目をみはる活躍は、周知の通りです。一方私は、2年間の修士課程を修了して地元に戻り教員になり、その後、家庭を持ちました。90年代後半から本格的に作家活動を始め、池田君との再会は2000年代のはじめごろだったと思います。

ガリガリに痩せていた学生時代からするととても風格が出ていましたが、池田君はますます明晰で、彼の心と頭の中に広がるアートの設計図は広大でした。私生活もない様子で全てをアートに注いでいるように感じました。

そんな彼からすれば、古い友人とはいえ私などに関わってもなんのメリットもないはずなのに、いつ行ってもウェルカムで迎えてくれ、自身の今の活動のさまざまを伝えてくれました。あの声であの語り口で短い表現の中に正鵠を得る彼特有の会話のいくつもを覚えています。私に対しては作家としてこうあれという助言をよくしてくれました。記録を残すことの大切さ、何をもって展覧会の成功とするか、海外レジデンスの意味、などなどたくさんのこと。『乾さんは、ここで飛べって時に飛ばないんだよね。』と言われた言葉が特に残っています。（飛ばなければなりません。）

2016年に浜松市鴨江アートセンターでの企画に登壇者として協力していただいたこと、2020年には作品集の制作を強く後押ししてもらったことなど作家として彼との関わりを多少なりとも残すことができたのは宝物です。

ところで私は、時折行く横浜で、拠点を広げ移していく様々なBankARTの姿を池田君に見せてもらってきましたが、その中でいちばん思い出深いのは、2018年ごろの、国道16号線沿いのR16オープンスタジオです。その時は、海岸通りに

あったBankART Studio NYKのあの建物がやがて取り壊されるという経緯から
BankARTがおおきな中核拠点をなくした後の頃です。

R16オープンスタジオはBankARTの新拠点のひとつでしたが、根岸線の高架下
で、雨や風が吹き込む感じだったし、車の騒音もあって、半分屋外のような空間で
した。トイレもなく、不思議な長細いスペースでした。ここを若手アーティストの制
作場所にするんだとかなんとか、いろんなごちゃごちゃが置かれたスペースにある
古いソファに掛けて、池田君は楽しそうに話してくれました。あの立派なNYKで会っ
た時よりも生き生きとしていたかもしれません。

面白いスライドを作ったんだよ、とその時そこでみんなにお披露目したのは彼自身
の幼少時からの写真の数々でした。私はその時初めて、これまでなんとなく触れる
ことができずにいた彼の個人史を思いがけない形で見ることになりました。その時
私は新しい池田君を知ったというよりは池田君への私なりの理解を確認し深めるこ
とができたと感じました。何より、あの空間にいた池田君と、幼少時の池田君が同
じで、どこかあっけらかんとした明るさに満ちていました。

BankART Studio NYKという、大きな中核拠点を失っても池田君はめげていない
ばかりか、むしろ楽しげですらあり、そこには、知ってきた、静岡の風に吹かれて
いた池田君がいました。

何者でも無く何も持たず一流でも本流でもないところから始めて物語を作ることを
池田君はやってきたのだと思います。都市空間の中で猫の通り道を見つけてきた
ように、それは彼にとってはとても楽しいことだったのに違いありません。

冷たい雨の降る2022年4月のある日、てるちゃん、共通の友だちの小春、そして
私、の3人は深夜のロイヤルホストで池田君を偲びました。
私たちはすべてを肯定できたように思います。
名をなし功を遂げた池田修さんとともに『池田君』と呼び続けてきた私(たち)の時
間の中に生きていた池田修さんが、確かにいます。

いぬい・ひさこ｜1958年静岡県生まれ。静岡大学卒業後、東京学芸大学大学院修士課程修了。イメージか
らイメージへと広げていくドローイングを制作の基本とする。乾久子「ことばのまわり ～船とゆく～」(グラン
シップ・静岡県アートコンベンションセンター/静岡/2021)、"Das Erlebnis der Linien"(ギャラリーMeta
Weberx/ドイツ/2007)、「線・集積するものたちへ」(ギャラリーメンター/ドイツ/2005)ほか、国内外での
個展・グループ展多数。http://hisakoinui.com/

思い出とお別れ

山野真悟

［NPO法人黄金町エリアマネージメントセンター］

池田修君（以下君を略します）はいつも同じコートを着ていたような気がする。あの体なので、コートが楽だったのだろうか。ある日のこと、彼は突然体の衰えを見せ始めた。コートはいつも通りだったが、顔色がかなり悪かった。彼の周りにいた誰もが、これは厳しいかな、と思ったはずだが、それから、彼はもう一度復活した。病院の治療に依存しながら、彼は自分の体調をコントロールすることを覚えた。彼は時々休みを入れながらも、以前のように、過酷な仕事に戻っていった。その期間は思ったより長かったのか、あるいは短かったのか。突然の連絡を受けた時は、ちょっと短いと思った。それはその少し前に本人から彼の将来の計画を聞いていたためかもしれない。

池田修と自分自身を重ねて考えてみても、ほとんど重なるところがない。唯一重なっていたのは、最近になって、お互い死が間近いという意識を持っていたことくらいだろうが、それに向かう考え方も、大きく異なっていたような気がする。彼には計画的に残りの時間を生きようという意識があった。私はなぜか、まだ自分が見えない。

彼が病気をしてからは、以前ほど一緒に飲む機会はなくなったが、ときどき創造界隈拠点のディレクターの親睦の集まりなどを開いていた。その後、コロナの影響で、飲み会は、ほぼなくなり、最近は主に行政との会議などで、会うだけになっていた（これも意外とリモートではなく、対面が多かったのは池田の意向だったのではないかと思うが）。会議中は全体の話の流れに逆らうような発言が池田の役割で、それに対して、まあまあ、と言うのが私の役割だった。
彼は彼の考え方に関心のない人と仕事をすることを拒絶する傾向があり、また関心のない人を説得しようとしていた。私はもともと関心のない人たちと仕事をするという習慣があり、説得することも、説明することにもあまり興味がなかった。この辺も彼との違いのような気がする。

池田修と初めて会ったのは、記録が残っていて、1982年11月のことだった。当時、彼はBゼミの生徒だった。その時は、1回限りの講師と生徒という関係だったが、その日私は別の生徒の部屋に泊めてもらったので、夜も池田修と話をしたことを憶えている。やがて私たちは、私が東京に行った時に、時々会うようになった。その間に彼はいつのまにかPHスタジオのメンバーとなり、ヒルサイドギャラリーのディ

レクターになっていた。

1990年代に入って、私は、企業、行政、メディア、美術関係者でチームを作って、
福岡の街なかに展開する展覧会を始めたが、PHスタジオにも何度かアーティスト
として参加を依頼した。
1990年の第1回展の時は、彼らが福岡に到着した時、私は新天町商店街のアー
ケードに、複数の作品を吊り下げる作業で悪戦苦闘していた。軽トラックの荷台に
脚立を乗せて、それで移動しながら作品を設置するのだが、人手が足りていない
のを見かねて、池田が手伝ってくれた。PHスタジオは三菱地所のイムズビルの屋
上に作品を設置したが、私はほかの作業がいそがしすぎて、彼らの制作現場を訪
れることができなかった。作品はいつのまにか出来上がっていた。
その後、1998年に彼らは2度目の参加アーティストになった。白い小屋を作って、
それを廃校になった小学校の校庭に置き、メンバーで博多の街を回って、街の人
たちから、不要な家具やその他をもらってきて、それらを小屋の内外に組み合わせ
て置いた。会期中、小屋とそれらのものは、天神の商業施設の吹き抜け空間に移
動して再展示された。これは緩い部分もあり、また計算したところもあるという、い
かにもPHスタジオらしい作品だった。
3度目の参加は2002年で、その頃すでに私たちには、街なかに展開するというほ
どの体力はなかった。フクニチ新聞社の跡地を借りて、複数のアーティストによる
屋外展示をしたが、その中で、もっとも規模が大きかったのはPHスタジオだった。
1998年のときの小屋のようなものを、大小いくつも作って、円周上に並べ、それが
集落のようになっていた。この時に作ったものの一部はその後のBankART事業に
も転用された。
同じ頃、私はアートホテルというプロジェクトをやっていたが、その中の客室の一
つを彼らにお願いして、改装してもらった。

この後半1998年以降は川俣正のコールマイン田川の期間とも重なっており、PH
スタジオも当然、師匠の仕事を見に来たと思うが、それがいつだったか思い出せ
ない。
2002年頃、私は経済的に苦しい時期に差し掛かっていて、かなり無理をして自分
のプロジェクトを続けていた。当時のPHスタジオに経済的余裕があったとは思え
ないので、池田修も無理をしながら付き合ってくれたのだろう。

そして、私は彼らの大掛かりなプロジェクト『船、山にのぼる』を見に行った。この
プロジェクトが池田修とPHスタジオの代表作であることは間違いない。そしてアー
ティストであることに限定されることのない、その後の池田修の動きを予告するよう
な仕事だったとも思う。

そして、それから数年のうちに池田修の運命も、私の運命も急展開することになっ
た。私は、ヨコハマトリエンナーレ2005のために1年近くを福岡、横浜を往復しな
がら仕事をしていたが、その時、池田修は横浜市の創造都市事業の先駆者として、
すでに旧第一銀行を拠点に活動を始めていた。この状況は、ヨコトリのディレク
ターに就任した川俣正にとっても大きな支えになったはずだが、私にとっても横浜
がまったく未知の場所にならないように、池田が先回りしてくれていたかのようだ。
食べ物屋などにいたるまで、彼がいろいろ連れ歩いて教えてくれた。

池田修らが始めたBankART事業は行政と民間が組んだ事業形態と、またその事
業スケールの大きさにおいて、画期的だった。そして池田の運営の手腕は卓越して
いた。

私は一時期、北仲WHITEという場所のお世話になったが、これも池田的なセンス
によって、全体が組み立てられていた。
2007年、私が黄金町に辿り着いた時、BankART桜荘というレジデンス施設が先
駆的にオープンしていた。そこは、彼らとしては例外的に小さなスペースだったが、
彼らはそこを拠点に、黄金町に限定されない、かなり広い範囲で活動を展開して
いた。私もやがてこの地域で苦労を重ねることになるが、彼らがこの場所で動き始
めた頃の大変さは容易に想像できる。

その後、横浜で大きな施設の管理を転々としながら、その有為転変にも関わらず、
移動するたびに新しい場所を作り上げる池田修に、私はいつも感心していた。
BankART Studio NYKがなくなったとき、多くの人たちが重要な拠点が失われたと
感じたが、池田は、まだ新しい拠点を獲得しようという意欲を持っていた。新しく出
来た場所は、アーティストをはじめとして、多くの人たちが出会い、新しい関係を作
り出すために活用された。池田は自分が開いた場所の機能を理解して、使い分け
ていた。私は、彼が機嫌よく何か熱心に話しているのを見るのは好きだった。あま

り人の話を聞くようなタイプではなかったがそれは気にならなかった。
ただ、私はわずか2回だけ彼に説教したことがあるが、意外なことに、彼は素直に人の説教を聞くような人間でもあった。

その死のほぼ1ヶ月前、最後に会った時も、彼がとても楽しそうに、酒を飲みながら、これからのことを話していたことを思い出す。ああ、これが最後の日でよかったと今は思っている。とてもいいお別れだったというしかない。

Bゼミにて、1982年（真ん中が筆者）

やまの・しんご｜1950年福岡生まれ。1978年よりIAF芸術研究室を主宰。1991年ミュージアム・シティ・プロジェクト事務局長に就任。1990年から2002年まで街なかの美術展「ミュージアム・シティ・天神」をプロデュース。1991年「中国前衛美術家展［非常口］」をプロデュース。2005年「横浜トリエンナーレ2005」キュレーター。2008年より拠点を横浜に移し、「黄金町バザール」ディレクター。2009年黄金町エリアマネジメントセンター事務局長に就任、現在に至る。

池田さんについて今思うこと　2022年5月10日

中原浩大

［美術家］

真っ黒な厚手のロングコート姿の池田さんを思い出している。マフラーをしていた気がする。とっくに日が暮れて夜の景色になっている代官山、まだ明かりのついているヒルサイドギャラリーのショーウィンドウのガラスの外側、石畳の小さな広場のような場所に立っている。少し背中を丸めて、目を閉じて何かを考えているような仕草。僕は多分ギャラリーの中からそれを見ているけど、そこは記憶が曖昧だ。合成されたフラッシュバックかもしれない。田中信太郎さんとの二人展の搬入の時なら1988年、下見の時ならその前年かなあ。ヒルサイドの池田さんでありPHの池田さん。今にして思えば、あの時は二人とも暫定的な姿だったと言っていいのだろうか。それとも池田さんには横浜やBankARTがもう見えていたんだろうか。

静岡県掛川市のとある幼稚園でPTAが中心となって数日間のイベントが企画された。阪神・淡路を襲った大震災の翌年1996年の8月初旬、「緊急の居所 -COSY-」の開催場所となったその幼稚園で、僕たちは同じ運動場にいた。そのときに撮影したカメパオの記録写真をよく見ると上端の方に、荷台部分を改造して生活関連の必需設備を搭載したPHのトラックハウス?が写っている。ボランティア、NPO、地域コミュニティなどのワードが日本国内で急速にリアルなものとして関心を集めつつあった瞬間。まちも人々も空気を変えつつあった瞬間のようにも感じる。この時期に池田さんがどんなプロジェクトをいくつ走らせていたのか僕はよく知らないし、勝手にストーリーを想像するつもりもさらさら無いけれど。あの頃の空気の中で何を思い、何を考えていました?
僕はといえば、企画者の一人でもある友人から事前の企画会議に誘ってもらった際に、参加していたPTAの一人から言われたことが深く刺さり、態度を決めた。そして、そのことが形を変えながら後を引くことになる。「震災をテーマにした美術展なんかやりたくない。私たちはいつか大きな地震が来ると言われている静岡で、震災のこと、子供のことを真剣に考えようとしているんだ。」あの時は池田さんはいなかったはずだけど、もしあの会議に参加していたらどんな反応をしたんだろう。

BankARTの池田さんには前に進むことを前提にした粗い粒度があると感じている。僕の経験で例えるとすれば、数えるほどの経験しかないけど、海外で作品を発表したときに特に感じるジレンマ、なんで上手くはまらないんだろう、実は実力がないだけのことだと思い知らされる、あの感じに似ている。実力がなければ、こぼれて落ちてしまうことを受け入れるか、同じだけのスピードで前に進むしかない、あの感じ。

公約数で良しとする行儀のいいやり方でもなく、ディテールだけで出来上がっている地下に浸み込んでいくようなやり方とも違うし、きっちりと嵌まるベストピースを探していくのとも違う。それが自治体と向き合いながら、いくつもの顔や体を持つまちや人々、コミュニティーの中にあって何かを形成していくための方策なのか、形成されていく何かの中にあって彼が果たしている役割なのか。横浜にある、オルタナにしてNPO法人、として形成されたBankARTを見事に成立させているもう一つの要因。仮に僕の抱いた印象があたっていればの話だけれど。

もし僕にもう少し通用する才能や技量があったら、あるいは、誰もが認めるちゃんとした実力が身についていたら、美術を新しい形で社会化するという課題を疑ったり、その問いの立て方で正しいかどうかなんて手前で迷ったりしなかっただろうから、池田さんとの距離感ももう少し別なものになっていたかもしれない。彼のような人の前では、欲求を行動に移すという原形をそもそも社会化する必要があるのかとかなんとか別な問いを立てて悩んでみせても、きっと弱っちく逃げまわっているようにしか映らないんだろうな、そして実際その通りだろう。自信がないからそうじゃない場所に居ようとするのだと思う。

その間にも彼はクタクタになりながら働き続けているのだろう。足跡を増やし、山のように計画を形にしながら前に進んでいく。僕は日向で煙草をふかしながらぼーっと考えることが至福だと自分に言う。それは本心なんだけれど、一方で何も残せていないことも分かっている。僕は立ち位置を疑い、社会化に引っかかってしまった。それでも僕が態度をはっきりさせないままサボっているから、年に一度か数年に一度、忘れた頃に電話がかかってくる。もう何年も前になるけど、今病院からなんだけどなんてこともあった。その度にうしろめたい気持ちになり少し緊張しながら、今はちょっとダメとか、今は無理と答える。そんなやり取りもこれで終わりなんだろうか、それとも彼を思い出す度にこの先も続くのだろうか。池田さんが逝った。

なかはら・こうだい｜京都市立芸術大学美術学部教授。ヒルサイドギャラリーおよびBankARTに関連する個展・グループ展として「Shintaro TANAKA + Kodai NAKAHARA」（ヒルサイドギャラリー/東京/1988）、中原浩大 個展（ヒルサイドギャラリー/東京/1990）、「BankART LifeⅡ―心ある機械たち」（BankART 1929 Yokohama/横浜/2008）、「かたちの発語展―田中信太郎/岡﨑乾二郎/中原浩大」（BankART Studio NYK/横浜/2014）。

池田さんとともに始まった横浜創造都市の黎明期

曽我部昌史

［建築家／みかんぐみ／神奈川大学］

古い銀行を改修してアートのための場を立ち上げるので、その中のカフェをデザインして欲しいと連絡があった。池田さんとの最初の会話は、2004年の初冬だったと思う。旧富士銀行に着くと既に辺りは暗く、前の歩道には横倒しにした椅子に天板を載せた休憩所のような場が点在していて、ふしぎな自由さが醸し出されつつあった。初対面だったのだけれどそういう感じもなく、一通り話を伺った。それから少しして、場所が変わったと伝えられた。旧富士銀行は、新たに横浜で立ち上げられる東京藝術大学大学院映像研究科の校舎の1つになるという。そのことに対して「驚くようなことが起きるものだ」というニュアンスの発言はあるものの、腹を立てている様子もない。後にBankART Studio NYKと呼ばれる建物が使えることになり、そのことを考えるのに忙しそうだ。こうして、ふしぎな自由さをまとい、ポジティブに前進する、まさに池田さんらしい生き方に触れることになった。「ふしぎな自由さ」を、もう少し正確にいうと、慣習的なやり方にとらわれることなく、暮らすことや生きることにまつわる自由と責任を自らの視点で切り開く、ということだ。「ポジティブに前進する」というのは、状況の変化にはいつも前向きに向き合うということなのだけれど、いつも新たな可能性に接続させていく様は、毎度、新たな物語がはじまるかのようだった。こうしたスタンスのもとで一緒に仕事をすることには、いつも一種の心地よさを感じていた（同時に、ものすごく大変なことも多いのだけれど）。後に痛感することになる三つ目の池田さんらしさは、「諦めない」ことだ。多くの人が「時間切れか！」と諦めそうなタイミングで、新たな調整を試みる。しかも調整の幅はたいてい小さくない。いつも「また来たか」と大きく動揺するものの、その効果が大きいことはわかっているので、どこかに「もう付き合いきれん」という気持ちもあるはずなのだけれど、ともかくみんな頑張ることになる。初対面の翌年2005年は、第2回横浜トリエンナーレが開催された年である。BankART1929が立ち上げられつつあるさなか、諸事情から総合ディレクターが磯崎新氏から川俣正氏に交代することになった。会場構成は、アトリエ・ワン、藤本壮介、ワークステーションとみかんぐみが共同であたった。BankART Studio NYKのアプローチ部分は、もともと川俣氏が手掛ける予定だったのだけれど、ヨコトリに専念するため、そこもみかんぐみが担当することになった。池田さんと、横浜と、横浜市とのかかわりが急に濃密になりはじめた。都内にあった事務所との間を慌ただしく往復し、ときには関内のホテルに泊まったりもした。そうした中、池田さんから、旧帝蚕倉庫事務所建物を期間限定だけれどオフィスとして使えるかも知れない、という相談があった。ちょうど、みかんぐみでは都内での移転を検討していたこともあり、旧帝蚕倉庫事務所の歴史を重ねた雰囲気や低廉な家賃に魅力を感じ、一時期、横浜で事務所を

構えるのも悪くないか、と馬車道への移転を決めた。北仲ブリック・北仲ホワイトと呼ばれた。一年半の期限の後も馬車道を離れることは無く、今年の5月で18年目に入った。当初は家賃と建物の雰囲気に惹かれただけで、いずれ都内に戻るだろうと思っていた。そうしなかったのは、行政を含め地域で活動をする人たちとの関わりの深さや、自分のまちと思える環境で過ごすことの魅力が代えがたいものだったからだ。当初、地域のこうした特性は、巨大だとはいえ地方都市だからこそ生み出されているのだと思っていた。そうした背景もあるのだろうけれど、池田さんがいてBankARTがあったからこそ、地域との関わりは目に見えて多様で濃密になっていった。ここでしか得られない時間だ。それに、諦めないで前進する池田さんが各所と交渉し関係を築いていっていなければ、北仲ブリック＆ホワイトでの一年半だけで多くの入居者が他の土地へ移っていただろうし、創造都市的な関わりも収束していたかもしれない。
さらにその翌年、2006年度から神奈川大学にうつることになった。着任した直後の5月、立て続けに2つのプロジェクトの話が池田さんからあった。ひとつ目はBankART妻有。大地の芸術祭の一環として、新潟の山村に建つ農家の建物を改修して、滞在型の活動拠点をつくるというものだ。みかんぐみ＋大学の研究室で担当した。もう一つはBankART桜荘。前年に行われたバイバイ作戦でひと気の無くなった黄金町で、一棟の小さなちょんの間をアーティストのレジデンスとして改修をすることになった。こちらは研究室で担当した。いずれも多くの部分を学生とのDIYでつくった。学生が相手でも、上述の池田さんらしいスタンスは変わらない。池田さんらしさはより強まっていたかもしれない。おそらくそれには、教育的な意識もあっただろう。厳しい発言もしばしばみられたけれど、それは、相手によりきちんと考えることを促すためのもので、知っている人にはわかる（最初はちょっとびっくりする）特有の愛に後ろ支えされたものだ。
建築や建築家を巡る諸事についての想いはとても深かった。PHスタジオとして建築設計の実績もあるので当たり前ではあるけれど、新たな体験を可能にするリアルな場の創出には特に強い想いを持っていたと思う。NYKのカフェをデザインしたときや作品として何かをつくるような場合には、ほとんど要望はなかったけれど、完成した後に雑談での質問のようなかたちで池田さんの考えが伝えられることがあった。人がどんな時間を過ごすのか、そこに場のつくりがどう関わっているのかを、しばしば後から再考することになった。一方で、いくつかの展覧会での会場構成を担当したのだけれど、こうした場合では、緊張感がずっと高かった。たいてい、池田さんの中には具体的なイメージがあるのだけれど、それを言ってしまうとより良い可能性が消

えてしまうのではないかと恐れているかのように、曖昧にしか伝えてくれない。初期
の打ち合わせでは、何かを示しても池田さんの中にあるイメージとの差異に苛立って
いるようにみえることも多く、そうなるとこちらも憔悴する。何度か打ち合わせを重ね
るうちに収まるところに収まるのだけれど、いつもどの段階で収斂し始めたのかはわ
からない。そもそも、収斂などしていないのだ。多くの場合、BankART自身が施工も
手掛けることになるので、つくりながら絶え間なく調整が重ねられ、会期が終わるま
で変化というか進化をし続ける。実際、設計したものと違っていくこともあるのだけれ
ど、それでもいいし、それのほうがいいとも感じてしまう。少し変わった信頼感の上に
なりたつ共同作業のようで、池田さんとの間でしか成り立たないやり方だった。
NYKの解体が決まったとき、そのプロセスには思うところがあったようだけれど、池
田さんの思考は次をどうするかに向かっていっていた。2004年末に旧富士銀行が
使えなくなったときと同じである。改修設計を担当した立場からすると、少々あっさり
していて寂しくも感じたものだ。池田さんは、何かしらのゴールを見据えて、その実
現を目指すのとは違う。変化し新たな可能性を切り開くことに一番の関心が向かっ
ている。だから、達成とか成功とかは訪れない。絶えざる進化を続けることになる。
このスタンスは、特に関内外のまちとその進展に大きく影響しただろう。ここ数年は
(といってもNYKがあった頃からなので、もう4, 5年になるだろうか)、「みかんぐみ
の大きな展覧会を計画してよ」と、ことあるごとに言われていた。単独は難しいから
横浜の建築家たちと合同で、と提案すると、はぐらかされるか怒られるかだったの

で、そのうちに単に「検討します!」とだけい
うようになっていた。実際、展覧会よりも、
このまちのこの先に関わることを何か検討
して提案したいと思っていた。このまちの絶
えざる進化が止まってしまうことの無いよう
に、考えなければならないことがたくさん宿
題として残されたように感じる。

そがべ・まさし|福岡で生まれ、愛知と東京で育つ。ふとしたきっかけから、幼少期より将来は設計技師にな
るといっていた。自己暗示のもと、順調に大学、大学院では建築を専門とし、アトリエ系事務所に勤め、独
立。先日(2022年5月)還暦を迎えた。設計技師になると宣言して半世紀。小学校の卒業文集に書いた「大
人になったら設計技師になって超高層ビルを設計する」という夢は実現できそうにない。みかんぐみ共同主
宰。神奈川大学建築学部教授。

都市の扉を開ける

友部正人
[シンガーソングライター／詩人]

池田さんとの出会いのことをようやく思い出しました。さっきまではまだ卵の中の生まれる前の雛のようなもどかしい感じだったのですが。あれはたぶんBankART1929が横浜で活動を開始した直後のことだと思います。卒業制作でぼくを撮影したことのある日芸の学生が引き合わせてくれました。それからというもの、横浜でのおもしろいことの半分は池田さんとのかかわりの中にあったような気がします。

池田さんはいつも明るくて、いつも未来を見ているようでした。これから先のことを希望をもって語っていました。そんな池田さんの前向きな性格が、横浜にアートの街を作って来たんだと思います。池田さんはアートの街の市長のようでした。アートの街にも市庁舎があって、それが古い銀行の建物の中だったり、NYKの倉庫だったりするわけです。横浜にアーティスティックな遊び場があるとしたら、それを運営するのはBankARTと池田さんでした。横浜に架空の街を作り、そこに架空の住民を呼び寄せました。ぼくはその架空の住民の一人だったことがあります。

そこは森ビルが開発を決めた区域の中にあるビルでした。開発が始まるまでの短い期間、ビルの中の小部屋を平米数に見合う安い家賃でアーティストに貸し出すことになり、ぼくも池田さんに誘われてそこに部屋を借りました。北仲ホワイトと呼ばれていたビルです。ビルには大小様々な部屋があって、アーティストが制作の場にしたり、建築のグループが会社のように使ったりしていました。街頭や建物に絵を描く淺井裕介くんという若いアーティストともそこで友だちになりました。（池田さんに最後に会ったのは、みなとみらい線馬車道駅の淺井くんによるマスキングテープを使った絵のパフォーマンスの時でした。）美術とは何の関係もないぼくは、ただそのような場所にかかわれるのがおもしろかったのです。北仲ホワイトの部屋はぼくの『Speak Japanese, American』というアルバムのジャケット写真になり、収録された歌はすべてBankART Studio NYKの倉庫で録音されました。いろんな意味でぼくがBankARTの住民になりきっていた頃の話です。

ぼくが東京から横浜に引っ越してきたのは1996年でした。その頃のみなとみらいにはまだ横浜美術館とランドマークタワーと大観覧車と帆の形のホテルしかなかった。西区に住んでいたぼくは建築現場だらけのみなとみらいをいつもランニングしていたから、馬車道にある古いビル（旧第一銀行横浜支店）のことは知っていまし

た。そこが後にBankARTのヘッドクォーターズになるなんてね。あんなに立派な古いビルが取り壊されるなんてもったいないと思っていたのですが、BankARTによって活用されるようになって良かった。おかげで外から眺めるだけのビルに足を踏み入れることができたのです。天井の高い音のよく響く建物です。そこでぼくは『歯車とスモークドサーモン』の中の数曲をパスカルズと録音しました。都市には使われていない部分がたくさんあるようです。そういう場所は誰にも開放されていなかった。池田さんは誰もやろうとしなかった「都市の扉を開ける」ということを担った人だったのだと思います。

都市はたくさんの人を集めておきながら中には誰も入らせてくれない。ただ眺めて税金だけは払ってくださいね、と言っているような気がする。長く暮らしていればその街になじむことはできるけど、それでもただ素通りしているだけのようにも思える。ぼくたちは街と係りを持てないままそこに住んでいる。池田さんはそんな都市の扉を次々と開けていった。振り返ってみるとそんな気がします。

池田さんはアートと音楽の係りを模索していたのかもしれません。ぼくの歌をいくら池田さんが好きでも、アートとのかかわりを見つけるのはむずかしかった。あれは横浜トリエンナーレのときだったのか、旧第一銀行横浜支店に展示された作品の中でライブをして、そのままNYKに展示された別の作品まで歌いながら歩道を観客と一緒に行進したのです。まるで60年代のフランスデモのように。途中の馬車道の交差点には交通警官もいたけど何も言われなかった。歌が都市の空間で裸になったような開放感がありました。また、大岡川を歌いながらボートで下るというライブもありました。観客は川べりから歌を徒歩で追いかけるのです。橋の上にもたくさんの人がいました。飲み屋街にある建物でもたくさんの女性たちが手を振ってくれました。池田さんは桜木町の郵便局の橋の上で、BankARTのスタッフと大きな旗を振っていました。まるでちょっとした凱旋気分。河口では一人で練習していたサキソフォン奏者が、ぼくの歌に合わせて吹き出しました。ボートの上と川岸での突然のセッション。街の扉が開かれた瞬間でした。何かに偏りすぎていた都市が、人間の表現を通して最初のニュートラルな状態に戻ることを池田さんは目指していたのだと思います。

一度だけ池田さんがぼくとぼくの妻のユミを誘って、吉田町にあるジャズバーに

行ったことがあります。BankARTではBankARTの活動の話しかしない池田さんが、その時はカレーパンやジャズの生演奏の話をしていました。山元町のフライ屋さんにフライのお惣菜を買いに来ているのを見かけたこともあります。池田さんは横浜のおいしい場所をたくさん知っていたみたいです。そういう場所が池田さんの息抜きになっていたのでしょう。

ぼくより年下の池田さんがぼくより先に亡くなったことはショックでした。池田さんの亡くなった後の、池田さんのいない横浜のことを書こうと思っていたのに、どうしても池田さんのいた横浜のことを書いてしまう。それは池田さんのいない横浜よりも、やっぱり池田さんのいた横浜の方が圧倒的に面白かったから。だからぼくはこれからもこの池田さんのいない横浜で、池田さんのことを考えていくでしょう。誰かが考えたことで、都市は自然に扉を開けることもあるということを池田さんの仕事で知ったから。

友部正人「大岡川　川くだりライブ」 2008

ともべ・まさと｜1950年東京生まれ。高校卒業後名古屋の路上で歌い始め、72年「大阪へやって来た」でレコードデビュー。以降コンスタントにアルバムをリリースし25枚のオリジナルアルバムを発表。最新作は「あの橋を渡る」(2020)。詩集、エッセイ集なども数多く刊行され、最新詩集は「バス停に立ち宇宙船を待つ」(2015)。最新エッセイ集はちくま文庫「歌を探して/友部正人自選エッセイ集」(2020)。

池田さんと「日常」

丸山純子
[アーティスト]

文化庁のドイツでの1年研修を終え、帰国の日がきた。日本に帰ったら池田さんと会う約束をしていた。ベルリンの空港で労働者のストライキがあり、羽田行き直行便のフライトがキャンセルされた。仕方なく、関西空港周りで、半日遅れて夜羽田に着いた。ちょうどその頃池田さんの体調は悪化し、次の日の朝、池田さんは急逝された。池田さんにタッチの差で会えなかった、このお別れには一体どのような意味があるのだろうかと日々考えている。

私が池田さんに出会ったのは、2004年の秋だった。アートフロントギャラリーでPHスタジオの「船、山にのぼる」のトークを聞いた時だ。当時、NYの美大を卒業したばかりの私から見た第一印象は、日本にすごい方達がいる、だった。ちょうどその頃BankART Studio NYKのオープン当初で、早速見学に行ったら、何者かわからない私を池田さんが親切にNYKを案内してくれた。
あれから18年、「食と現代美術」「北仲BRICK & WHITE」「Landmark project」「本町ビルシゴカイ」「宇徳ビルヨンカイ」「BankART LIFE」等々、池田さんやBankART スタッフの方々が横浜で行った数々の重要なプロジェクトに、私も多数参加させていただき、お世話になった。この18年、池田さんやBankARTのお陰で、多くの方々にお会いし、国内の様々なプロジェクトや展覧会に関わらせて頂いた。また、オーストラリア、台湾、韓国、中国、ドイツ、イギリス等、様々な国の美術関係者と一緒に仕事をすることができたのも、池田さん達が作ってくれたご縁がきっかけだった。数々の出会い、仕事、今の私を作っているのは、BankARTのお陰以外の何ものでもない。

BankARTの代表だった池田さんは、台風の申し子のような方だった。次々に浮かぶアイデアを、自分に厳しく、寝ることをおしみ、絶えず実行していった。周りの人は、巨大な吸引力で引きつけられ、巻き込まれていった。池田さんは、意見を曲げない人だったため、池田さんといると、自分の知らない自分が強く出てくることもしばしばあった。
「丸山さん、日常が大切なんだよ」、と池田さんに言われたことがある。これはとても重い言葉になっていて今でも深く考え続けている。池田さんはよく池田さんが幼かった頃の家族の話をしてくれた。特に、池田さんのおばあちゃんの話だ。おばあちゃんがいつも拭いていた廊下は黒光りしていたという。汚れてもない部屋を毎日掃除することを教えられた、という話だった。BankARTに行くと、いつもどこかしら

の部屋の配置が変わっていたし、お客さんがいなくてもパブは毎日開いていた。いつもBankARTを整えていたのだと思う。いつもやっていることがいつか遠くに繋がることになる、と教えられた。

具合が悪い時は、食べること、これもおばあちゃんに教わったことだという。周りの人にいつもご馳走してくれていた池田さんは、食を通して、ボトムアップしてくれていたのだろう。池田さんが若い頃描いた、「太陽を食べる僕」という絵を見せてもらったことがある。青い魂のようなものが口を開けて、赤い大きな太陽を食べている絵だった。誰にでも調子が悪い時があって、そんな時は食べることで元気になるんだ、ということを教わった。

また、池田さんは音楽が好きで、ギターをよく弾いていた。思い返せばハンマーヘッドのプロジェクト以降いつも池田さんのそばにはギターがあったように思う。ユーミンやサーモン&ガーファンクル等を弾き語りしてくれた。美術の道に進むと決めた頃、好きだった音楽を一切しなくなったと言っていたが、日々の重圧を背負っていた池田さんにとって、音楽はいつまでも拠り所だったのかもしれない。

台風の目であり続けたBankARTは、「日常が大切だ」というこのような池田さんの考えや行いが支えていたのだろう。池田さんの背中を近くで見てきたものとして、自分も挫けている場合ではないと思う。私も私の日常を大事にしたい。

出会ってから何回、池田さんの名前を口にしただろうか。何回池田さんの名前を心で呼んだだろうか。今でも池田さんに言われた数々の言葉が湧いてくる。池田さんの召された今、沢山のごめんなさいと、ありがとうございますが池田さんに届くだろうか。池田さんに出会えて、私はとても幸運でした。濃密な時間をありがとうございました。また会いましょう、と思っている。

まるやま・じゅんこ｜2002年 ニューヨーク市立大学ハンターカレッジで彫刻を専攻、卒業。循環と再生の概念のもと、物質のさまざまな状態を循環させながら、彫刻、インスタレーション、ドローイング等、複数のメディアで制作している。2004年 Free Art Free 準グランプリ受賞、2007年 公益信託 大木記念美術家助成基金授与、2009年 台北市・横浜市アーティスト交流プログラム審査員特別賞受賞、2021年 文化庁新進芸術家海外研修制度にて渡独。

パンダ

中村恩恵

［舞踊家］

「アーティストはね、自分たちが客寄せパンダであるっていう自覚を持たなきゃいけないんだよ」

ハンマーヘッドスタジオ「新・港区」でのレジデンスアーティスト達の会合で、池田さんがそう話された時のことを忘れることができない。池田さんのその言葉は、私の内に激しい反発の渦を巻き起こしたものだった。「否、否、否!」と否定の声が心のなかで炸裂するようだったのを今でもまざまざと思い出す。胸の内では次々と反論の言葉が生み出されていたのに、その場では直ぐに発言することが出来なかった。

当時の私は、舞踊家としての自分自身の表現を追求することに必死だった。妥協することに嫌悪感を抱いていた。愚かなことに、他者の必要に応じる為には自分を押し殺す必要がある、妥協が必要であると考えていた。私はアーティストが芸術に身を捧げるその姿を、社会という得体の知れぬ何者かに利用されることに強い警戒心を抱いていた。社会における舞踊の存在意義について日々思いをめぐらせていたにも拘らず、自分の活動が社会においてどのような影響を持ち得るのかということにまで思いが及ばなかったのだ。

池田さんのこの言葉を理解したいという気持ちから、実際にパンダを見学するために娘を連れて上野の動物園まで足を運んでみたものだ。動物園の入り口には、パンダを一目見ようと集まった人々の長蛇の列ができていた。炎天下、長い時間並んだ後に待ち構えていたのは、またもや長蛇の列。辛抱強く待っていた末にやっと見ることができたのは、人の壁に埋もれたパンダの足だった。期待に胸を膨らませ見に行ったパンダよりも、人々の後頭部のほうが記憶に残っている。後ろからどんどん人がやって来て僅か数秒しかその場には居られない。「客寄せ」と呼ばれるまさにその通り。これほどまでにパンダは人気なのだと、身を以て知ったのだ。それ以上の見学は諦めて、代わりにぬいぐるみを買って帰った。そのぬいぐるみに娘は「パンちゃん」という名前をつけて、どこに行くにも連れていくようになった。

リベンジに冷たい雨が降る夕方、閉園間近の動物園に行ってみたこともある。その日は、ほとんど誰もいないガランとした動物園で思う存分その姿を眺めることができた。しかし実際に動物園でパンダを見学したら、池田さんの「パンダ」の意味するところがますます分からなくなってしまったものだ。池田さんに「パンダ」について質問してみたい気持ちと、自分自身で答えを見つけたい気持ちの間で揺れ動いている内に、10年近くが経ってしまった。その10年の中で、横浜で開催された日本・

中国・韓国の参加する「東アジア文化都市」のなかの「東アジア ユース・バレエ・ウィーク横浜」や「横浜赤レンガ倉庫ダンス・ワーキング・プログラム」でディレクターを務めるなど、ダンスの教育普及に携わる機会があった。そうした体験を経て徐々にアーティストが社会のなかで果たすべき役割について自分なりの考えを深めることができたと思う。

それでも池田さんの「パンダ」発言は未解決のまま私の中に居座り続けていた。

家、ホテル、劇場、スタジオ、どこにでも娘は「パンちゃん」を連れていく。そのパンちゃんを見る度に、私の心の中で疑問符達が狂ったように踊り始めるのだった。アーティストの存在意義について、芸術と娯楽の違いについて、社会とアートの関係について……「パンダとしての自覚」ってなんだ？

私は客寄せパンダという言葉から、ピエロ、道化、阿呆という言葉を連想する。池田さんに出会うよりもずっと前に「アーティストは自分を阿呆（fool）と捉えなくてはならない」という言葉に衝撃を覚えたことがある。連鎖的に思い出されたその言葉は、ついその瞬間まで忘れられていたにも拘らず、それ以来ずっと心の真ん中に、池田さんの言葉とともに居座り続けてきた。家にあるパンダのぬいぐるみを見るたびに、それらの言葉は未解決の心地悪さでもって、私の内面に揺さぶりをかけるのだ。

池田さんは急逝されてしまい、もう直接質問をすることは叶わぬことになってしまった。池田さんが思い描いた「パンダ」はどんな客寄せパンダだったのだろう。

さて先日、新しくBankART1929代表に就任された細淵太麻紀さんが、BankART AIR に集ったアーティスト達の為に、BankART1929についての説明をして下さった。亡き池田さんの作成したパワーポイントを使っての説明だった。改めて細淵さんの口から語られる池田さんの言葉を聴いていると、社会のために尽くされた池田さんの思いや生き様が明確に伝わってきた。特に、BankART が文化芸術の為の文化施設ではなく、社会の為の文化施設であるとの意の言葉が発せられた時に、急に「パンダ」をめぐる長年の謎が、私のうちですっと解けたように感じた。心の深いところで、池田さんが目指した「社会におけるアーティストの役割」を感得したように感じたのだ。

白と黒を身に纏い、大きな体を笹で養い、国と国の橋渡しをする。ただそこに居るだけで、人々を招き寄せ、賑わいを生み出し、笑顔を引き出す。動物園におけるパ

ンダはそんな存在だ。自分なりの価値基準に従って物事の白黒の判断を表明し、貪らず、平和のために身を呈する。そして、求心的な生き方で周りのものを引き寄せ、創造的な能力で活力と喜びを生み出す。社会におけるアーティストはそんな存在だ。まさにパンダのような存在だ。

それでも、今も私の中には「パンダ」をめぐって反発の言葉や疑問符が渦巻いている。私は、野生のパンダが自由に生きている姿を見てみたいと願ってしまう。人間中心の世界で飼いならされ、守られ、そして存在理由を与えられたパンダではなく、自然のなかで伸びやかに生きているパンダを見てみたい。

閉塞感の漂う現代社会という枠組みから解き放たれたときに、舞踊がどのような姿を表すのか、そしてその舞踊が呼び起こす共感によって再構築される社会があるとしたら、その社会はどんな姿をとることになるのかを、私は見てみたい。

私は、自分の中に広がる手つかずの原野のなかに住まう生き物達のひっそりとした姿についてそっと語ることで、人に喜びを届けられるようになりたい。

池田さんは、どんな「アーティストとしての在り方」を私たちに願っていたのだろうか。自分なりの「パンダ」についての納得のいく答えを見つけることは、池田さんから私に課された宿題なのだと思う。

次に池田さんに会う時には、自分が見つけた答えをしっかりと返すことができるように知力を養っていきたいと願っている。

その答えを見つける過程で出会った人々や、目にした風景を細やかに報告するとき、池田さんはいつものように、あの大きな笑顔で受け止めてくれることだろう。

なかむら・めぐみ｜ローザンヌコンクールにて賞受賞後渡欧。モンテカルロ・バレエ団等を経て、イリ・キリアン率いるネザーランド・ダンス・シアターに所属し、世界を牽引する振付家達の創作に携わる。退団後は、キリアン作品のコーチも務め、世界各地のバレエ団や学校の指導にあたる。07年より活動拠点を日本に移し振付家としての活動を展開。Noism、Kバレエ、新国立劇場バレエ団等に作品を提供する。芸術選奨文部科学大臣賞、紫綬褒章等受賞など。

疾風怒濤の人

溝端俊夫
[NPO法人ダンスアーカイヴ構想]

私が池田さんの活動に関わったのは、2003年の冬、のちにBankART1929の事業となった、横浜市都心部の歴史的建築物等の文化・芸術活用実験事業のコンペの時からだ。このコンペは、当時すでに改修が終わって馬車道駅の真上に曳家された旧第一銀行横浜支店と現在東京芸大横浜校地がある旧富士銀行横浜支店の巨大施設二館の活用案を募るコンペだった。しかもこの二つの建物に止まらず、旧日本郵船倉庫（後のBankART Studio NYK）や旧関東財務局（今のTHE BAYS）、また帝蚕倉庫（今はBankART KAIKOがある一帯の倉庫群）といった、由緒ある馬車道地区を特徴付ける歴史的建造物群の文化活用も将来的に見据えた、スケールの大きい企画コンペだった。

このコンペに2つの団体による2つの異なる企画が採択される。ひとつは池田さんのYCCCプロジェクト、もう一つは横浜STスポットの館長岡崎さんの企画だ。詳細な説明は他所に譲るが、大雑把に言えば、YCCCは現代美術、建築、STスポットは舞台芸術の企画内容だった。私は、組織的にSTに属していたのではないが、大野一雄舞踏研究所のスタッフとして、STスポットの企画に大野一雄フェスティバルとアーカイヴの企画案を入れ込んでいた。

バンカート事業の最初の2年間のことは、その場にいなかった他の人にどう説明すればわかってもらえるのかわからない。なんであんなに長い会議を開いていたのか、なにに怒って大声だしていたのか、なんのために突然本棚作っているのか、明日のイベントに人は集まっているのか、次々起きることにいちいち色めき立ちながら、遅々とした歩みで、それでも気がつけば前進していた。よかったのか、わるかったのか今もアンビバレンツな思いは拭えない。目と鼻の先に立つとは言え、二館の巨大な歴史的建造物を少ないスタッフで日々回していくのはたいへんな作業で、その日常と同時に、ヨコハマクリエイティブシティをめぐっていた大きな波に運ばれて、バンカートは旧富士銀行からNYKへ移り、程なく北仲ブリックの時限プロジェクトが始まるという具合に、更なる巨大なストーリーに押し上げられていった。そうした外の大きな動きに対して、中にも相応の熱量が渦巻いていたから、組織内部でのぶつかりあいも激しかった。とはいえ、結果として、バンカートは最大スケールのプロジェクトに成長していった。横浜市のお膳立てがあってのことであるから、全てを個人に帰することではないが、この疾風怒濤の中心に常に池田さんがいたことは間違いない。

バンカートは池田さんの数ある仕事の中でも、最も成功した、息の長いプロジェクトと言って良いだろうが、そうした息の長さの予兆は最初の一歩からあったように思う。バンカートの正式オープンは2004年3月だが、じつは2月始めにみなとみらい線開通にあわせてプレオープンしている。プレオープンといっても何があるわけではない。館の入口にサインを掛けて、人が入れるようにしただけだ。まだ基本的な備品すらなく、数人のコアスタッフが自前のPCを持ち込んで作業に追われている毎日で、なにかをやる準備など整っていないのだが、そんな状態でオープンしてしまおうという英断だ。池田さん自身が折に触れて語っているように、こうしてバンカートは未完成のまま走り出し、道を開いた。いちイベントの成功不成功という評価基準を超えて、このような企画のあり方は未来的で、予言的だった。バンカートのその後の展開を決定づけるものだったように思う。企画力は突破力だということを、私は池田さんの姿勢から学んだ。

またこんなこともあった。「歴史的建築物等の文化・芸術活用実験事業」公募には総数20数件の応募があり、既に述べたようにそこから2件が採択されたわけだが、当然その他は不採択だ。不採択企画は、応募者名も企画内容もあかされないまま消えていくのがふつうだろうが、バンカートの正式オープンに当たっては、応募者全員を招いてバンカートスタッフと顔合わせをするパーティが開かれた。しかし、コンペ後にこういうノーサイドの交流会を開くのはあまり聞かない話で、コンペに落ちた人々の企画にもよいものがあったので連携してはどうかという横浜市の話を受けての、池田さんの発案だったと記憶している。PHスタジオは、横浜の公募の前に名古屋港で大きな港湾倉庫を文化芸術の拠点として活用する計画にかかわっていたが頓挫したため、それを下敷きに横浜のためのプランを立ち上げたと池田さんから聞いた。横浜では立場を代えて、コンペに落ちた側からの視線や企画も、新事業に取り込もうとしていたのだろうが、それはまったく正しいと思う。中長期の展開を見通していろんな人を巻き込んでいく、直感的、実戦的な発想はいかにも池田イズムだ。

私的なことだが忘れられないことがひとつある。ちょうど東日本大震災の時だ。私はその前から入院していて、ちょっと大きな病気だったので、まだ余震が続く中であったが明日手術をしなくてはならないことになった。さてどうしよう、余計な心配をかけてもいけないけど、池田さんにも手術するよとひと言知らせておこうかと

思って携帯にかけた。ワンコールで電話をとるなり「たいへんだねえ」という声が返ってきた。こちらは何にも言ってないんだけど何故かわかったんだね。今もあのときの声が耳に残っている。術後に最初に見舞いに現れたのも池田さんだった。忙しいんだから来なくて良いのに。

奔放でわがままな池田さんと一緒に仕事するのはなかなか、いろいろにたいへんなことも多かったが、池田さんのような器の人との仕事は、自分には貴重な体験だったと振り返って思う。正直、もう二度とやりたくないと感じながらも、一方その仕事のスケールには誰にもまねのできない魅力があった。およそ瑣末なまとまらないことしか今は思い浮かばないが、二三の事柄をここに書きとめ、急いで逝ってしまった人を送る紀念としたい。

2005年当時のBankARTスタッフ（左下が筆者）

みぞはた・としお｜1983年大野一雄舞踏研究所入所。以来大野一雄、慶人の国内外の活動に制作、照明デザインなどで携わる。90年代から大野一雄のアーカイヴ資料を整理し、『大野一雄稽古の言葉』をはじめ、書籍、DVDを多数編集。2004年よりBankART1929の設立に参画し、「大野一雄フェスティバル」を制作した。2016年NPO法人ダンスアーカイヴ構想を設立、各地で「Dance Archive Project」を展開。2021年TOKYO REAL UNDERGROUNDを企画制作した。

バトンをリレーすること

吉田有里

[元BankART1929スタッフ／アートコーディネーター／名古屋芸術大学准教授]

私が池田さんに初めて会った日の事は、強く印象に残っている。2004年の BankARTがオープンする直前のこと。当時、私は美術大学で芸術学を学び、アートに関わる仕事に憧れて、いくつかの現場でボランティアをしていた。アートコーディネーターの先輩から「明日、暇なら横浜に来てくれない?」という突然の誘いに、訳もわからず入ったその場所が、BankART1929。オフィスには徹夜明けで見るからにぐったりと疲れた池田さんや細淵さんらの姿があった。コンペの採用からわずか45日後にオープンする準備の真っ只中。

池田さんは開口一番「よく来てくれたね。ありがとう。"椅子プロジェクト"という展示をやるから、とりあえず近所で椅子を貰って来て。たくさんね」と、全くノウハウも伝授されないまま、馬車道に放たれ、チラシ片手に周辺をまわることになった。突然訪問して迷惑がられるのではないかな…厚かましいと怒られたりしないかな…という不安を余所に、短い収集期間で、意外にも多くの椅子を譲っていただいた。捨てるには勿体ないけど、アートセンターで活用するならと差し出された椅子がBankART馬車道のホールに集まる様子がとても嬉しくて、「大事に使わせてもらいます! ぜひ遊びに来てください。」とチラシを渡しながら、ハッと気がついた。椅子を貰う・貰わないに限らず、いつの間にか近所を一軒一軒挨拶回りしていたのだと。そして新しいアートセンターのオープンを自分ごととして楽しんでいるのを。これまで、人にお願い事をするにも気を遣って躊躇するような性分だった私に、この小さな成功体験は、アートプロジェクトを実践していく上で、大きな自信となる出来事だった。そして都市の中で社会とアート、アーティストをつなぎ、支える裏方の仕事がとても輝かしく見えた。オープニングイベントで、パブで、たくさんの人が椅子に座って歓談している様子をみて、この場所でこれからも働きたいと志願し、アルバイトスタッフになった。

池田さんは、「よっしー、こんなダサい椅子いらないよ、とっとと返してきて! わかってないなぁ」と言いながら、PHスタジオの作品集から《家具φ》[1]の写真を見せて「どうだ、格好いいだろう〜」と自慢してくれた。その時は、無理難題に応えようと一生懸命動いたのに厳しいなぁと思った。今となれば椅子なら何でも良いわけではなく、きちんと自らに美学を持ち、判断力と交渉術を身につけなさい、でも《家具φ》の素材としてなら使えるからまぁ上出来としようというメッセージだったのではと理解できる。

2004年〜2009年、BankARTのスタッフとして勤務していた5年間で池田さんから

多くの事を学んだ。社会経験がない私に、まずは何でもチャレンジする環境を与えてくれた。

施設の管理・運営、自主事業の展覧会や公演の制作業務、コーディネート事業のサポート、住所録の構築、広報物や出版物の作成、スクールやスタジオの運営、会議の進行や議事録の書き方、空間の使い方、記録の撮り方とアーカイブ、来場者やゲストへのホスピタリティー、機材や工具の使い方、コーヒーやカクテルのおいしいつくり方、アーティストや行政との向き合い方、各地からの視察のアテンド、事業評価のためのデータ収集、事業費拡充のためのさまざまな工夫など、BankARTの幅広い活動と同じように、枚挙にいとまがないほど、ひとつひとつの業務に取り組む中で、私は何度も失敗を繰り返した。創造都市の実験事業として始まったBankARTは、目まぐるしいほどの数のイベントを毎日のように実施していて、新人にノウハウを教える時間的な余裕はない。常にエンジン全開で動かしながら進む状態だった。

私を含めてまだ若いスタッフたちは、新人がやらかす、ありとあらゆる失敗や、無知が引き起こすバリエーション豊かな失態をこの場所でほとんど経験したと言ってもいい。知恵がついて姑息にもミスしたことをバレないように誤魔化そうとすると、池田さんはそれらを絶対に見逃さなかった。注意でとどまらない時は、大きな声で叱咤されたことも。怒られた後、落ち込んだり、不貞腐れたり、生意気を言ったことも多々あったけれど、池田さんは突き放さずに、些細な事でも向き合い、スタッフのミスを必ずフォローして、失敗しても大丈夫な場をつくってくれていたし、そこに甘えさせてくれる寛容さがあった。

2005年、北仲での事業が始まる際には、池田さんから「何かやってみたら?」と北仲WHITEの25m²の小さな部屋を借り受け、同僚だった芦立さやかとともに「YOSHIDATE HOUSE」というスペースをつくった。展覧会やパーティーを好き勝手する遊び場のような場所に、若い作家や北仲の入居者が集まり、ここで出会った人たちとの縁は今でも続いていて、池田さんが用意した"実験する場"での特別な時間と経験はスキルや人脈となって、今の私を支えてくれている。

池田さんの言葉や振る舞いから教わったことも数えきれないほどある。「アート」を閉じずにさまざまな分野と接続し、社会を広げていくこと／行政の組織を横断して、徹底的に対話を繰り返し、広義に公益性とは何かを位置付けること／世代を問わずアーティストの仕事にリスペクトを持って接すること／担当部署から異動する市

の職員たちと関係を持ち続けること／問題や課題があれば、研究者や有識者を巻き込んで公開で議論すること／アートに関わる人たちの生活と制作を持続させる経済的に自立した活動を維持すること／人と人をつなぎ、ネットワークを構築し、それらをプロジェクトへと変換していくこと／仕事に情熱を持ち、妥協せずに取り組むこと／スケールを小さく考えない、大きく構えて自由度を高く動かすこと／おいしい食事やお酒をみんなで楽しむこと／襟を正して「きちんとしたゲリラ」を実践すること／アートコーディネーターは「正面にネクタイ、背中にTシャツ」の二重人格を忘れずに／あらゆる相談にはとことん応えること／いつでも誰でもウェルカムな態度をとること。これでもほんの一部であるが、池田さんと過ごした時間で、アートの仕事に関わる覚悟や教訓と、時には失敗談を私たちに何度も何度も語り、先頭に立って行動して示してくれた。

毎日のように多くの人が行き交い、ドラマが起こる刺激的なBankARTでの日々であったが、私の体力不足が原因でやむを得ず退職を申し出た時も、とことん2人で話し合いの時間を持ったことを忘れない。

その後、私は横浜を離れ「あいちトリエンナーレ」をきっかけに名古屋に移住して13年が経つ。今では池田さんやPHスタジオが深く関わった、名古屋港と名古屋芸術大学で仕事をしている。偶然にも2つの場所をつなぐ深い縁と巡り合わせを感じている。

トリエンナーレの仕事を終えた後、2014年から名古屋港エリアでのまちづくりの団体が母体となるアートプログラム "Minatomachi Art Table, Nagoya [MAT, Nagoya]"、名古屋市が主催するアートフェスティバル "アッセンブリッジ・ナゴヤ" のディレクターの一人として立ち上げ、試行錯誤しながら活動を継続している。BankARTに比べて、小さな規模のプロジェクトではあるが、責任のある立場になったことで見える景色や課題に直面しながら、何度か訪れた危機的な状況にも池田さんならどのように解決するか、その思考や手法を手掛かりに活動している。

かつて名古屋港にあった空き倉庫を活用した「artport（アートポート）」[2] は、名古屋市側と運営側でのビジョンの共有がうまく運ばず、実験のまま事業を終了した経緯をもつ。PHスタジオとして事業に関わり、artportで得たノウハウや失敗をBankARTで応用している事を聞かされていたので、池田さんに名古屋港での活動について報告すると、とても喜んで、たくさんのアドバイスや持ち帰れないほどの本を参考資料として渡してくれた。

朝鮮通信使のツアー中に、拠点となる港まちポットラックビルにメンバーとともに訪

ねてくれたことがあった。名古屋港に向かう1kmほどの道のりをゲリラでパレードして練り歩き、とても嬉しそうに歩いていた池田さんに、もう自分の活動の報告や相談をできないのかと思うと、とても心細い。

芸術批評誌REARでのartportとBankARTについてのインタビュー記事で、質問者から向けられた「名古屋に叱咤激励するとしたら?」という問いに、

「名古屋では、やっぱりネットワークを作る人がいないですね。つなげてリレーしていくことが文化が成長するパターンなのに、名古屋はそれができない。」[3]

と語った池田さんの意志と受け継いだバトンをこの名古屋の土地で、また次世代へと繋いでいきたい。
PHスタジオが改修設計した名古屋芸術大学のギャラリーや、教室で、名古屋港の空き家を転用した数々のスペースで、池田さんとBankART、横浜の環境や、創造都市事業から学んだ多くの事を、これからもリレーしていきます。
池田さんは不死身で、BankARTに行けばいつでも出迎えてくれるものだと思い込んでいたので、突然のお別れによって直接感謝を伝えることができなかったこと、何も恩返し出来ていないことが残念でなりません。失敗を恐れずチャレンジする姿勢や、アートの存在意義を地域や社会に伝え続けていくこと、コーディネーターの仕事の重要性、志を共にする仲間たちが集う居場所をつくること、アートとともにある人生の豊かさを、身をもって教えてくれて、惜しみなく分け与えてくれたこと、感謝致します。池田さん、ありがとうございました。

[1] 廃家具を使い、カットや組み合わせによって新たな椅子を生みだすPHスタジオの作品。1984年〜
参考:PHスタジオ『PHスタジオ 1984-2002』p.8(現代企画室/2003)
[2] 1999年〜2003年に名古屋港エリアの空き倉庫を活用した実験事業。公設民営のアートセンターに転用する計画だったが、2003年に活動を終えた。
参考:芸術批評誌REAR第10号『オルタナティブって何だ?』(リア制作室/2005)
[3] 芸術批評誌REAR第10号『オルタナティブって何だ?』―池田修氏にきくBankARTから何を学ぶか―より抜粋 p.2-5(リア制作室/2005)

よしだ・ゆり|アートコーディネーター/名古屋芸術大学准教授。1982年東京都生まれ、名古屋市在住。2004〜2009年 BankART1929スタッフ。2009〜2013年あいちトリエンナーレのアシスタントキュレーターとして、まちなか展示の会場である長者町エリアを担当。2014年より、名古屋港エリアでのアートプログラムMinatomachi Art Table, Nagoya [MAT, Nagoya]、アッセンブリッジ・ナゴヤの共同ディレクターをつとめる。

夢の中で書く手紙

徐 祥昊（ソ・サンホ）
［釜山文化財団生活文化本部長・オープンスペース「べ」代表］

数日前、「朝鮮通信使祭り」を開催しながら、先生への法事を行いました。いつも話されていたあの船をここ釜山の海に浮ばせても、玄界灘を越えることができない残念な時期ではありますが、次の機会を約束する出航祈願の行事をしながら、先生の御意志をしばし想う席を設けました。

池田先生のことを考えると、最初に浮かぶ思い出があります。ソウルから東京まで一ヶ月の旅程で、続・朝鮮通信使の事業を推進するべく、先生が来韓された時のことです。BankART1929のチームと一緒でした。

私は今もその時のことを鮮明に覚えています。チームがソウルを起点に出発し、韓国での終着地である釜山に到着した時、私はちょうど釜山の旧市街で「Local to Local」というタイトルのプロジェクトを進行していました。ちょうどその日は、アジア五カ国から集まった三十人ほどのアーティストがプロジェクトを開幕する当日でした。それ以上ないほど絶妙なタイミングで、みなさんが現代的な変わった朝鮮通信使の衣装を身に着けて、私のプロジェクトに合流してくださった結果、行事は一層華やかになったのです。私はその時の感謝を忘れることが出来ません。

プロジェクトの経緯は以下の通りです。2010年の真夏でした。スケトウダラの保管用倉庫として使われていた日本式の建物「南鮮倉庫」が急に壊され、その敷地に大型ショッピングモールが建てられるという話を聞きました。これを残念に思った地域の芸術家たちが、すぐ隣の建物に集まりました。それが（旧）百済病院の建物でした。そこも日本式の家屋で、私たちのプロジェクトが終わった後に、近代建築物に指定されました。それはさておき、その時集まった芸術家たちは喧々諤々と話し合いながら、地域の集団記憶と歴史を消してしまうことを惜しみました。社会的な合意なしに、資本の動きのままに一つの時代の現場が消えてしまうのは、そこだけではないのですが。私たちはそこで、展示とパフォーマンス、学術イベントを開きました。ちょうどその時、釜山を通り過ぎていたBankART1929のメンバーが現場に合流したのです。

その夜、夜を徹して盃を傾けながら、アジアの芸術家たちが大勢、一堂に会して交流した記憶は、鮮やかに残っています。そして、続・朝鮮通信使プロジェクトの内容の通り、私を含む何人かの釜山の芸術家がその行列に合流し、対馬を越え、日本で繰り広げられた旅を共にしました。そこでもいろいろなことが起こりました。瀬

戸内海では、移動時間を減らすため BankART1929 で船を用意してくれ、あちこち
の村々を訪れました。現地の芸術団体と芸術家たちに出会う時間が毎日開かれま
した。世界中のどんなプロジェクトでも、こんなに長い期間、多くの芸術家と会い、
食事と宿を提供して歓迎する事例はないでしょう。プロジェクトは、今考えても感動
そのもので、芸術家という身分で享受できる特別な経験を提供してくれたプログラ
ムでした。

気づけばあの時から10年という時間があっという間に過ぎてしまいました。先生が
あの時おっしゃった言葉があります。いつか船を一艘買い、世界中の芸術家に会
いに行こうという話、今も覚えていらっしゃるでしょうか?
そうです。私はその日を今も夢見ています。21世紀を生きる今、私たちは、日韓の
コミュニケーションから始まってアジア各国にそうした価値観を広げていかなけれ
ばならないということをも、念頭に置いておかなければならないでしょう。アジア地
域の各国は、「アジア性」などという巨大なテーマを論ずるよりも、もしかしたらす
でに数百年も前に、一つの共同体としてわかりあっていたのかもしれません。

しかし、もう先生に会うことはできません。三月、青天の霹靂とも言える知らせを聞
いてから、なんとも言い表すことの出来ない時間が過ぎて行っています。
もうあとは一緒に進んでいくだけだったのに、なぜそんなに慌ててこの世に別れを
告げられたのでしょうか。今は苦しみのないところで穏やかにいらっしゃることを祈
るばかりです。どうか安らかに、そして私たちと一緒に、この同行を見守ってくださ
いますように。
先生が韓国の芸術家たちに会うたびに、いつも心からおもてなしをしてくださった
ことを忘れません。先生が作られた実績は、今後、私たちが志を受け継いでいきま
すので、どうか安らかにおやすみください。
もう一度、お会いしたいです。

釜山の弟より

(翻訳:大草紀子)

そ・さんほ|韓国 (社) 非営利展示空間協議会会長・オープンスペース「べ」代表。釜山ビエンナーレ海の美
術祭の展示監督を務める他、アジア創作空間ネットワークを中心に活動し、現在、釜山文化財団生活文化
本部長を務める。

池田修代表! 守ってあげられなくてごめんなさい。

車 載根 (チャ・ジェグン)

[大韓民国文化体育観光省 (財) 地域文化振興院院長]

2010年、池田修代表は、続・朝鮮通信使の一行を連れて、釜山を訪ねた。数々の釜山の物語を秘めた龍頭山公園の下の釜山浦食堂で、初めて彼に会った。立ち居振る舞いは自由だが洗練されていて、精神は境界を越えた地球人だった。その後も私たちは、横浜と釜山は勿論のこと、瀬戸内・新潟・対馬・下関・光州・ポハン・ソウルなどで年に3、4回は会って交友を温め、同じ景色を見てきた。それは、芸術交流を通した人類愛の実現と東アジアの平和共存だったと言えるだろう。

2013年、BankARTが準備した貸切の船舶で、続・朝鮮通信使のツアーとして瀬戸内国際芸術祭の観覧に三日間同行した記憶は未だに鮮明だ。私はツアー半ばで帰国の途に着いたが、その後、船から降りた彼が病院に運ばれたとの話を伺った。多くの人が彼の無事を祈り、聞いたところによると彼は短い入院のあと何事もなかったかのように仕事の最前線に戻ったそうだ。お互い似たような持病を持っていたので、その後からは私たちの挨拶は、健康のことからになった。COVID-19での移動制限で2年以上彼に会うことができず、COVID-19の長いトンネルを抜け出す一歩手前で、彼の訃報を受けとった。本当に悲しく、残念で、その知らせはとても信じ難い。私たちは友として自由人・池田修先生を失い、同志として地球人・池田修代表を天に送った。しかし、彼が追求した価値観と哲学、精神と情熱はこの世に残しておかなければならない。彼を記憶し、彼が夢見た世界を作っていくことこそ、遺された私たちの役目ではないか。

心から親友を想い、再び巡り会う時を願っている。

2022年、ある春の日

(翻訳：大草紀子)

ちゃ・じぇぐん｜釜山文化財団文藝振興室室長・京畿文化財団文化芸術本部本部長を歴任し、浦項文化財団初代代表理事を務め、第二・三期文化体育観光部地域文化協力委員会委員長を経て現職。地域文化振興院長として地域の文化芸術発展のため力を注いでいる。

創造都市を形成するための池田さんから得た教訓

梶山祐実

［横浜市職員］

　池田さんが目指す創造都市の方向性は、「BankART1929」が誕生した実験事業の時から全くぶれていない。その方向性とは、実験事業の公募の際に横浜市が掲げた目標であり、①新しい横浜文化の創造と発信、②NPOを中心とした新しいスタイルで事業運営、③産業やまちづくりへの展開、であった。そのため、自分達が公募時に求められたものと相反する内容を課して来た時や、創造都市施策の推進として間違った方向に行くと思われた時は、池田さんは粘り強く相手と交渉し、求められた姿に近づけるよう相手の行動を誘導しながら、自分達の事業を拡大・発展させ、一歩ずつ掲げた目標に近づいていった。

　池田さんがこうした交渉を地道に粘り強く行ってきたのは、創造都市施策に関わる人々の創造力を期待し、アーティストだけでなく地元や行政等、様々なネットワークを形成し、一緒に大きな目標の実現に向けて動いてくれる人々を増やそうと思っていたからだと思う。池田さんと関わった多くの人の話を聞くと、それが良くわかる。こうした経験を経て、池田さん亡き後、強く感じるのが、これまで池田さんに怒られつつ、池田さんが納得する到達地点までなんとか頑張ってやって来たことを、池田さんがいなくても出来るようにしていかないと、BankART事業のみならず、創造都市の大きな成果を生みだすことが難しくなってしまうのではないかという危機感だ。これは一朝一夕に解決できる問題では無いが、これまで私が池田さんと実現した協働事業の成功体験を記すことで、これから取るべき行動のイメージが少し見えてくるのではないかと考えたため、そのいくつかを紹介したい。

〇創造都市の発展のために芸大誘致は必要、一方BankART事業の縮小化は許されない。

　BankART事業を開始して間もなく、2つの拠点の内の1つを、「東京芸術大学大学院映像研究科のキャンパスに使いたいため、明け渡して欲しい」旨の依頼があり、結果的には2004.12には旧富士銀行を撤退し、BankART Studio NYKにて2005.1より運営を開始した。

　池田さんは、芸大の誘致は横浜の創造都市形成において非常に重要な取組と認識していたため、提案を受け入れる方向で調整してくれたが、その際に行政側に要求したのが、自分たちの活動成果が低下しないよう、①新拠点設置（同等以上の規模とスピード感）や②ゲート製作（奥まった拠点だったため、ゲートの重要性を認識し、横浜市にワークショップによるゲート製作の資金捻出を求める）、の条件を

提示した。その要求は行政にとってはハードルが高いものもあったが、補正予算等を組むことにより対応した。池田さんの読み通り、芸大誘致は創造都市施策としては重要な要素となり、人材輩出の要として機能している。

○BankART Studio NYKをトリエンナーレの会場に活用することを契機とした発展的対応

池田さんはこの提案を、トリエンナーレの会場として活用することにより、当該施設の機能強化が図れるため、この先のBankARTの活動として有益であると考えたのだと思う。そこで、行政側に要求したことは、NYKをBankARTの拠点として使いやすいように整備すること、またこの機会に、元々の理念にある、トリエンナーレの街中展開を積極的に推進するため、市役所や駅、水辺、屋上、個店との連携、更には18区展開等、トリエンナーレと連携した、街中展開を行うために最低限必要な費用を準備することやその展開への協力だった。トリエンナーレの会場ということもあり、当該施設の整備調整は難航したが、その成果は大きく、その後BankART Studio NYKは創造都市形成の中でも重要な拠点となるとともに、これを期に創造都市の公共空間等を活用した街中展開が一挙に加速した。

○十分に活用されていなかった新港ピアの活用

2008年横浜トリエンナーレの会場として整備された「新港ピア」を2011年のトリエンナーレでは会場として使用せず、引き続きBankART Studio NYKは使いたい、という要望に対し、巨額の投資をして整備した「新港ピア」を利用しないことに対して池田さんは納得せず、NYKの利用に合意しない旨の意向を示していた。行政としても「新港ピア」は使いづらい施設であるといった認識はある一方、池田さんと同様、効果的に活用すべきものと考えていた。そのため池田さんに「新港ピアをBankARTに使ってもらえないか。」と打診した。当時新港ピアは十分に生かされていない状況であり、池田さんとしては、折角トリエンナーレのために作った空間が無駄にされるべきで無い、という意識が高かったため、活用に不可欠な資金等の準備を条件づけされたが、こちらの提案を引き受けてくれた。この事業により、新港ピアはその後2年弱の間、ハンマーヘッドスタジオ新・港区として活用され、港エリアに新たな創造界隈拠点を形成し、何よりもここで育まれた人脈は、今も創造都

市の形成を支えおり、その意義は大きい。

○ NYK解体からの展開

BankARTの活動の中枢的拠点だったNYKが解体されることとなり、これまでの中でも一番の衝撃であったと思うが、そこをこれまでのネットワークにより、なんなく（ではなかったと思うが）乗り越え、これまで創造都市の展開が図れていなかった「みなとみらい」地区へ活動の場を広げた。更には、人生に導かれたように、創造都市の一丁目一番地である馬車道地区の、歴史的建造物としての具体の活用が定まっていなかった現在の「KAIKO」の運営を、運営資金の捻出や行政との調整等、数々の困難を乗り越えながら実現に漕ぎつけた。まさに池田さんにしか出来ない荒業であった。

○都市デザイン横浜展の開催と50年の歩みをまとめたカタログの制作

最後に池田さんが与えてくれた最大の成功事例がこれである。都市デザイン50周年となる年を迎えたばかりの頃、私達は池田さんに都市デザイン50周年事業の一環として、未来を語る「未来会議」の運営に協力してもらえないか相談に行った所、その話には目もくれず、何故この機会にこれまでの成果を発信する、展覧会の開催やカタログの制作が出来ないのかと強く抗議された。その頃都市デザイン50周年事業に向け内外から頂いていたご意見の多くが、振り返りよりもこれからのことを考えるべき、というものだった。そこで、限られた予算と人的資源の中で出来ることとしては、未来の検討に集中して事業を行うというのが横浜市の考えであった。しかし池田さんはひるまず、展覧会の会場提供や運営費の負担等、展覧会やカタログ制作が出来る方向の支援を差し伸べ、結果多くの人々の力を集結し、実現した。池田さんはおそらく都市デザインの成果を強く感じているとともに、それが人々に伝わっていないことを危惧し、これからのことを考えるためにも、これまでの実績をまとめて発信することは不可欠なことと考えていたのだと思う。結果展覧会は大盛況の後延長もされ、またカタログも増刷し、次への展開の礎を創った。本当に感謝しかない。

これらの成功体験から見られるように、池田さんは必ずピンチをチャンスに変え、

自分達の事業成果を拡大してきた。私がこれらの成功体験から得た最大の教訓が以下の2つである。

1　これまでに無い新たな成果を見出すためには、未知の可能性にかけることが大切であり、更に最初から大きく展開するのでは無く、徐々に拡大していける柔軟性を持って対応することが重要である。

2　相手に未知の可能性を委ねる場合、事業を委ねた側も、その実現のため、通常は想定していない対応を準備しておく必要がある。

では、こうした教訓を踏まえた上で、私達がどう今後対応していけば良いかというと、ここからは先は、BankART schoolの講座「これからどうするBankART」で考えていきたい。そうした取組により、池田さんに叱られなくても、私たちが目指すべき未来へ一歩ずつ近づいていけると私は確信している。

「都市デザイン横浜展」

かじやま・ゆみ｜1994年に横浜市に入庁。2001年より都市デザイン室に所属し、2003年にBankART1929が発足する実験事業に携わる。その後創造都市事業本部に所属し、BankART事業等を担当する。2017年より5年間都市デザイン室長に従事し、都市デザイン50周年となる2021年度、都市デザイン横浜展の開催等を実施。2022年度より、青葉区区政推進課に所属が変わり、入庁以来の願望であった郊外部における魅力あるまちづくりを考案中。

池田さんのバトン

鈴木伸治

[横浜市立大学教授]

BankART KAIKO にて

池田さんと最後に話したのはBankART KAIKOでの都市デザイン横浜展のオープ
ニングの日だった。やっと展示が間に合ったことへの安堵、カタログが大変充実し
たものになったことなど、何人かと言葉を交わしていた。この展覧会について人一
倍こだわっていた池田さんは満足気な笑みを浮かべていた。そこで実行委員会の
委員として会議の席でも発言し、私自身、若干不満であった点を聞いてみた。「都
市デザインだけにフォーカスして創造都市についての展示がないんですよね。」(会
期後半は追加で展示がなされた。)会場提供やカタログ出版などの面で貢献され
ていたBankARTに対して、少し失礼な感じもしていたので、聞いてみたのである。
すると池田さんは、「それは2年後でいいじゃないですか。2年なんてすぐですよ。
頑張りましょうよ。」とさらりと答えた。2年後とは2004年にスタートした創造都市の
20周年のことである。最後にお話ししたこの日の翌日がまさにBankARTの18回目
の誕生日だったのである。

創造都市を体現し、その源流が都市デザインから生まれたことを人一倍意識して
いた池田さんからは、少し辛口な言葉が聞かれるかと思ったので、意外でもあっ
た。しかし、後から考えてみると、とても池田さんらしい発言であったと思う。

「Bend, but don't break」という言い方があるが、アメリカンフットボールのディフェ
ンスでは後退しても点を取らせない、そして最後は勝つという戦い方である。旧富
士銀行と旧第一銀行でスタートしたBankARTだが、旧富士銀行が東京芸大の大
学院誘致によって使えなくなるときも、撤退を受け入れてBankART Studio NYKで
の活動を選択した。一見、妥協し、撤退しているようで、しっかりと交渉し、NYKを
勝ち取った。その後もそんな場面を幾度も切り抜けながら、BankARTは横浜のま
ちに棲み続けてきた。「ビジョン」と「強さ」そして「しなやかさ」がなければ、簡単
に実現できないことであったろう。

展覧会の会場であったBankART KAIKOはもともとアジア・デザインマネジメント
センター構想があった場所である。北仲北地区の再開発にあたって規制緩和の条
件として、創造都市構想の一部として「デザイン」をテーマにした拠点が生まれるは
ずであった。私自身もそのプロセスに関わっていたものの、その後の計画の変更
や市の政策の方向性の変化によって、当初の構想は消え去ってしまうのかとも思え
た。その時、池田さんが手を挙げて、BankART KAIKOという拠点を開いたのであ
る。池田さんから、北仲決まりましたよと連絡を受けた時、私自身、本当に嬉しかっ
た。かつて北仲BRICK & WHITEで多くのアーティスト・クリエーターを横浜に呼び

寄せた場にBankARTが帰ってくる。池田さんの中に、大きな「創造都市」というプロジェクトのバトンをリレーしていく決意があったのだと思う。

構想（夢）と実践（仕事）

池田さんが亡くなったあと、何度か細淵さん、津澤さん、秋元さんと話をする機会があった。その時、幾度となく、池田さんはブレずに当初からBankARTに与えられたミッションを続けてきたという言葉がでてきた。

改めて池田さんが2011年に書かれた「なぜBankARTが生まれたか」に目を通した。『新都市』という都市計画系の雑誌に寄稿された文章である。2004年にスタートして7年目に書かれた文章で、林市政へと移行してやや創造都市の政策にも変化が見られ出したころの文章である。

この中で池田さんは2004年になぜ創造都市構想が始まったのかを、開港という都市横浜の成り立ちから始めて説明し、「創造都市のプロジェクトは、確実にこうした歴史的な都市の生成（構造）の上にたっている」と述べ、自身の創造都市への理解を表現している。そして、北沢猛（故人、東京大学教授、横浜市参与として創造都市構想立案をリードした。）の構想（夢）について言及しながら、第二段階に入ったBankARTのこれからについて「自身がより深く都市に入り込み、思考し、自分の体を少しばかり変形し、敵意を歓待に変え、都市の経験を蓄積し、そして徹底的に開いていくこと。こうした作業を淡々と続けていきたいと考えている。」と、その実践（仕事）についての決意を表明している。

2004年以後の池田さんは、単にその時点で与えられたミッションを継続してきたというよりは、横浜という大きな都市の構想（夢）に共感し、池田さんなりの方法で、それを実践（仕事）してきたのであると思う。

池田さんのバトン

ここ数年、何度か池田さんに80年代から90年代のご自身とPHスタジオ時代の活動について質問する機会があった。その時印象に残った事は、池田さんのみならず、2000年代以降、横浜で活躍したアーティストやクリエーターが、何らかの形で昔から横浜に関わっていたという彼の回答だった。

　　　一九八六年に開港記念会館でやった「パフォーマンスアートフェスティバル」
　　　という南條史生さんの企画にPHが参加しました。一九八七年には「ライト

アップフェスティバル」があって、僕らは大倉山記念館だったんだけど、横浜の歴史的建造物を使ってやったりとか。今考えると横浜の「歴史を生かしたまちづくり」という都市づくりの文脈に関わっていたんですね。それ以外では横浜市教育文化センターでのスクール講師をやったりとか。とにかく当時横浜でやる外のプロジェクトが多かった。横浜は箱としても横浜市民ギャラリーや神奈川県民ホールのギャラリーがいわゆる大きな吹き抜けを持っていて、美術館然としていない、割と自由な感じがあった。インスタレーション系の作家はみんなそこで実験的にやっていた。柳幸典さんや川俣さんもそうだし。横浜はよく通った場所でした。

座談会「都市とアート」での池田さんの発言
『アートとコミュニティ　横浜黄金町での実践』p.196

北仲BRICK & WHITEで多くのアーティストやクリエーターが横浜での活動を始め、近年はさまざまな場面で活躍している。こうした一連の流れをつくったことは池田さんの大きな功績である。そして池田さんはこうして活躍の機会をもった若い世代の人たちが再び横浜で活躍することを期待していたのではないかと思う。自分自身がそうであったように。

池田さんのバトンはすでに多くの人たちに手渡されていると思う。私自身も池田さんの頭の中にあった構想（夢）について考えながら、日々の実践を重ねていきたいと思う。

すずき・のぶはる｜1968年大阪生まれ。京都大学工学部建築学科卒業。東京大学大学院を修了後、東京大学助手、関東学院大学工学部助教授、横浜市立大学准教授を経て、2013年より現職。現在国際教養学部長。専門は都市計画・都市デザイン・歴史的環境保全。著作に『アートとコミュニティ　横浜黄金町の実践から』（共著/春風社/2021）、『都市の遺産とまちづくり　アジア大都市の歴史保全』（編著/春風社/2017）『今、田村明を読む』（編著/春風社/2016）『創造性が都市を変える』（編著/学芸出版社/2010）など。

創造都市政策とBankART1929の池田修さん

秋元康幸

［横浜国立大学・横浜市立大学 客員教授／UD-LAB代表］

池田修さんが急逝して、多くの方から創造都市は大丈夫かと聞かれた。1人の
NPO代表の死が、横浜市の都市政策の中で、それほどまで大きなものになってい
たのかとあらためて感じた。私は、2009年に創造都市の生みの親である北沢猛さ
んが亡くなり、2011年に創造都市を中心になって推進してきた川口良一さんが亡
くなった時のことを思い出していた。

私は1980年に横浜市に入庁したが、当時、東京の佐賀町エキジビット・スペース
や、ギャラリー上田・ウエアハウスによく遊びに行った。大学で建築を学んできた
人間にとって、新しい建物を建てるのでなく、歴史的建造物や古びた倉庫の中で
繰り広げられている現代アートやパフォーマンスを見て、現代建築にはない圧倒的
な空間と現代アートに、都市での可能性を感じていた。
1986年にアート好きな仲間と開催したのが、日本丸メモリアルパークでの「横浜
パフォーマンス・アート・フェスティバル '86　MAY GARDEN」であった。次の年の
1987年に、「MAY GARDEN II」を開催し、そのアーティストとして、「PHスタジオ（池
田修、他）」が参画している。『PHスタジオ1984-2002』の冊子には、その時の作
品解説として、「建築交換プロジェクト：明治時代に建てられた建築の柱に、本物
そっくりにつくった柱を付加、講堂の椅子を古家具に交換、廊下に壁をたててもう
ひとつの廊下を出現させた。」と記載されている。建築とアートを横断する池田修さ
んらしい作品に、建築を学んだ私も驚かされたものだ。

1987年には都市デザイン室に異動になり、それまでの活動が、世界のデザイン展
やアート展を、当時係長だった北沢猛さんと調べることにつながっていく。都市デ
ザイン室では、1990年に、現代アートやパフォーマンスを織り交ぜた展覧会として
「バルセロナ＆ヨコハマ・シティクリエーション（BAY'90）」を開催し、1992年の「ヨ
コハマ都市デザインフォーラム」の「ヨコハマ・アーバンリング展」では、アーティス
トのダニエル・ビュランや建築家のレム・コールハースらも参画した展示会を企画
している。少しずつ横浜で、都市デザインと現代アートが近づいていった時代とも
言えよう。都市開発では、アート＆デザインをコンセプトにしたヨコハマポートサイ
ド地区や、パブリックアートを配置した横浜ビジネスパーク、上大岡駅前再開発な
ども事業化されていった時代である。しかし、バブルが崩壊し、一気に景気が後退
していく。都市づくりもハード整備から生活の質を問う時代に変化を始めていた。

その後、横浜で本格的な現代アート展、横浜トリエンナーレが赤レンガ倉庫を会場として始まったのが2001年である。そして、2002年から、当時横浜市参与だった北沢猛さんにより、縮退の時代の都市政策として創造都市政策の本格的検討（文化芸術・観光振興による都心部活性化検討委員会）が始まり、その作業チームとして秋元も加わることになる。都市デザインに、アーティスト・クリエーターの活動をプラスした創造都市政策、ハードとソフトの融合により「都市の活性化」を狙ったものである。それが組織として動き出したのが2004年4月の文化芸術都市創造事業本部からとなる。BankART1929は市の組織化に先行する形で、2004年3月に旧第一銀行と旧富士銀行を活用してスタートしている。横浜でも歴史的建造物を単に残すだけでなく、現代アートで活用する時代がようやく訪れたのである。

創造都市政策の立案に参加した後しばらく遠ざかっていたが、2009年に創造都市推進部長として再び創造都市の仕事をすることになり、初めて仕事上、池田修さんと向き合うことになる。横浜市が創造都市政策を初めて5年ほどたっていたが、実施している事業は不安定なものばかりだった。「まちに広がるトリエンナーレ」と銘打ってはいるが、トリエンナーレとBankART1929との協力関係はギクシャクしており、池田さんとは日々厳しい調整が続いた。しかし感じたのは、市の職員より、現代アートが街に広がることの意味を理解していたのは、池田さんの方であった。池田修さんとはぶつかりながら、実際には横浜市の中や美術館との調整であった。

行政の政策は、市民や企業と二人三脚で進める仕事が多いが、今考えると創造都市政策ほど、行政の政策論に加え、現代アートをよく理解しているNPOによる実践論が必要だったプロジェクトはないと思う。行政が民間を引っ張っていった時代から、民間の知恵と行動力を行政がフォローする時代へと移り始めていたのである。ひとことで「文化芸術による都心部活性化」といっても、そこで活動しているのは、多様性のある、主張が強くて日々悩み活動している生身の人間たちである。特に現代アートと街をつなぐことは、行政には不得意で、アート系のNPOの力を借りながらアーティストに寄り添い、アーティストの奇想天外な発想力を生かせるように行政内を調整し関係性を作っていくしかない。このような積み重ねが広がることでしか、都市は面白くならないし、イノベーションも起きないのである。

BankART1929での実践を通じて、池田修さんに教わったことはたくさんある。現

代アートに関心を持つ人とBankART1929を結びつける受付のシステム、特に重要な人が来ると池田さんに通報が行き、すぐに池田さん本人が対応していた。カフェのカウンターにはアーティストがたち、つねにお客さんとアートの話ができる交流システム、楽しいアートや食というみんなが関心を持つもので街との連携を作っていくやり方。横浜のBankART1929でアーティストインレジデンス（AIR）をやることによって、横浜という場所や人とアーティストを繋ぎ、アーティストに刺激を与え、横浜の地からアートやアーティストを生み出す方法。アーティスト・クリエーターを集め、自主的な組織を立ち上げ、オフィスビルの床単位、建物そのものをシェアする手法。R16など、こんな場所が使えるの? という場所を、現代アートで使いこなす手法。創造都市の本来の狙いを、現代アートという武器で、一つ一つ実践できたのは、池田修さんの経験とアイデアがあったからこそと言える。

横浜市を退職してからは、池田さんからBankART1929の中にオフィスを構え、都市づくりの研究・議論の場をつくらないかと誘いを受けた。それが、UD-LABという形で小さくはじめ、池田修さんが特にその開催を主張していた「都市デザイン横浜展」では、様々な人との交流ができた。もっと発展させないといけないと思っていた時に、池田さんが急逝したのである。池田さんが亡くなったと連絡を受けた時、これから自分に何ができるかを考えさせられたし今も考え続けている。行政という立場で、創造都市による都心部の活性化政策を作ってきた秋元だが立場を変えて、BankART1929の運営にかかわっていければと思う。池田修さんがやってきたことを再認識する中で、そのやり方を継続し、特に私の関心がある街に広がる部分は発展させつつ、現スタッフの新しい考え方も加えながら、次のBankART1929を作っていきたいと思うようになった。多くの人を巻き込みながら、とにかく今動かないと……。池田さんの死を超えて新たに展開していくために。

あきもと・やすゆき｜横浜国立大学・横浜市立大学客員教授。横浜市役所入庁以来、都市づくりの仕事を中心に行ってきた。都市デザイン室長、創造都市推進部長などで、横浜都心部のまちづくりを推進してきた。また、ヨコハマトリエンナーレ2011では事務局長も務めている。2018年に横浜市を定年退職し、BankART1929内にUD-LAB（Urban Design Lab YOKOHAMA KAIKO）を設立しこれからの都市デザインの在り方を研究している。2022年6月より、NPO法人 BankART1929 副代表。

BankART1929―創造都市横浜を牽引する運動体

吉本光宏

［ニッセイ基礎研究所 研究理事］

2004年3月の設立から18年。その間、池田修さんがBankART1929に注ぎ続けたエネルギーは計り知れない。それを支えていたのは一体何だろうか。彼はBankARTの活動をとおして何処へ辿り着こうとしていたのだろうか―。

本書に掲載された彼のテキストからも、その疑問を読み解くことができるだろうが、私が彼と接する中でしばしば感じたのは、BankARTというアートセンターそのものに対するビジョンよりも、横浜という都市の未来に対する展望である。

BankARTはこれまで何度となく拠点を移してきた。正確には、移さざるを得ない状況に直面してきた。最初の2つの拠点、旧第一銀行横浜支店と旧富士銀行はいずれも横浜市の所有する建物だった。その歴史的建造物を活用する実験事業の公募が行われ、池田さんたちの提案が採択されてスタートしたのがBankARTの2つのアートセンターだった。

しかしそれから1年もしないうちに、旧富士銀行からの移転を余儀なくされる。横浜市が東京藝術大学大学院の映像研究科を誘致し、旧富士銀行の建物を利用することになったためだ。移転先として2005年1月にオープンしたBankART Studio NYKは、横浜市が日本郵船から借り上げた倉庫である。建物の一部をリノベーションしてアートスペースに転用、やがて旧第一銀行の活動もNYKに統合された。

2008年と2011年には、この建物を横浜トリエンナーレの会場として使用することになり、BankARTはトリエンナーレが終了するまでNYKから一時撤退せざるを得なくなった。結局NYKでの活動は13年間続いたものの、2018年3月にクローズ。横浜市が、再開発を計画していた日本郵船との賃貸借契約を更新できなかったためである。

2004年から2年間、私は創造都市事業本部のアドバイザーを務め、その後2015年6月まで創造都市横浜推進委員会、横浜市創造界隈形成推進委員会の委員長を務めさせていただいた。私が池田さんと最もよく話をしたのはその頃だ。

旧富士銀行からの移転や横浜トリエンナーレの経緯に見られるように、横浜市は必ずしもBankARTの活動を支えるのに十分な環境条件を用意し続けた訳ではない。むしろ、「なぜそうなるのか」という疑問を抱くような方針転換が行われ、BankARTの立場に立つと、とうてい受け入れられないという状況も少なくなかった。

そうした理不尽とも言える場面で、池田さんはBankART代表として市の示した方針転換に異を唱え、粘り強く交渉を行ったが、それ以上に、横浜市にとって何が重要か、創造都市政策を継続する意味は何か、ということをより強く訴えていたことが記憶に残っている。

彼の中には、国際的な都市間競争が激化する中、横浜市が芸術文化創造都市としての魅力を維持し、プレゼンスを高めるために何をすべきか、という考えがあり、BankARTの事業や運営もそれが土台となっていたのではないか。わかりやすく言えば「何が横浜市のためになるのか」ということを、池田さんは常に判断基準に置いていたのではないだろうか、と思うのである。

結果的に横浜市の示した条件を受け入れることになっても、その中でBankARTの次のステップを進めていく。その積み重ねが18年間の歴史となってきた。私がBankARTの活動をよく知るNYK撤退までを振り返っても、その事業の多様さ、幅広さには目を見張るものがある。

BankARTがスタートした2004年当時は、英国のチャールズ・ランドリーらが提唱した創造都市の概念が日本に導入されて間もない頃で、その具体的なイメージを掴むのに誰もが苦慮していた。BankART 1929 Yokohama、BankART 1929 馬車道という二つのアートセンターは、そのことに一つの解を示すものとなった。

以降、創造都市政策は国内の他都市にも広がっていくが、BankARTの成果は海外にも波及した。私の研究所では2012年度に文化庁から委託を受けて、アーティスト・イン・レジデンスの国際調査を実施し、池田さんにはアドバイザー会議の委員として協力いただいた。

この調査では、欧米、アジア、オセアニアの11ヶ国で約40件のアーティスト・イン・レジデンスの現地調査を実施した。ソウル市の調査では、キム・ヨンホ創作空間本部長が「横浜はBankART1929が誕生してから都市全体が文化的に変わりました。横浜の事例を見て文化空間が都市を変えることができると感じました」と語ってくれた[1]。

実際ソウル市はBankARTの活動に触発されて、2009年にソウル市創作空間（Seoul Art Space）を立ち上げ、工場や倉庫をアーティストの活動拠点として改修、今ではその数は7箇所に及ぶ。ソウル市に限らず、海外の調査先でBankARTの名前はしばしば耳にした。BankARTが国際的なアート界における横浜市の認知度向上に大きく貢献しているのは間違いない。

BankART Studio NYKで私が特に印象に残っているのは、柳幸典「ワンダリング・ポジション」（2016）、川俣正「Expand BankART」（2013）、原口典之「社会と物質」（2009）など、元倉庫の空間特性を最大限に活用した大規模な個展であるが、並行して「食と現代美術」やランドマークプロジェクトなどの街中展開、舞台芸術分野では大野一雄フェスティバル、Under35に代表される新人へのサポート、BankART

Lifeのような総合的イベントも実施された。

江戸幕府が200年以上にわたって朝鮮半島から使節団を受け入れていた「朝鮮通信使」を、今日の日韓の新たな交流プロジェクトとして展開した「続・朝鮮通信使」（2010〜）は特筆に値する取組だ。防災とアートをテーマにした「地震EXPO」（2007）も時代を先取りした企画だった。

芸術を取り巻く幅広いテーマを扱う少人数制のBankART School、国内外のアーティストに創作スペースを提供するArtist in Residence、外部からの提案を受けて協働で行うコーディネート事業などは、2004年以来継続され、今も事業の柱になっている。年中無休で夜11時まで営業するPub & Café、美術・建築・パフォーマンス等の書籍・DVDを扱うShopもBankART Studio NYKならではのものだった。BankART出版のレーベルで、独自に発行した書籍、カタログ、DVDなどは優に100点を超えるだろう。

そして何よりも池田さんが力を入れたのは、街中を侵食するように広がった数々の創造拠点である。BankARTかもめ荘、北仲BRICK & WHITE、本町ビル45（シゴカイ）、野毛マリヤビルホワイト、宇徳ビルヨンカイなど民間ビルとの協働によるものだけではなく、横浜トリエンナーレ2011では新港埠頭の新港ピア（4,400m^2）を全面活用、2012年4月から2年間ハンマーヘッドスタジオ「新・港区」として運営した。それらに呼応するように、今では空きオフィスなどを活用し、周辺地域にアーティストやクリエイターの活動拠点や事務所の集積が進むまでになった。違法特殊飲食店（売買春宿）が軒を連ねる黄金町エリアでは、2006年に最初の創造拠点「BankART 桜荘」を開設し、その後のまちづくりにつなげた。

彼がBankARTというアートセンターの事業だけではなく、横浜という都市の将来を見据えていた証だろう。

NYKクローズを告げるリリースのタイトルは「BankART is moving」。そのとおり、BankARTは動き続けた。BankART Home（2018年5月〜20年11月）、BankART SILK（2019年2月〜20年8月）、BankART Temporary（2020年5月〜21年3月）、R16 studio（2018年8月〜21年3月）と。

現在の拠点BankART Stationがみなとみらい線 新高島駅地下1階にオープンしたのは2019年2月。翌20年10月に現在のもう一つの拠点BankART KAIKOがオープンし、BankART Temporaryと二つの会場で「M meets M 村野藤吾展 槇文彦展」が開催された。

BankART KAIKOは再開発で超高層マンションとともに整備された商業・文化施設

「北仲 BRICK & WHITE」の1階に位置しているが、この名前は、2005年5月から06年10月までBankARTが旧帝蚕倉庫をアーティストやクリエイターの活動拠点として活用した時に付されたものだ。再開発によってその名前が復活し、新たな街区に刻印された。

BankARTは完成された作品の公開のみならず、その創造のプロセスを支えることに重点を置いてきた。果たして、これまで何人のアーティストやクリエイターがチャンスをもらっただろう。どれだけ多くのクリエイティブな活動や創造的な空間が、BankARTに触発され、勇気をもらい、生まれてきただろう。もちろんそれらの成果はBankART1929のみによって達成されたものではない。何より、民間の可能性を信頼し、運営や事業を委ねた横浜市の英断と理解、支援があってのことであり、パートナーとして運営や事業に携わった数多くの組織や個人の協力なしには成しえなかったことは間違いない。

それにしても、である。池田さんのリーダーシップによってBankART1929というアートNPOが、「都市に棲むこと」を理念に掲げ、これまでに残してきた足跡はあまりにも大きい。そこには常に創造活動への深い理解と都市へのまなざしがあった。芸術やクリエイティブな活動を生み出し、それらを都市空間の中に移植、培養させることで、地域に新たな活力をもたらしていく。まさしく「創造都市」の根源的な取組であり、これまでの実績には敬意を払うのみである。

BankARTはこれまでも何度となく移転や一時的な明け渡しを経験しながら、その都度、しなやかに、そして強靭に活動を再開してきた。それは、アートセンターというより一つの運動体であり、それを牽引してきたのが他ならぬ池田さんだった。

その運動に関わった一人ひとりが、それぞれの立ち位置で、彼がBankARTに注いだ思いやエネルギーを引き継いでいくこと。それが、創造都市横浜の次の展開につながるに違いない。

[1] ニッセイ基礎研究所 (2013.3)「諸外国のアーティスト・イン・レジデンスについての調査研究事業 報告書」(p.247) https://www.bunka.go.jp/tokei_hakusho_shuppan/tokeichosa/kaigai_air.html

よしもと・みつひろ｜ニッセイ基礎研究所 研究理事・芸術文化プロジェクト室長。1958年徳島県生。早稲田大学大学院 (都市計画) 修了後、社会工学研究所などを経て、1989年からニッセイ基礎研究所。文化政策や創造都市などの調査研究に携わるとともに、東京オペラシティや国立新美術館、東京国際フォーラム等の文化施設開発やアート計画のコンサルタントとして活躍。文化審議会委員、東京芸術文化評議会評議員、東京2020組織委員会文化・教育委員、企業メセナ協議会理事、東京藝術大学非常勤講師などを歴任。主な著作に『文化からの復興』(水曜社)、『アート戦略都市』(鹿島出版会) など。

付録
Addendum

池田修の65年
The 65 Years of Osamu Ikeda
1957‑2022

幼少期から学生時代

大阪時代、三歳くらいのころに、おじいちゃんは商売をしていて、おばあちゃんとともに留守番していた。周りの大人たちに飴を一つずつあげて回って、かわいがられていた。おばが若く（年齢差で10程度だから兄弟のように）その影響で、プレスリー、ニールセダカ、ポールアンカ、雪村いずみを聞いているおませな子どもだった。

大学時代、ひとりでできる場所…美術系か、理科系か。母親から「先生になれる」ということで、教授との関係とかで理学部にいくが、コンピューターひとつつかえない、ひとりでは何もできないとさとる。3年でリタイア。

これまで、祖父母に気をつかいながら、母親には、苦労かけてはいけないみたいな、大阪の言葉で「ええかっこしー」の人生をやめようと思った。（池田修のメモより）

◎社会の動き　◎横浜の動き

1957 昭和32 0歳	◎6月14日、大阪市住吉にて生誕	◎ソ連、人工衛星スプートニク打ち上げ ◎ジョルジュ・マチュー、サム・フランシスら来日し、アンフォルメル旋風 ◎1958年、開港100年記念祭の開催 ◎1961年、マリンタワーの完成
1973 昭和48 16歳	◎3月、中学 卒業 バスケットボール部キャプテン、生徒会長などをつとめる ◎4月、大阪府立今宮高等学校 入学 剣道部で副キャプテンを務める	◎石油ショック、物価急上昇 ◎渋谷パルコ開業 ◎『版画芸術』『季刊デザイン』『芸術倶楽部』創刊 ◎1974年、旧市庁舎前の「くすのき広場」完成
1976 昭和51 19歳	◎3月、大阪府立今宮高等学校 卒業 ◎大阪の予備校に通う	◎ロッキード事件で田中角栄前首相逮捕 ◎NHK「日曜美術館」放映開始 ◎1976年、馬車道商店街の整備・都心部プロムナードの整備
1977 昭和52 20歳	◎4月、静岡大学理学部入学（寮にはいる） ◎馬術部で馬のお世話などをしていた。大学4年になる前にやはり美術をやりたいということであまり学校に行かなくなり、家族が静岡まで説得に来るも応じず	◎日本人の平均寿命世界一に ◎ドクメンタ6に原口典之ら出品 ◎パリにポンピドゥ・センター開館 ◎1977年、横浜市民ギャラリーで「今日の作家・絵画の豊かさ展」◎1978年、大通り公園の完成・横浜スタジアムの整備 ◎1980年、横浜駅東西連絡自由通路の完成

幼少期　母と

幼少期　祖父と

幼少期

小学生時代

幼少期　バットを持って

中学時代　生徒会長などをつとめる

小学生時代　祖母と運動会にて

学生時代　飯盒炊爨

Bゼミ

まえから憧れていたBゼミに一年間アルバイトして入校。ところが、先生が文化庁、病気などでみんないなくなった。近くの仲間のアパートで自主ゼミ。→小林校長先生は、自主ゼミで勉強している先生を呼びたいというと快諾。次々にリレーで招待。授業なので謝礼はBゼミから。レギュラーも優秀な先生が多かった（多木浩二、中原佑介、東野芳明、藤枝晃雄、針生一郎）。自主的に、荒俣宏、中沢新一、浅田彰、村上陽一郎、市川浩、三浦雅士、松枝到。最後の方のゼミで川俣正さんと出会う。決定的に影響を受ける。ゼミ生の家を順番にまわりながらゼミをやったり、川俣さんが行っている社会的な仕事、建築家の磯崎さんのバービルの仕事のプレゼンテーションをやったり。（池田修のメモより）

		◎社会の動き　●横浜の動き
1981 昭和56 24歳	◎3月、美術系の進路をとるため静岡大学を中退 ◎新宿で新聞配達をしてお金を稼ぎながらギャラリー巡りをしたり美術理論を学ぶ。田中信太郎ゼミを受けたいのでBゼミ入所を目指す	◎ノーパン喫茶流行　●軽井沢に高輪美術館（セゾン現代美術館）開館「マルセル・デュシャン展」 ◎本牧ジャズフェスティバル開催
1982 昭和57 25歳	◎**4月、Bゼミスクールに入所**（B19） ◎11月22日、Bゼミスクールにてゲストゼミ I.A.F（帯金章郎、山野真悟、江上計太）受講。ぴあ編集部の村田真も取材で合流	◎東北新幹線・上越新幹線開業　◎ヴェネツィア・ビエンナーレに川俣正ら、パリ・ビエンナーレに岡﨑乾二郎ら出品
1983 昭和58 26歳	◎5月、第16回Bゼミ展「明るく強く」＠横浜市民ギャラリー	◎東京ディズニーランド開業　◎連続テレビドラマ「おしん」人気　◎佐賀町エキジビット・スペース開設 ●みなとみらい21着工

Bゼミ入所式

Bゼミ参加志望の趣意
仮定された自分という存在を、仮定されたBゼミスクールという場の中で、現象さすこと。それにかけてみたいから。
現在の仕事：新宿高層ビル街の新聞配達
現在の学校：東京美術研究所

現在、興味のあること（羅列的）
①人間科学全般（特に脳生理学（行動科学）と実存〜現象学的な精神分析学とを自分の内部でダイナミズムに葛藤させること）
②音とことば
③近くのちび犬のこと。近くのよぼよぼの大きい犬のこと。
④同じ場所で同じ時刻に同じ動作をしている青い服きたおばさんのこと。
⑤トーキング・ヘッズの次回のアルバム
⑥榎倉康二の次回の平面
⑦早見堯と藤枝晃雄の評論等々　以上

当時のメモより

提示のとき あまりしゃべったことがありませんし、ゼミの
授業も ほとんどでていませんので、あまり 自分のことを
しらないとおもいますので 日頃考えている というか
感じていることをかきます。

・ごきぶりなんかに 手をたすと 手をだしたぶんだけ
ごきぶりが うごくというか とおざかるというか
もっと はっきり いうと、"とおざかり"しかないような
そんな かんじを 追っかけています。

・虫って いうのは すきなんですが、やっぱりこれも
ごきぶりなんかが いちばんいい例 だと
おもいますが、はいますよね。

・ほう というのは 決して 虫 じゃないですよね。
虫って いうのは 分節化 してしまった五感の
一つですからね。ほう というのは あまりうまく
説明できませんが、くつみがきのおばさんなんか
すきです。あと 道路に ダンボールひいて
ねっころがっている ひととか そうゆうなんて
やっぱし 修業したいって 気がします。

・これもまた 虫ですけどね。くものイメージってありますね
ほんとは くもの巣のイメージですけどね。もっとほんとは
くもの巣の一点、を切るときのイメージですね。
(・・・イメージじゃない)一点、を切るとそのときはじめて
時空が 生成するっていうか そんなかんじをおもいてます

池田
(6/9)

Bゼミ期末提示 池田メモ

Bゼミ期末提示講評

Bゼミ展「明るく強く」

Bゼミ展「死んでやる」冊子内

Bゼミ展「死んでやる」＠横浜市民ギャラリー

PHスタジオ発足

1984年に川俣さんの代官山ヒルサイドのプロジェクト工事中を手伝う。その後深い影響を受ける北川フラムさんと出会う。川俣さんが、ACCのフェローシップで2年間、ニューヨークへいってしまう。家賃も払わなければならないし、何か始めるしかなかった。PHスタジオとしていろいろ活動を始めた。（池田修のメモより）

◎社会の動き　●横浜の動き

1984 昭和59 27歳	◎1月、Bゼミにて川俣正ゼミを受講（田中信太郎の入院により、鷲見和紀郎と川俣正がそのゼミを引き継いだ） **ほどなく「川俣正+PHスタジオ」を発足**	◎アップル、Macintosh 発売 ◎ロス疑惑騒動 ◎ヨーゼフ・ボイス、ナムジュン・パイク、ローリー・アンダーソン来日
	◎5月、第17回Bゼミ展「死んでやる」@横浜市民ギャラリー MERZBOW秋田昌美/NULL パフォーマンスを企画し爆音をあげ、以来市民ギャラリーでは音出し禁止となる	
	◎川俣正+PHスタジオで原宿（神宮前）に事務所（大友アパート）を借りる。当時アーティストとして物件を借りるのは困難だったため、川俣と池田はカメラマンとその弟子というかたちで不動産屋を訪れた	
	◎10月、川俣正+PHスタジオ「大街道インスタレーション」@松山	
	◎10月、川俣正+PHスタジオ「工事中」@ヒルサイドテラス（代官山） 同時開催　PHスタジオ「家具φ」展@ヒルサイドギャラリー	
1985 昭和60 28歳	◎2月、PHスタジオ「家具φ」展@ギャラリー山口（銀座/東京）／池田修、渡辺守彦、森田彗、中村啓二、三好敏明、斉藤利行、松坂有司、永岡るみ、川俣正	◎つくば科学万博開催 ◎日航ジャンボ機墜落520人死亡 ◎プロ野球、阪神21年ぶりに優勝
	◎川俣正がACCのグラントをとって渡米	
	◎5月、PHスタジオ「ダンボール合戦in原宿」東京パフォーマンスアートフェスティバル@原宿	
	◎7月、PHスタジオ「資料室展」@コバヤシ画廊（銀座/東京）	
	◎PHスタジオ「Bar Cabochard」 新宿ゴールデン街のバーの改装。100万円で壁に絵を描いてというオーダーから内装を引き受けることを逆提案	
	◎PHスタジオ「Bar ESPA II」 新宿ゴールデン街のバーの改装2件目	

PHスタジオ「ダンボール合戦in原宿」

PHスタジオ初期メンバー

Bゼミ 川俣ゼミ

松山行きのフェリーにて

川俣正＋PHスタジオ「大街道インスタレーション」作業風景

川俣正＋PHスタジオ「工事中」作業風景

ヒルサイドギャラリー・ディレクターとして展覧会を企画、担当

ヒルサイドギャラリーのことで突然、北川フラムさんに呼び出され、企画運営を担うことに。フラムさんからは、場所は朝倉さんから提供されたけど時間がなくて、とにかくやってくれと。PHスタジオの活動（恵比寿、中目黒）と併行して行った。

7時から11時迄PHスタジオ。11時から19時迄ヒルサイド。19時から11時迄PHスタジオ。それでも夜中迄、中目黒、恵比寿でよく遊んだ。1986-1991年。（池田修のメモより）

		◎社会の動き　◎横浜の動き
1986 昭和61 29歳	◎PHスタジオ「カンナシピモシリ」横浜パフォーマンスシアター＠清水ヶ丘。参加者は夕暮れのパーティー会場まで小さなトンネルをくぐり草むらを歩き「cuel」が丘の上の饗宴を担当 **◎代官山、ヒルサイドギャラリーディレクターとして展覧会を企画、担当する**（1991まで） ◎PHスタジオ「ネガアーキテクチャープロジェクトNo.1」＠渋谷区恵比寿 恵比寿の空き地でのゲリラ的プロジェク ◎中川達彦　PHスタジオに加入 ◎ファッションブランドTomomitsu Watanabeの展示デレクション＠ヒルサイドギャラリー　Bゼミ小林所長一家をモデルにしたイメージ写真など	◎ハレー彗星、地球に大接近 ◎チェルノブイリ原発事故発生 ◎パリで「前衛芸術の日本展」◎富山県立近代美術館問題
1987 昭和62 30歳	◎5月、PHスタジオ「建築交換プロジェクト」横浜パフォーマンスアートフェスティバル'87MAY GARDEN II＠横浜開港記念会館 ◎PHスタジオ「ネガアーキテクチャープロジェクトNo.2」＠横浜市神奈川区の元料亭 ◎PHスタジオ「夏の虫の家」大倉山アートムーブ'87-真夏の夜の現代美術展＠大倉山記念館（横浜） ◎PHスタジオ「ゲストルームR」（代官山）「カフェオリーブ」（相模原）内装設計施工	◎日本でバブル景気始まる ◎安田火災、ゴッホ《ひまわり》を58億円で落札 ◎ドクメンタ8に川俣正ら出品

1987年1月12日
（ARTIST'S NETWORK 1987オープニング前日のパーティー会場）東京都江東区佐賀町カフェにて。
「行為 名刺交換」藤木正則（1989/現代企画室）より

ヒルサイドギャラリーで池田修が担当した展覧会

左から9人目が池田修

1988 昭和63 31歳	◎「アパルトヘイト否!国際美術展」の作品輸送トラック（ゆりあ・ぺむぺる号＝原広司設計監修）の実施設計・監理を担当	◎青函トンネル・瀬戸大橋開通 ◎リクルート疑惑発覚 ◎『にっけいあーと』創刊
		◎横浜都市デザイン宣言発表 ◎歴史を生かしたまちづくり要綱策定 ◎旧三菱倉庫で「ヨコハマ・フラッシュ」開催
1989 平成元 32歳	◎PHスタジオ設計「松岡邸」竣工＠長野 「夏の虫の家」を見た施主から家の設計ができるチームと思われ依頼がきて実現した初の建築設計 ◎PHスタジオ「来光庵」＠渋谷区恵比寿	◎中国で天安門事件 ◎ベルリンの壁崩壊、東欧諸国が相次いで民主化 ◎昭和天皇崩御、平成に改元 ◎市政100周年・開港130年 横浜博覧会開催 ◎横浜美術館開館
1990 平成2 33歳	◎1月、「アパルトヘイト否!国際美術展」恵比寿展事務局を担当 ◎PHスタジオ「Furniture φ on the rooftop」ミュージアムシティ天神＠福岡 ◎PHスタジオ「ハンギング」大街道ーわたくしの街美術館＠愛媛	◎バブル崩壊 ◎斎藤了英、ゴッホ《医師ガシェの肖像》を125億円で落札 ◎福岡で「ミュージアム・シティ・天神」 ◎バルセロナ＆ヨコハマ シティクリエーション開催
1991 平成3 34歳	◎PHスタジオ「ハウスインハウスプロジェクト」＠松山	湾岸戦争勃発 ◎雲仙普賢岳で大火砕流発生 ◎東京国立近代美術館で初のマンガ展「手塚治虫展」 ◎横浜市文化振興財団設立 ◎パシフィコ横浜完成

1986年Bゼミにて Tomomitsu Watanabe のための撮影。小林晴夫、池田修、渡邉友光

福岡のIAFの事務所にて

「坂上チユキ展」ヒルサイドギャラリー

池田修と山野真悟

「アパルトヘイト否!」ゆりあ・ぺむぺる号と。右端が池田修

「アパルトヘイト否!」会場にて

PHスタジオ

ヒルサイドはリタイアしてPHスタジオの活動に専念。いくつか仕事を原広司先生（北川さんの義理の兄）にみてもらう。深いつきあいではなかったけれど、「集落の教え」など精神的には圧倒的に影響をうけた。（池田修のメモより）

◎社会の動き　●横浜の動き

1992 平成4 35歳	◎渡英。イギリス、ドイツ、ベルギーなどヨーロッパ諸国の美術館などを見て歩く	◎ドクメンタ9に川俣正出品 ◎直島コンテンポラリーアートミュージアム開館 ◎第1回ヨコハマ都市デザインフォーラム開催　●パシフィコ横浜で「日本コンテンポラリーアートフェア（NICAF）」開催
	◎PHスタジオ「ホームレスハウスプロジェクト」都市と現代美術〜廃墟としてのわが家＠世田谷美術館（東京） エントランス天井に吊るした家形の作品が危なくみえるということで展覧会オープン直前に下ろさざるを得なくなり都内各所をめぐる「ホームレスハウスプロジェクト」に展開	
	◎廃線になった大船の大船モノレールの元信号所にスタジオを構えると同時に廃線跡のモノレールの線路を撮影してあるく「パッセージプロジェクトアンダーザレール」	
	◎小杉浩久　PHスタジオに加入	
1993 平成5 36歳	◎PHスタジオ設計「玉井邸」竣工＠名古屋 後に施主の長男は建築家となる	◎Jリーグ開幕　●ルーヴル美術館大改造計画完成　◎江戸東京博物館開館 ●第1回ジャズプロムナード開催　●ランドマークタワー完成
1994 平成6 37歳	◎PHスタジオ「海ひこと山ひこ」Open Air 94 Out of Bounds- 海景のなかの現代美術展＠香川県直島	◎ユーゴ紛争激化　◎大江健三郎、ノーベル文学賞受賞　◎ファーレ立川開業 ●横浜美術館で「戦後日本の前衛美術展」
	◎PHスタジオ コミッションワーク「Water Mark（水標）」＠ファーレ立川	
	◎PHスタジオ「灰塚アースワークプロジェクト」サマーキャンプ＋ワークショップ＠広島県甲奴郡総領町	
	◎PHスタジオ個展「えびすー猫の抜け道」＠オオタファインアーツ（渋谷区恵比寿）	
1995 平成7 38歳	◎名古屋芸術大学デザイン科造形実験コースで講師として教え始める	◎阪神淡路大震災　◎地下鉄サリン事件　◎Windows 95発売、インターネット元年　◎目黒区美術館で「戦後文化の軌跡展」
	◎PHスタジオ　美術館講座「都市へのフットワークーインスタレーションってなんだろう」レクチャー＋ワークショップ＠埼玉県立近代美術館	
	◎7月、PHスタジオ「あしはらのなかつくに公園」のプランが環境芸術大賞佳作を受賞	
	◎PHスタジオ「空き地の家」風の通り道展＠大宮（埼玉）	
	◎PHスタジオ「1945」摩天楼の眺望ー円柱56景＠ZOOM（東京）	

名古屋芸術大学にて

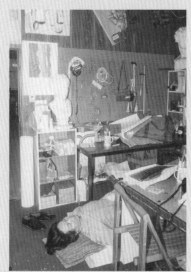

IAF事務所にて

廃線となった大船のモノレールの元小雀信号所をアトリエとして使用していた頃

灰塚にて。小杉浩久（PH）、山口昌男、池田修、村田真、中川達彦（PH）

灰塚にて。池田修と陸根丙

PHスタジオ「空き地の家」作業中

Bゼミで教え始める

教え子のシーラカンス（特に小嶋さん）たちとのつきあいもあり、当時の日本建築界の大きな流れには影響をうけた。PHスタジオとして建築設計やインスタレーションのプロジェクトを数多く手がける。（池田修のメモより）

◎社会の動き　◎横浜の動き

| **1996**
平成8
39歳 | ◎細淵太麻紀　PHスタジオに加入
◎**Bゼミで「PHスタジオ」として教え始める**
◎PHスタジオ コミッションワーク「風鈴の家」岩倉市シンボルロード「音のアート」@岩倉（愛知）
◎PHスタジオ「国境の家-House on the border」topica @エステルゴム王宮美術館（ハンガリー）
◎PHスタジオ「ケトルハウス」緊急の居所@くるみ幼稚園（掛川／静岡）
◎PHスタジオ「パラサイトハウス」さよなら同潤会代官山アパート展ー再生と記憶@同潤会アパート（代官山／東京）
◎PHスタジオ「シャトルハウス」オンキャンプ／オフベース@東京ビックサイト
◎川俣正＋PHスタジオ「MUSEUM CONSTRUCTION」@児玉画廊（大阪）
◎PHスタジオ「灰塚アースワークプロジェクト」ワークショップ@広島 | ◎ペルーで日本大使公邸占拠事件 ◎東京国際フォーラム開業 ◎東京ビッグサイトで「アトピック・サイト」 |
| **1997**
平成9
40歳 | ◎1月、川俣正＋PHスタジオ「MUSEUM CONSTRUCTION」@ヒルサイドギャラリー（代官山／東京）
◎PHスタジオ「ホワイトモデル」北九州ビエンナーレー感覚の庭@北九州市立美術館（福岡）
◎PHスタジオ「Rooftop Passage」竣工 ゆめおおおかアートプロジェクト@上大岡駅（横浜）
◎PHスタジオ設計「阪本邸」竣工@海老名
◎PHスタジオ「ムンタダス展」会場設計施工@横浜
◎PHスタジオ個展「えびすー猫の抜け道II」@オオタファインアーツ＋恵比寿市場（渋谷区恵比寿） | ◎香港、イギリスから中国に返還 ◎原広司設計による京都駅ビル開業 ◎『あいだ』創刊 |

えびす市場−猫の抜け道IIの搬出後

北九州市立美術館にて

1995年、池田修、牛島達治、村田真、富士登山

池田修と小林昭夫

BゼミでのPHスタジオゼミ

灰塚にて、船の模型制作

作品のベンチにて、ゆめおおおかアートプロジェクト「Rooftop Passage」

船をつくる話

併行して企画の仕事も、続けていた。代表作は、「船、山にのぼる」（池田修のメモより）

◎社会の動き　●横浜の動き

1998
平成10
41歳

◎PHスタジオ「時間研究所/空間研究所」モダンde平野＠大阪旧平野郷（大阪）

◎PHスタジオ「RESIDENCE in Residence」ミュージアムシティ福岡＠旧御供所小学校＋ソラリアプラザ（福岡）

◎10月、村田真、松永康と共に企画委員となった（株）ゼクセル（現ボッシュオートモーティブ）渋谷本社1FZOOMにて初の池田セレクト展「ゼクセルセレクション3　牛島達治展」＠ZOOM（東京）

◎10月、PHスタジオ「カンナシピモシリ」環境と芸術─エコロジーの視点から＠国立国際美術館（大阪）

◎**PHスタジオ「船をつくる話1998」＠広島**
灰塚アースワークプロジェクトに呼ばれてつくった企画を実現させるため自主的に芸術文化振興基金とメセナ企業から予算を取りプロジェクトを推進し始める

◎日本サッカーWカップ初出場も3戦全敗　◎椹木野衣『日本・現代・美術』刊行　◎文化庁メディア芸術祭開始

◎第2回ヨコハマ都市デザインフォーラム開催

1999
平成11
42歳

◎6月、PHスタジオ個展「White Ghost」＠カノーヴァン（名古屋）

◎PHスタジオ「ホワイトゴースト─福島」コラボレーションアート─共同制作の可能性＠福島県立美術館（福島）

◎PHスタジオ「船をつくる話1999-木をあつめる」＠広島

◎セゾン美術館閉館　◎東京芸術大学に先端芸術表現科新設、取手アートプロジェクト開始

◎新港地区が街びらき

2000
平成12
43歳

◎2月、「ゼクセルセレクション6　開発好明展─都会生活者のためのオアシス」（池田セレクト）開催＠ZOOM（東京）

◎4月、PHスタジオ「DISTANCE」democracy! ＠ロイヤルカレッジオブアートギャラリー（ロンドン）
作品のための取材でアイルランド、アラン島へ

◎PHスタジオ「駅の中の小さな映画館」segona estacio ＠旧ベニファレット駅（スペイン）

◎PHスタジオ「Private Void」竣工　芝公園ファーストビル外構アート＠東京

◎PHスタジオ「河岸段丘─ノジュール」越後妻有アートトリエンナーレ＠川西町（新潟）

◎10月、美学校 アートプロジェクト演習講義（全3回）＠美学校（東京）

◎10月、PHスタジオ「船をつくる話2000-船の上の家」＠広島

◎11月、琉球大学教育学部特別講義＠沖縄
沖縄のお墓の研究をする

◎プーチン、ロシア大統領に　◎ロンドンにテート・モダン開館　◎越後妻有アートトリエンナーレ「大地の芸術祭」開始

「船をつくる話1998」展覧会にて@三良坂町

灰塚ダム建設地「のぞみが丘」にて 1999

「船をつくる話1999−木を集める」商店街をパレード

スペインにて

アイルランド、アラン島にて

「船をつくる話2001-ふねをつくる」船本体の制作を開始

◎社会の動き ◎横浜の動き

2001
平成13
44歳

◎PHスタジオ「ヌプカの家」竣工　札幌ドーム Art Grove@札幌

◎7月、PHスタジオ「りんご箱のコロシアム」キッズアートワールドあおもり2001−市場最大の作戦@青森

◎7月、PHスタジオ「堀江佐吉を探せ!プロジェクト」キッズアートワールドあおもり2001−市場最大の作戦@青森

◎8月、「ゼクセルセレクション9　磯崎道佳展−「おしたり　ひいたり−渋滞緩和」(池田セレクト)開催@ZOOM(東京)

◎9月、PHスタジオ「船をつくる話2001-ふねをつくる」@広島

◎アメリカで同時多発テロ ◎大阪にユニバーサル・スタジオ・ジャパン開業 ◎村上隆と奈良美智ブームに

◎9月、横浜トリエンナーレ2001開催

2002
平成14
45歳

◎5月、PHスタジオ「船をつくる話2002-続ふねをつくる」@広島

◎PHスタジオ「外の家」ニュータウン・アートタウン展@山陽団地(岡山)

◎10月、PHスタジオ「森のレストラン−ファーブル」ネイチャーアートキャンプ2002@神戸

◎10月、PHスタジオ「青空テーブル製作所」@浜田市世界こども美術館(島根)

◎PHスタジオ「住宅コロシアム」ミュージアムシティプロジェクト2002「ホームルーム」@福岡

◎PHスタジオ「ホテルの中の小さな家」博多アートホテル@福岡

◎PHスタジオ「フローティングコンテナ」ISEA2002名古屋港会場 会場構成@名古屋港ガーデン埠頭(名古屋)

◎EUでユーロ通貨流通開始 ◎初の日朝首脳会談 ◎ドクメンタ11、脱植民地主義を鮮明に

◎11月〜2003年12月、文化芸術・観光振興による都心部活性化検討委員会(委員長:北沢猛)開催

2003
平成15
46歳

◎PHスタジオ「船をつくる話2003-まってるあいだ」@広島

◎PHスタジオ「船、山にのぼる」@広島市現代美術館+旧日本銀行広島支店(広島)

◎11月、「船をつくる話」の助成金を探す中、横浜市の「(仮称)クリエイティブ・シティセンター事業公募」の情報を発見、PHを母体に村田真、関ひろこらを誘いYCCCとして公募に参加

◎12月25日、公募2次面接審査→当日夜に通過の連絡。ただしSTスポットとの共同事業として行うことを告げられ、翌日から早速準備にはいる。任意団体BankART1929を発足

◎イラク戦争勃発 ◎六本木に森美術館開館、古今東西のアートを集めた「ハピネス展」

◎10月、仮称・クリエイティブ・シティセンター事業公募(旧第一銀行及び旧富士銀行の活用)

ミーティングキャラバン＠船の上　2003.7.10

青森での展示のための下見でりんご市場に　2001

広島市現代美術館での個展会場内にて

「外の家」バーブランコ　2002

灰塚にて　2003

BankART1929スタート

2004年からBankART 1929の立ち上げと運営。二年の実験事業と思って入ってきたが、延長延長で、既に14年経過した。現在にいたる。（池田修のメモより）

◎社会の動き　◎横浜の動き

2004
平成16
47歳

◎2月、みなとみらい線開通。旧第一銀行をプレオープン

◎3月6日、「**BankART 1929 Yokohama**」「**BankART 1929 馬車道**」**オープン**　約1ヶ月かけてオープニングプログラムを開催

◎4月、BankART Schoolをスタート

◎5月、「磯崎道佳展—横浜かくれんぼ」＠BankART 1929 馬車道、クナウカ「アンティゴネ」＠BankART 1929 Yokohama 開催（オープニングプログラム以降初の主催の展示および公演）

◎6月、PHスタジオ「船をつくる話」が、日本水大賞の審査部会特別賞を受賞。授賞式で秋篠宮ご夫妻から賞状を授与される。進士五十八（審査委員長）、小池百合子（当時の環境大臣）らと同席する

◎7月、東京芸大誘致に伴い、旧富士銀行から撤退が決定。代替としてタイムラグなく、同規模で、歩いて行ける場所をという3項目を提案し、旧日本郵船倉庫の活用が決定

◎10月、「横浜写真館」旧富士銀行＋旧第一銀行　旧富士銀行撤退を受け、急遽2館使用の展覧会を組んだ。出品作家は旧知の写真家たちと彼らの推薦する若手で構成

◎12月、旧富士銀行のBankARTとしての活用終了

◎金沢21世紀美術館開館 ◎大阪の国立国際美術館が中之島に移転 ◎直島に地中美術館開館

◎1月、文化芸術創造都市—クリエイティブシティ・ヨコハマの形成に向けた提言　4つの目標、3つのプロジェクト（①クリエイティブ・コア　創造界隈形成②映像文化都市③（仮称）ナショナルアートパーク構想）発表 ◎2月、みなとみらい線開通 ◎4月、横浜市文化芸術創造都市推進本部発足 ◎9月、ナショナルアートパーク構想推進委員会（委員長：北沢猛）発足

2005
平成17
48歳

◎1月、BankART Studio NYK（旧日本郵船倉庫）オープン。3階建建物のうち、2Fと1Fの一部の活用。最初の主催展は「食と現代美術part1」

◎6月、北仲BRICK＆WHITEオープン。閉鎖された建物の仮囲いに絵を描かないかという話から、建物の期間限定活用に発展させる。組織が任意団体であったため、森ビルとの契約を個人で受ける。53組が入居

◎8月、「船をつくる話」灰塚ダムの湛水実験開始、水をためはじめる

◎10月、「BankART Life-展覧会場に泊まれるか？」を開催。横浜トリエンナーレ2005（川俣正ディレクター）と連携

◎ロンドンなど世界各地でテロ多発 ◎愛知万博開催

◎2月、横浜日劇の閉館 ◎4月、東京藝大大学院映像研究科馬車道校舎 開校 ◎6月、創造都市横浜推進委員会の発足 ◎9月、横浜トリエンナーレ2005の開催 山下ふ頭3・4号倉庫、入場者数19万人 クリエーター等立地促進助成制度始まる

1964年の東京オリンピックと横浜の東京化→それに対するレジスタンス　吉田橋の高速道路の地下化→六大事業も含めて、東京の資本とインフラとつながりながらも独自の都市づくり、シティズンプライドが芽生えはじまる。

この40年間はつくった問題を猛烈ないきおいで解く時代。六大事業もほぼ完成をみる。そんな2002年頃、中田政権が発足。そこで再び、かつての都市デザイン室長、東京大学教授のアーバンデザイナー北沢猛が登用される。北沢氏は、これからの横浜の行方に対して、非常にわかりにくい「創造都市構想」という装置を挿入してくる。こちらにいきなさいというような、行政主導のディレクションではなく、どこにいくかも含めて、市民が自ら考え、自らソリューションしていく、根本的な思考（生き方）の変換を促すものだった。アーティストやクリエイターのややもするとわかりにくい、経済的にも役にたちそうもない人たちを都市に挿入し、どのようにそこからヒントをもらうか、市民が、企業が、行政が彼らを育むか、「道ばたに捨てられた赤ん坊はどこにいく」のようなやっかいだけど、夢のある問題を探り出したのだ。当時の小泉首相の民にできることは民にという大きな流れも受けての決断だった。

（池田修のメモより）

「BankART1929とクリエイティブコア」というシンポジウムとパーティーでBankARTは始まった　2004.3.6

「食と現代美術」井上明彦ワークショップ 2005

クリエイティブシティーミーティング（CCM）@ BnakART 1929 Yokohama

2006
平成18
49歳

◎3月、BankART1929としてアサヒビール芸術賞受賞

◎3月、「Landmark ProjectⅡ」として、未活用の場所の可能性を炙り出す。特に未整備であったNYK 3Fに牛島達治、丸山純子の展示をおこなう。

◎3月9,10日、「船をつくる話」国交省のボートで船を牽引、3月21日地元の神楽団が船上で祝の舞

◎4月、2年と3ヶ月の実験事業が満期終了し、BankARTは事業評価の末、継続事業となり2008年度まで3年間の契約。組織変換し、代表となる

◎4月、共催事業、企画協力として両館にて「地震EXPO」開催

◎6月、黄金町に防犯とアートをテーマにした「BankART桜荘」オープン

◎7月、BankART妻有オープン（越後妻有大地の芸術祭空家プロジェクト）

◎10月、本町ビル45（シゴカイ）オープン。北仲の満期終了にともない建築家ら11組が移転。PHスタジオとしても入居する。

◎文化庁による「NPO等による文化財建造物の保存・活用の推進に関する実践的研究」委員

◎冥王星、惑星から降格 ◎戦争画を含めた「藤田嗣治展」開催 ◎「大地の芸術祭」で空家プロジェクト

◎1月、ナショナルアートパーク構想提言書が出される（クリエイティブシティ形成に向けたマスタープラン） ◎4月、東京藝大大学院メディア映像専攻開設（新港客船ターミナルを改装） ◎4月、万国橋SOKOオープン ◎4月、横浜市魅力ある都市景観の創造に関する条例（景観条例） ◎5月、創造界隈拠点施設「ZAIM」がオープン ◎7月、ヨコハマEIZONE開催（横浜赤レンガ倉庫、BankART、ZAIM等の回遊型イベント・年1回開催） ◎10月、急な坂スタジオ オープン（旧結婚式場を舞台芸術の創造拠点として活用） ◎11月、本町ビル45（シゴカイ）がオープン 北仲BRICK & WHITEの建築家等11組が移転

2007
平成19
50歳

◎BankART1929としてUD賞（アーバンデザイン）賞受賞

◎3月、組織はNPO法人化し、**特定非営利活動法人BankART1929理事長となる**

◎横浜市文化財施設指定管理者外部評価委員会委員（2011年まで）として、開港資料館や都市発展記念館、横浜市歴史博物館等の事業評価を受け持つ

◎PHスタジオの「船をつくる話」プロジェクトのドキュメンタリー映画「船、山にのぼる」が完成。ユーロスペースでの上映時には舞台挨拶に登壇

◎7月、主催事業として「ボルタンスキープレゼンツ La Chaine—日仏現代美術交流展」を開催。妻有関連のスクールでクリスチャン・ボルタンスキーが1929ホールを訪れ施設を気に入ったことから日仏若手の映像作家を紹介する展覧会へと発展。

◎アートバーゼル、アートフェア東京など各地のアートフェア好調 ◎六本木に国立新美術館開館

◎3月、クリエイティブシティ・ヨコハマ研究会（代表：福原義春）から提言（創造都市横浜推進協議会の設立、他） ◎4月、横浜国立大学大学院／建築都市スクール「Y-GSA」開設 ◎6月、Kogane-X Labがオープン（初黄・日ノ出町環境浄化推進協議会＋横浜市立大学） ◎7月、創造都市横浜推進協議会発足（行政・民間・商工会議所・関係団体） ◎7月、アーツコミッション・ヨコハマ設立（アーティスト・クリエーター等の活動の中間支援組織） ◎7月、ヨコハマEIZONE2007開催 ◎8月、創造都市横浜推進委員会の発足 ◎9月、創造空間9001（旧東横線桜木町駅舎）オープン

BankART桜荘にて

2008

平成20
51歳

◎2月、第58回 芸術選奨 文部科学大臣新人賞（芸術振興部門）受賞

◎4月〜7月、BankART Studio NYK が翌年開催の横浜トリエンナーレの会場になることを受け、1F を拡張し、3F 全フロアを使用可能にする改修工事。トリエンナーレのために、みかんぐみによるアプローチ「ハンガートンネル」、2F 新設トイレなどが撤去される。工事中も「Renovation Project」として改修工事そのものをテーマとしたプログラムを展開する。

◎「BankART Life II—TRUE PARADISE」開催。NYK がトリエンナーレ会場のひとつとなったため、旧第一銀行での「心ある機械たち」、NYK 屋上での「ルーフトップパラダイス」、NYK の BankART Mini での「Under35」と「Cafe Live」その他、「Open パブリックスペース」と題して街中のような場所で展開。「食と現代美術」も地元飲食店と組んで展開。スクールは18区での出張 BankART school として開催。甲子園中の阪神タイガースのごとく、街中展開を推進した。

◎5月、BankART かもめ荘オープン（野毛マリヤビル）1,2F はニブロール関係に賃貸、3,4F は BankART のレジデンス施設として活用

◎PH スタジオのドキュメンタリー映画「船、山にのぼる」上映会と灰塚神楽団公演＠ BankART 1929 Yokohama

◎9月、特定非営利活動法人 越後妻有里山協働機構 理事（2016年まで）

◎リーマン・ショックで世界的な金融危機 ◎秋葉原通り魔事件 ◎村上隆《マイ・ロンサム・カウボーイ》17億円で落札｜◎4月、東京藝大大学院アニメーション専攻が万国橋会議センターにオープン ◎8月、新港ふ頭展示施設誕生（横浜トリエンナーレ、開港150周年事業等で活用）◎9月、黄金町スタジオ・日ノ出町スタジオ（京浜急行高架下に創造拠点）◎9月、横浜トリエンナーレ2008（連動してBankART Life II、黄金町バザール、ZAIM や急な坂スタジオや郊外でアートイベント開催、黄金町バザールは以降毎年開催）◎9月、横浜クリエイティブシティ・シンポジウム2008開催 ◎10月、横浜松坂屋が閉店解体 ◎横浜市が文化庁長官表彰（文化芸術創造都市部門）を受賞

BankART 妻有にて

BankART Pub にて

BankART Studio NYK 時代

2009年、中田さんから林市長に。川口本部長、北沢猛参与、がなくなり、小松崎副市長がリタイア。

（池田修のメモより）

◎社会の動き　◎横浜の動き

2009
平成21
52歳

◎1月、BankART Studio NYK がみかんぐみの設計により全館リニューアルオープン。使用面積が約3000平米に拡張される

◎4月、**BankART 1929 Yokohama の活用を終了し、BankART のメインの活動場所が面積拡張した NYK に一本化**。オフィスが NYK に引っ越し

◎5月、大型主催展「原口典之－社会と物質 展」開催。
拡張した NYK の柿落としを考えていた際に夢を見たことがきっかけで原口展の開催に至る

◎6月～7月、オーストラリア大使館のアレンジでブリスベン、メルボルン、シドニーのアートスペースを視察

◎10月、PHスタジオのドキュメンタリー映画「船、山にのぼる」のDVDが完成、発売

◎12月、横浜創造都市の立役者であり、師匠と崇める存在のひとりであったアーバンデザイナー北沢猛氏が逝去

◎民主党政権誕生 ◎「アヴァンギャルド・チャイナ展」「アイ・ウェイウェイ展」など中国現代美術展盛ん

◎4月、NPO法人 黄金町エリアマネジメントセンター設立 ◎4月、開国博Y150で、ラ・マシンの「巨大クモ」が街を闊歩 ◎5月、ヨコハマ創造都市センター（横浜市芸術文化振興財団運営）オープン ◎6月、象の鼻テラスオープン ◎中田宏氏が横浜市長を辞任し、林文子氏が新市長に就任 ◎9月、北仲スクールスタート（横浜国大中心の7大学連携）◎9月、クリエイティブシティ国際会議が開催 ◎9月、関内外OPEN開催（以降毎年開催）◎10月、ヨコハマ国際映像祭2009CREAM開催

2010
平成22
53歳

◎4月、BankART 桜荘　終了

◎7月、「続・朝鮮通信使」にてアーティストやアート関係者を引き連れ韓国から日本国内をツアー。下関から大阪まではチャーター船を出し瀬戸内国際芸術祭の長期プロジェクトとしても参加。

◎9月、大型主催展「朝倉摂－アバンギャルド少女」開催

◎9月、宇徳ビルヨンカイオープン。本町ビル45（シゴカイ）の取り壊しを受け、主にその入居者の移転先として

◎日本のGDP、中国に抜かれ世界第3位に ◎瀬戸内国際芸術祭・あいちトリエンナーレ開始 ◎3331アーツ千代田開設

◎1月、「クリエイティブシティ・ヨコハマの新たな展開にむけて」が出される ◎3月、都心臨海部・インナーハーバー整備構想提言書が出される

BankART Studio NYK のオフィスにて

「集まれ！アートイニシアティブ」にて　2008

ソウル文化財団と協定　2009

BankART 桜荘にて原口典之氏と

BankART school コレヨコ again の研究生達と　2013.6.14

2011 平成23 54歳	◎1月、元横浜市創造都市事業本部長であった川口良一が死去	◎東日本大震災、福島原発事故 ◎ Chim↑Pom、岡本太郎の巨大壁画に絵を付加 ◎目黒区美術館「原爆を視る」展中止 ◎2月、TPAM in Yokohama 開催（以降毎年開催）◎4月、文化観光局に組織改変 ◎5月、神奈川芸術劇場 KAAT オープン ◎8月、OPEN YOKOHAMA 2011トリエンナーレにあわせて開催 ◎8月、ヨコハマトリエンナーレ2011が開催 ◎9月、創造都市界隈形成推進委員会が発足 ◎10月、スマートイルミネーション横浜 開催（以降毎年開催）
	◎3月、東日本大震災。当日は地震の直後に開催していた展示は閉じたが、施設の安全を確認すると夕方からは帰宅困難者を受け入れる	
	◎4月、「続・朝鮮通信使研究会」メンバーとともにソウルから釜山までを巡るツアー。釜山で「朝鮮通信使博物館」オープンのお祝いや朝鮮通信使祭のパレードに参加	
	◎6月、横浜トリエンナーレがNYKを会場とするためにオフィスごと新港ピアに一時引っ越し	
	◎8月、「BankART Life Ⅲ－新・港村〜小さな未来都市」を横トリ2011にあわせて開催。NYKは横トリ会場のため新港ピアにて約150組のアーティストやアートイニシアティブが「村民」として3ヶ月間活動	
	◎BankART1929として「平成23年度 横浜文化賞文化・芸術奨励賞」受賞	
2012 平成24 55歳	◎5月、ハンマーヘッドスタジオ「新・港区」スタート。「新・港村」の区画を活用し53組のアーティスト、クリエイターが入居	◎自民党、政権奪還 ◎森美術館の「会田誠展」、少女ポルノをめぐって物議を醸す ◎7月、Dance Dance Dance @ YOKOHAMA 2012開催（以降3年おきに開催）
	◎9月、「続・朝鮮通信使」韓国のNORIDANと日本のSUNDRUMを率いて横浜関内をパレード。その後越後妻有で芸術祭を巡りながらパレード。農舞台で行われた芸術祭ファイナルイベントで2チームの演奏	
	◎11月、大型主催展「川俣正－Expand BankART 展」開催　NYKアプローチに川俣作品ができる	
	◎11月、「第6回横浜・人・まち・デザイン賞 まちなみ景観部門」BankART Studio NYK・創造空間 万国橋SOKOとして受賞	
2013 平成25 56歳	◎10月、続・朝鮮通信使ツアーにより対馬経由で釜山、清州（シンポジウムで発表）、ソウルと北上し福岡から陸路。瀬戸内国際芸術祭を巡る道中、高松にて緊急入院。横浜に戻りみなと赤十字病院に入院	◎特定秘密保護法成立 ◎あいちトリエンナーレ「揺れる大地」◎日展で不正審査発覚 ◎1月、地方自治体を中心としたネットワーク組織「創造都市ネットワーク日本（CCNJ）設立（横浜市が初代幹事団体代表）◎9月、横浜音祭り開催（以降3年おきに開催）
	◎12月、みなと赤十字病院にて心臓カテーテル手術。心臓ペースメーカーを入れることを提案されるも拒否	

釜山での朝鮮通信使祭の式典にて

代官山インスタレーション2011 HILLSIDE FMにて

撮影：野口浩史

新・港村にて 南條史生氏と

川俣 正氏と

UDCT（田村地域デザインセンター／福島）訪問 2011

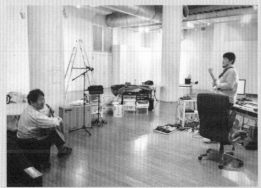

BankART AIR にて川瀬浩介氏とギターセッション

BankART 妻有にて

越後妻有十日町キナーレにて、北川フラム氏と

◎社会の動き ◎横浜の動き

2014
平成26
57歳

◎3月、「2013年度 国際交流基金 地球市民賞」を受賞。BankARTの運営および「続・朝鮮通信使プロジェクト」の活動が評価されての受賞

◎4月、「撤収！新・港区」約2年間継続した巨大なシェアスタジオ「ハンマーヘッドスタジオ」が終了

◎4月、大型主催展「田中信太郎、岡崎乾二郎、中原浩大―かたちの発語 展」開催

◎8月、横浜トリエンナーレと同時開催のBankART Life－東アジアの夢。韓国ノリダンのスプロケットを伴い公道にてパレードを行い、警察で始末書を書く

◎韓国光州のACCにてシンポジウムと展覧会。開発好明氏を紹介

◎10月、台湾にてシンポジウム登壇後に緊急入院。帰国後みなと赤十字病院に入院

◎12月、韓国釜山の近郊都市「金海」にて開発好明氏と高橋啓祐氏をグループ展にコーディネート

◎ロシア、ウクライナのクリミア半島を編入 ◎愛知県美術館「これからの写真」展で鷹野隆大の写真が問題に

横浜｜◎2月、東アジア文化都市2014のオープニングイベント横浜で開催 ◎6月、BUKATUDOU運営開始 ◎8月、ヨコハマトリエンナーレ2014が開催 ◎8月、ヨコハマ・パラトリエンナーレ開催

2015
平成27
58歳

◎8月、越後妻有（十日町情報館）にてシンポジウム「日韓交流の新しい可能性 part 2－朝鮮通信使を起点に」を開催
出演＝チャ・ジェグン、仲尾宏、三宅理一、北川フラム、池田修

◎10月、韓国の光州市立美術館にてBankARTの活動を紹介する展覧会「都市に棲む－BankART1929のアクティビティ」を開催

◎ISによるテロ頻発 ◎安全保障関連法成立 ◎板橋区・名古屋市・栃木県など各地の美術館で戦争と美術をめぐる企画展

横浜｜◎4月、YCCヨコハマ創造都市センターがオープン ◎11月、have a yokohama（横浜駅西口仮囲いプロジェクト）

2016
平成28
59歳

◎BankARTベルリンオープン

◎10月、大型主催展「柳幸典―ワンダリングポジション展」開幕後に緊急入院。人工透析を進められるも拒否

◎シリア内戦泥沼化で難民が大量に ◎オバマ大統領、広島訪問 ◎鎌倉の神奈川県立近代美術館閉館

2017
平成29
60歳

◎4月、みなと赤十字病院に検査入院

◎4月、BankART Studio NYK（旧日本郵船倉庫）の活用が今年度限りと決定

◎8月、横浜トリエンナーレと同時開催のBankART Life V「観光」展開幕後に入院。病院から外出許可をもらって北仲COOPでのシンポに参加。これを機に人工透析を受けることを了承

◎10月、人工透析のためのシャント手術を受け、横浜第一病院にて週3日の人工透析を開始

◎11月、BankART Studio NYK以降の行き先を探し、元山田ホームレストラン（のちのBankART Home）に着目

◎11月、透析の病院の近くにある東横線廃線跡（のちのR16スタジオ）に着目

◎トランプ、アメリカ大統領に ◎レオナルド・ダ・ヴィンチ作とされる《サルバトール・ムンディ》508億円で落札

横浜｜◎3月、THE BAYSオープン ◎8月、ヨコハマトリエンナーレ2017開催

光州私立美術館での展示オープニング　2015

岡﨑乾二郎氏と

BankART Studio NYK デッキにて

田中信太郎氏、光田由里氏と

仕事の合間にキャッチボールなど

中原浩大氏と

北仲 COOP でのシンポジウム　2017

柳 幸典氏と

ポストNYK時代

2018 平成30 61歳	◎BankART ベルリン撤退 ◎3月31日、BankART Studio NYK（旧日本郵船倉庫）最終日 ◎4月、**BankART Studio NYK明け渡しのための引っ越し作業**。荷物は、泰生ビル、のちのBankART Home、R16へとそれぞれ移動 ◎5月17日、BankART Home　オープン ◎11月17〜18日、R16オープンスタジオにてR16を一般にお披露目 ◎11月「文化芸術創造発信拠点形成事業」の実施事業者決定。合計4スペースの分散型の施設運営形態に。事業期間2018年12月〜2022年3月迄	◎米朝が首脳会談 ◎東京大学、宇佐美圭司の絵画廃棄問題が表面化 ◎金沢と大阪で「80年代展」相次ぐ
2019 平成31 62歳	◎2月、高橋啓祐展「映像と身体」にてBankART SILKオープン ◎2月8日、BankART Station（新高島駅B1F）　オープン ◎雨ニモマケズ（singing in the rain）展開催@ BankART Station＋R16 ◎アートフロントギャラリー　取締役に就任	◎平成天皇退位、令和に改元 ◎ゴーン被告レバノンに逃亡 ◎あいちトリエンナーレ「表現の不自由展」中止騒ぎ ●10月、商業施設の横浜ハンマーヘッドオープン ●11月、創造的イルミネーション開催（以降毎年開催）
2020 令和2 63歳	◎3月、緊急事態宣言発令で、予定していた卒業展も中止に。台北成果展だけかろうじて実施。5月まで展示イベントは全て中止 ◎4月1日、BankART Temporary（旧第一銀行）オープン、1年限りの限定運営 ◎6月、コロナ禍で2ヵ月程のブランクの末、SILKでU35渡辺篤展、Temporary 1F 松本秋則・高橋啓祐「緑陰図書館」、3FでAIRを始める ◎8月31日、BankART SILK　終了 ◎9月、BankART Life VI「都市への挿入」川俣 正 コロナ禍、パリの川俣リモート指示の下、旧第一銀行内外とみなとみらい線馬車道駅にて展開 ◎9月、横浜市、横浜高速鉄道（株）、創造界隈拠点共同主催のCreative Railway・みなとみらい線でつながる駅アートを開催。BankARTは馬車道駅にえきなか動物園、新高島駅にプラットフォームギャラリー「展覧会の絵」 ◎10月30日、BankART KAIKO　オープン （初展覧会「M meets M」村野藤吾展、槇 文彦展開催） ◎11月14日、BankART Home　終了	◎新型コロナウイルス世界的に流行 ◎展覧会の中止相次ぐ ◎ブリヂストン美術館がアーティゾン美術館に生まれ変わる ●1月、横浜市新市庁舎完成 ●6月、民間施設の横浜ブリック&ホワイト完成 ●7月、ヨコハマトリエンナーレ2020開催 ●11月、道路活用実験「みっけるみなぶん」実施
2021 令和3 64歳	◎3月31日、R16 終了（耐震的な調査の結果、使用不可能という結果に） ◎3月31日、BankART Temporary　終了 ◎2021年に横浜市より運営事業者コンペの予定だったが、横浜市の意向で、プラス3年のボーナスをいただく、初めて短期でない継続運営となる。事業期間は〜2025年3月迄 ◎9月、2020年3月[1年半]ぶりにスクールが復活	◎新型コロナウイルスの勢い衰えず ◎東京オリンピック1年遅れで開催 ◎オークションでNFT作品75億円で落札 ●4月、みなとみらい都市型ロープウェイ「YOKOHAMA AIR CABIN」の運航開始 ●8月、山中竹春が市長に就任
2022 令和4	◎3月15日、直前まで変わりなく仕事をこなしていたが、小脳出血によりBankART Stationから救急車で運ばれ翌朝16日、搬送先のみなと赤十字病院で死去	◎ロシア軍、ウクライナに侵攻 ◎芸能人の自殺相次ぐ

R16スタジオにて

野毛「山陽」にて

BankART Studio NYK クロージングパーティー

心ある機械たち again 2019

コロナ禍のR16スタジオにて 2020

年越しBankART 2017.12.31

BankART 17周年 2021.3.6

池田修 64歳の誕生日 2021.6.14

2022年3月15日19時頃

池田修の夢十夜

2022年6月14日　第一刷発行

著者　　　池田 修
編集　　　BankART1929
デザイン　北風総貴
写真　　　中川達彦
　　　　　BankART1929
　　　　　PHスタジオ
　　　　　他
印刷製本　株式会社シナノ

発行　　　BankART1929
　　　　　〒220-0012　横浜市西区みなとみらい5-1 新高島駅B1F
　　　　　TEL 045-663-2812
　　　　　info@bankart1929.com